4訂版

英熟語ターゲット 1000

大学入試 出る順

早稲田大学名誉教授　花本金吾 著

JN284434

Obunsha

はしがき

　『英熟語ターゲット1000』の第四版をお届けする。本書の第一版を送り出してから30年に及ぶ月日が流れた。幸いにもこの間，本書は全国の大学受験生に広く受け入れられ，好評でありつづけた。前の版でも述べたが，新入生を迎えたぼくの教室の中で，入学に直結した参考書の一冊として本書を挙げ，徹底的に使いふるし，愛着の篭る本にぼくのサインを求めてくれた人の数は，10や20に留まらなかった。今も忘れることのできない懐かしい想い出である。

　今回の改訂では，特に次の2点に留意して最近の入試傾向に沿うものにした。第一点は，当然といえばあまりにも当然のことであるが，最近の入試傾向を徹底的に分析して，新しく出題されるようになった熟語を入れ，例文も時代にマッチしたものにすることであった。時代の流れは速く，その速さに応じて表現も変化する。かつては「このような単語や熟語を出すと，高校の英語教育を毒するのでは…?」との思いから，教室内で学習したであろう語句に書き換えるなどの措置を取ることが多かった。しかし現在ではインターネットなどで使われる表現もそのまま出題されるようになった。この流れにも対応できる熟語集にすることが改訂の第一のねらいであった。

　第二点は，音声側面への配慮であった。熟語と言えども，現代英語の一部であることに変わりはない。グローバル化

の時代にあって、これからの若い人たちは少なくとも外国語の一つ、その中でも圧倒的に広く使われている英語くらいは、自分の将来のためにもものにしておくのが絶対に得策である。その英語は「読み・書き」のほかに、「話し・聞く」能力が伴っているものでなければならない。そのための一助となればとの願いから、見出し熟語にはすべてアクセント符号をつけた。音声は使われるその場の状況によりいろいろ変化しうるが、最も一般的な状況で発せられると思えるものを付けた。

例文については、毎回述べることであるが、今回も最大限の注意を払って作成した。高校の教科書をかつて一緒に編纂するなど、古くからの友人ウィリアム・オコーナー先生(亜細亜大学教授)には米語の立場から、そして、早大の同じ学部で長く同僚であったエイドリアン・ピニングトン先生(早稲田大学教授)にはイギリス英語の立場から、しっかりとチェックしていただいた。皆さんには安心してものにしていただきたい。

本書が3冊の旧版と同様に大勢の人に受け入れられ、皆さんの傍らにあり、ぼくの代わりとなって皆さんを励ます一冊となることを念じてやまない。

最後に、今回の改訂で苦労を共に分かち合った編集部の荒川昌代氏と吉岡健一氏に心からのお礼を申し上げる。

花本 金吾

著者紹介 花本 金吾(はなもと きんご)
早稲田大学名誉教授。専攻は現代米文学(小説)・米語法。『オーレックス英和辞典』(旺文社)編集委員。40年に及ぶ『全国大学入試問題正解 英語』校閲のほか、『基礎英作文問題精講』(いずれも旺文社)などの著書多数。趣味は読書・切手収集・旅行。アメリカ合衆国では本土48州の文学ゆかりの地を訪ね歩いた。いつの日か「米文学散歩」を世に送りたいという。

CONTENTS

はしがき	2
『ターゲット1000』でできること！	6
ターゲットシリーズラインナップ	9
本書の構成と使い方	10
ファイナルチェックの使い方	12
オススメ学習法	13

Part 1　絶対覚えておきたい160

Section 1	形容詞句・副詞句14	16
Section 2	be 動詞を含む句11	20
Section 3	動詞句〈動詞＋前置詞[副詞]〉36	24
Section 4	動詞句〈動詞＋副詞〉18	36
Section 5	副詞句33	42
Section 6	動詞句31	54
Section 7	前置詞句12	62
Section 8	典型的な基本構文5	66

Part 2　グルーピングで覚える250

Section 1	1語で言い換えられる熟語38	70
Section 2	混同しがちな熟語44	80
Section 3	似た意味を持つ熟語55	92
Section 4	反対の意味を持つ熟語20	106
Section 5	いくつかの意味を持つ熟語52	112
Section 6	副詞の働きをする熟語41	138

Part 3　形で覚える250

Section 1	〈動詞＋前置詞〉43	150

Section 2	〈動詞＋副詞〉43	164
Section 3	〈動詞＋ A ＋前置詞＋ B〉38	176
Section 4	〈be 動詞＋形容詞＋前置詞〉35	188
Section 5	前置詞で始まる熟語50	198
Section 6	〈動詞＋名詞（＋前置詞）〉32	212
Section 7	形で覚えるその他の熟語9	222

Part 4　文法・構文で覚える180

Section 1	文法69	228
Section 2	構文57	250
Section 3	会話表現54	266

Part 5　ここで差がつく難熟語160

Section 1	動詞句〈動詞＋前置詞〉17	284
Section 2	動詞句〈動詞＋副詞（句）ほか〉35	290
Section 3	動詞句（〈動詞＋（代）名詞〉ほか）31	300
Section 4	be 動詞句・前置詞句17	308
Section 5	形容詞的・副詞的表現27	312
Section 6	純然たる副詞句33	320

ファイナルチェック（英➡日）	330
ファイナルチェック（日➡英）	380
INDEX	430
コラム①	68
コラム②	148
コラム③	226
コラム④	282

『ターゲット1000』でできること

効果的に熟語を覚える5つの工夫

1. 出る順に並べられた厳選1000見出し
2. 入試で狙われやすい意味を覚える！
3. 覚えやすくグルーピングされた「パート」×「セクション」
4. 最終確認に最適！「ファイナルチェック」
5. どこでも使える「ハンディタイプ」

攻略しにくい「英熟語暗記」を効果的に！

ワンランクアップを目指す受験生に必要です！

「熟語って何？」「なぜ熟語が必要なの？」
「熟語って，どうすればうまく暗記できるの？」
そんな風に思ったことはありませんか？

熟語とは主に，2語以上の単語から成る，固定された組み合わせで意味を成す表現のことです。実際に，2012年のセンター試験に出題された次の問題を見てください。

> After he joined the travel agency, he worked hard to improve his English in order to carry (　　) his duties more effectively.
>
> ① away　② back　③ off　④ out

皆さん，すぐに答えがわかったでしょうか。
正解は④で，carry out 〜で「〜を実行する」という意味です。
「carry out＝実行する」だと知っていなければ，いくら考えて

も正解は得られません。逆に,知ってさえいればすぐに答えが出せて,得点に結びつく,それが熟語なのです。
さらに,熟語を知らないと,文章を読み違えたりしてしまうこともあります。読解問題で狙われるポイントでもあるのです。

この「ターゲット1000」は,1984年の刊行時より,「熟語学習」を何とか効率的にしようと,30年近くにわたり熟語学習の研究を重ねた結果の集大成としてまとめたものです。しかも,情報は最新の入試問題を丁寧に分析してあります。
本書でぜひ実りある「英熟語学習」に取り組んでください。

効果的に覚える5つの工夫

❶ 出る順に並べられた厳選1000見出し

最新入試データ分析を元に選び出された1000の熟語を覚えやすくグルーピングし,出る順に並べています。頭から覚えていくことで効率的に学習できます。

◆旺文社だからできること

「全国大学入試問題正解」を長年刊行しているので,信頼のおける入試問題データベースで分析ができます。これまで30年にわたる分析のノウハウがあるからこそ,自信を持って1000熟語を厳選できます。
さらに,センター試験を始め,実際の入試問題を元に書き下ろした実戦的な例文も,熟語がしっかり身につくようになっています。

◆ノウハウに裏打ちされた厳選1000熟語だからこそ意味がある!

入試に出ることを第一優先にして編集してありますが,各セクション内で同じ形のものをまとめたり,セットで覚えたほうがよいもの(同意表現,反意表現など)はグルーピングしたり,と工夫がしてあります。

❷ 入試で狙われやすい意味を覚える！

1つの英熟語につき，入試で出題されやすい意味を示しています。入試で狙われる意味が複数ある場合はすべて提示し，特に重要なものは①②のように分けて，それぞれの例文も掲載しています。

> **think of ～**
> ① ～のことを考える；～しようかなと思う
> ② ～を思いつく
> ③ ～を思い出す

入試に必須の意味を厳選して掲載しています。

❸ 覚えやすくグルーピングされた「パート」×「セクション」

まずは絶対覚えてほしいパート１から，差がつくパート５まで段階的に覚えていけばよいので効果的です。さらに各パートはグルーピングをして区切ったセクションに分かれていますので，効率的な学習の目安になります。

❹ 最終確認に最適！「ファイナルチェック」

巻末には，「ファイナルチェック」が付いています。１～1000まで暗記した熟語を「英⇒日」と「日⇒英」の２パターンで，一気に確認できます。パートごとなど自分の学習進度に合わせて，その都度チェックするのに使ってももちろんかまいません。詳しい使い方は12ページを参照してください。

❺ どこでも使える「ハンディタイプ」

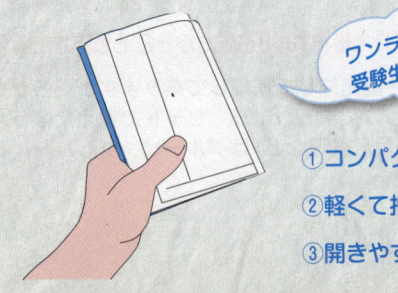

> ワンランクアップを目指す
> 受験生のために！

① コンパクトな新書サイズ

② 軽くて持ち運びに便利

③ 開きやすいので片手で持てる

ターゲットシリーズ ラインナップ

熟語を重点的にマスター!
～英熟語ターゲット1000シリーズ～

英熟語ターゲット1000 [4訂版]
準拠CD(5枚組み)
カード版

国公立2次・難関私大にチャレンジするなら!
～英単語ターゲット1900シリーズ～

英単語ターゲット1900 [5訂版]
準拠CD(5枚組み)
カード版　Part 1　Part 2
実戦問題集
書き覚えノート

センター試験突破を目指す!
～英単語ターゲット1400シリーズ～

英単語ターゲット1400 [4訂版]
カード版
実戦問題集
書き覚えノート

大学受験への足がかりに!
～英単語ターゲット1200～

英単語ターゲット1200
書き覚えノート

中学～高校基本の単熟語をまとめて覚える!

基本英単語・熟語ターゲット1100 [改訂新版]

本書の構成と使い方

Section
各セクションは，覚えやすいように「形」や「意味」ごとに熟語をグルーピングしています。

項
グルーピングの熟語の形を具体的に示しています。

見出し熟語
入試データベースを分析した厳選の熟語1000です。

アクセント記号（´）（`）
見出し熟語の強勢を表す記号です。（´）第1アクセント／（`）第2アクセント

チェックボックス
覚えた熟語にはチェック☑をつけられるようにしています。

ID番号
見出し熟語の順番を表す数字です。1から1000まであります。

▶
見出し熟語についての補足説明などを提示しています。

意味
見出し熟語の意味を赤字にしています。
補足説明は（　）で黒字にしています。
複数の意味があり，それぞれの例文を提示するときには，①②のように区別しています。

関連情報
見出し熟語に関連して，覚えておくと役に立つ情報や，意味や形が似ている表現をまとめて提示しています。

Part 3　形で覚える250

Section 1 〈動詞＋前置詞〉43

1-1 〈動詞＋at〉

□□ 411
áim at ～
～を狙う；～を目指す
▶「AをBに向ける」は，aim A at B。この場合のaimは他動詞。

□□ 412
gét at ～
①～に達する；～を手に入れる
▶「～に達する」から「～を理解する」の意味にもなる。

②～をほのめかす
▶真意を尋ねるときによく使われる。drive atとも言う。

1-2 〈動詞＋for〉

□□ 413
héad for ～
～に向かう
🟰 make for ～ → 324①
▶同じ意味を be headed for ～（主に《米》式）で表すこともある。例文はその一例。

□□ 414
prepáre for ～
～の準備をする；～に備える
▶ prepare A for B は「Bに備えてAを準備する」。この場合の prepare は他動詞。
▶ be prepared for ～ は，「～への用意［覚悟］ができている」（🟰 be ready for ～）。

□□ 167
gét óver ～
＝overcome
(病気など)から回復する；～を克服する
🟰 recover from ～ → 450
▶〈can't（などの否定語）＋ get over ～〉で，「～に驚き続けている」の意味でも使う。

□□ 169
hànd ín ～
＝submit
(手渡しで)～を提出する
🟰 turn in ～ → 183
〔語順〕hand ～ in も。
▶ send in ～ は「(郵便などで)～を提出する」。

関連情報　needless to say (670) 独立不定詞の表現

文中の主語・述語動詞，時制などに関係なく使われる，いわゆる独立不定詞の代表例を挙げる。
so to speak [say] → 672; to be sure → 673; to begin [start] with → 674;

230

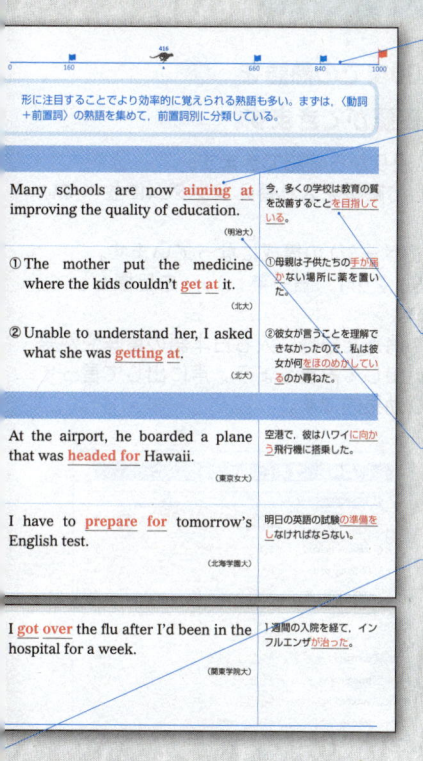

形に注目することでより効率的に覚えられる熟語も多い。まずは、〈動詞＋前置詞〉の熟語を集めて、前置詞別に分類している。

Many schools are now aiming at improving the quality of education.
(明治大)
今、多くの学校は教育の質を改善することを目指している。

① The mother put the medicine where the kids couldn't get at it.
(北大)
①母親は子供たちの手が届かない場所に薬を置いた。

② Unable to understand her, I asked what she was getting at.
(北大)
②彼女が言うことを理解できなかったので、私は彼女が何をほのめかしているのか尋ねた。

At the airport, he boarded a plane that was headed for Hawaii.
(東京女大)
空港で、彼はハワイに向かう飛行機に搭乗した。

I have to prepare for tomorrow's English test.
(北海学園大)
明日の英語の試験の準備をしなければならない。

I got over the flu after I'd been in the hospital for a week.
(関東学院大)
1週間の入院を経て、インフルエンザが治った。

ゲージ
どこまで学習が進んだかが一目でわかります。

例文
見出し熟語とその意味（赤字に対応）を効果的に覚えるための例文です。見出し熟語は赤字にして下線を引いています。1つの見出し熟語に対して重要な意味が複数ある場合には、例文もそれぞれ掲載しています。

訳文
例文の訳です。見出し熟語に対応する部分は赤字にして下線を引いています。

出典
例文の出典元（センター試験や国公立2次試験、私立大試験）を表示しています。

【語順】
見出し熟語の構成単語の順番（主に目的語の位置）が違うケースがある場合に示しています。

●本書で使われている記号などの意味
同 同じ意味の表現　**反** 反対の意味の表現
= 同意語［表現］・類義語［表現］
《米》アメリカ式英語　《英》イギリス式英語
⇒000　相互参照を示す000は見出し熟語の番号
cf. 参照するべき事項

●語句表示
[ ] 言い換え可能　( ) 省略可能・補足説明
do 原形動詞　*to do* 不定詞　*doing* 動名詞・現在分詞
done 過去分詞形
A, B 対照的な語句、主に人 (*one* の代わり) を表す
one, oneself 人を表す

11

ファイナルチェックの使い方

本文で学習した1〜1000までの熟語を覚えているかどうかの確認ができます。

① 「英→日」,「日→英」の2通りから確認できます。
② 各パートを2〜3分割して順番を入れ替えランダムに並べています。
1 Unit ＝40題（見開き2ページ）の構成になっています。
③ 1 Unit（40題）を「英→日：2分」,「日→英：3分」を目標として，取り組んでみてください。
④ 赤セルシートで隠して，消えた部分に入る日本語の意味や熟語の一部となる単語を思い出してみましょう。声に出して言ってみると，より記憶に残り効果的です。

「英→日」英語を見て日本語の意味が言えるかどうか確認しよう！

	Unit 1 英→日 ファイナルチェック	
	Part 1 (Section 1〜4)	ID
1	take off (〜)	①〜を脱ぐ；〜を取りはずす ②離陸する；(流行・売り上げなどが)急増[急伸]する	78
2	leave 〜 behind	〜を置いていく；〜を置き忘れる	79
3	be likely to do	〜しそうである	15
4	concentrate on 〜	〜に集中する	49
5	care for 〜	①〜の世話をする ②〜を好む；〜を望む	42
6	so far	今までのところ	11
7	consist of 〜	〜から成り立っている	43
8	bring about 〜	〜を引き起こす	77
9	succeed in 〜	〜に成功する	54
10	lead to 〜	〜へ通じる；〜を引き起こす	26

「日→英」日本語を見て英熟語が言えるかどうか確認しよう！

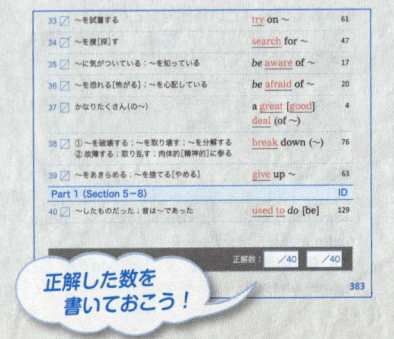

33	〜を試着する	try on 〜	61
34	〜を捜[探]す	search for 〜	47
35	〜に気がついている；〜を知っている	be aware of 〜	17
36	〜を恐れる［怖がる］；〜を心配している	be afraid of 〜	20
37	かなりたくさん(の〜)	a great [good] deal (of 〜)	4
38	①〜を破壊する；〜を取り壊す；〜を分解する ②故障する；(交渉・取り引き；肉体的[精神的]に)参る	break down (〜)	76
39	〜をあきらめる；〜を捨てる［やめる］	give up 〜	63
	Part 1 (Section 5〜8)		ID
40	〜したものだった；昔は〜であった	used to do [be]	129

正解した数を書いておこう！

オススメ学習法
これでターゲット1000は君のモノになる!

単語だけでなく,熟語学習も,コツコツ地道に覚えていくことがやっぱり大事。そんな中でも受験生の皆さんが挫折せずに継続できる学習法をお教えします!

その1　セクションごとに進めよう!

ターゲット1000は,覚えやすいように工夫したグループ分けをしています。各セクションは,同じ「形」や「意味」(同じ意味の表現,違う意味の表現など)で分けられていますので,1セクションを1つの区切りとして学習していきましょう。

その2　赤字から覚えよう!

1つの熟語に対し,いろいろな情報が載っているのが熟語集です。その中で,重要度や優先度を一目で見分けるのに役立つのが「色」です。赤字になっている部分は「絶対覚えてほしい」という大事な部分なので,まずは赤字から覚えましょう!役立つのが「赤セルシート」。これをページの上に載せると赤字部分が見えなくなるので,本当に覚えているかどうかを確認しやすいのです!

赤字
・見出し熟語の意味
・例文中の見出し熟語
・訳文中の見出し熟語に対応する訳語

黒字
・関連表現や同意表現など
・補足説明

赤字が覚えられたら,黒字に取り組みましょう。補足説明や役に立つ関連する表現,同じ意味・反対の意味の表現を示した部分のことです。「熟語の意味を完全定着させるための補助」のように思えば,無理なく頭に入ってくるはずです。

その3　五感を使おう！

「英熟語を見て意味を確認する」という基本的な学習法に「聴覚」や「触覚」など五感を刺激すると記憶が定着しやすくなります。そんな学習をサポートする周辺教材がありますのでご紹介します。

●音声 CD（別売）

「見出し熟語（英語）⇒意味（日本語）⇒見出し熟語（英語）⇒例文（英語）」がセットになった，本書の主要な要素をすべて網羅した音声 CD です。ひたすら聴き込めばリスニング力もアップします。また，CD に収録されたネイティブスピーカーの音声の後に声に出して言ってみたり，音声を聴いて自分が聞き取れた熟語や例文を書き出すディクテーション教材としても使えます。反復して体で覚え込むことで，忘れない，確かな記憶として定着し，英語力アップに結びつくさまざまな力が養えます。

●カード（別売）(2012年12月刊行予定)

覚えたカードは抜き取って，覚えられないカードのみをまとめたり，順番を本とは異なるようにシャッフルしてみたり，日本語を見て英熟語が言えるかを試してみたり…と使い方はさまざまです。
熟語を覚えるためにいろいろ工夫をしてみてください。

Part 1

絶対覚えておきたい
160

基本的な熟語ばかりなので、その多くをすでに知っている人も多いだろう。しかし中にはいくつかの意味と用法に注意が必要なものもある。最初から目を通して確認してほしい。

Section 1	形容詞句・副詞句 14	16
Section 2	be 動詞を含む句 11	20
Section 3	動詞句〈動詞＋前置詞[副詞]〉36	24
Section 4	動詞句〈動詞＋副詞〉18	36
Section 5	副詞 33	42
Section 6	動詞句 31	54
Section 7	前置詞句 12	62
Section 8	典型的な基本構文 5	66

Section 1 形容詞句・副詞句 14

1 a númber of ~
いくつもの~; かなり多くの~
▶ 後には可算名詞が来る。number の前には, large; small; huge などを用いて「数の大小」を表すことができる。

2 a píece of ~
1つ[1個; 1本; 1枚; …]の~
▶ 不可算名詞を「数量化」する最も一般的な句。

3 a cóuple of ~
① 2つの~; 2人の~
≒ two

② 2, 3の~
≒ a few
▶ ①②の区別が明確でない場合も多い。《米》式では of が省略されることもある。

4 a [grèat / gòod] déal (of ~)
かなりたくさん(の~)
▶ 後には不可算名詞が来る。a great [good] deal は副詞・名詞としても使う。

5 plénty of ~
たくさんの~
▶「数」「量」のどちらにも使える。

6 dózens of ~
何ダースもの~; 数十もの~
▶ dozen をはじめ「数詞」が付く場合には複数形にしない語も, 後に of が付けば複数形にするものは多い。[例] hundreds of ~「何百もの~」, thousands of ~「何千もの~」, millions of ~「何百万もの~」, billions of ~「何十億もの~」

形容詞句と副詞句の14個をマスターしよう。前半は数量表現を集めた。すべて基本的な熟語なので、「ウォーミングアップ」として取り組もう。

There are <u>a number of</u> reasons people have to learn good manners. (東洋大)	人が礼儀作法を学ばなければならない<u>いくつもの</u>理由がある。
May I have <u>a piece of</u> cake, Mom? (早大)	ママ、ケーキを<u>1切れ</u>食べてもいい？
① I bought a dozen eggs and <u>a couple of</u> turkeys on my way home. (日本大)	①私は帰宅途中に卵を1ダースと<u>2羽の</u>七面鳥を買った。
② Dolphins sleep at night, but only for <u>a couple of</u> hours at a time. (産業医大) *at a time → 101	②イルカは夜に眠るが、1度に<u>2、3</u>時間だけだ。
This book has been attracting <u>a great deal of</u> attention. (日本大)	この本は<u>かなり多くの</u>注目を集め続けている。
He came from a wealthy German family and had <u>plenty of</u> money. (愛知大)	彼はドイツの裕福な家庭の出身で、<u>多額の</u>お金を持っていた。
On our way there we passed through <u>dozens of</u> small villages. (上智大)	そこに行く途中、私たちは<u>数十もの</u>小さな村を通り過ぎた。

17

□□ 7 **clóse to ~**	~のすぐ近くに；ほぼ~
□□ 8 **thése dàys**	近ごろは；このごろは ▶ 通常、現在形とともに使われる。 **反** in those days「当時は」
□□ 9 **and só [òn / fòrth]**	~など
□□ 10 **àll óver (~)**	① (~の)至る所に[で] ② 一面に ▶ ①の over は前置詞だが、②では副詞。The races are all over.(レースは全部終わっている)では、形容詞・副詞両方の解釈が可能。
□□ 11 **só fàr**	今までのところ
□□ 12 **fár from ~**	~どころではない；~からほど遠い **同** anything but ~ → 227 ▶ 距離的に「~から遠い」の意味でも使う。
□□ 13 **àll the tíme**	いつも；常に ▶ ⟨all the time S + V⟩なら、「Sが~する[した]間ずっと」。
□□ 14 **fìrst of áll**	まず第一に **同** in the first place → 379； to begin [start] with → 674 ▶ at first → 85 と混同しないこと。

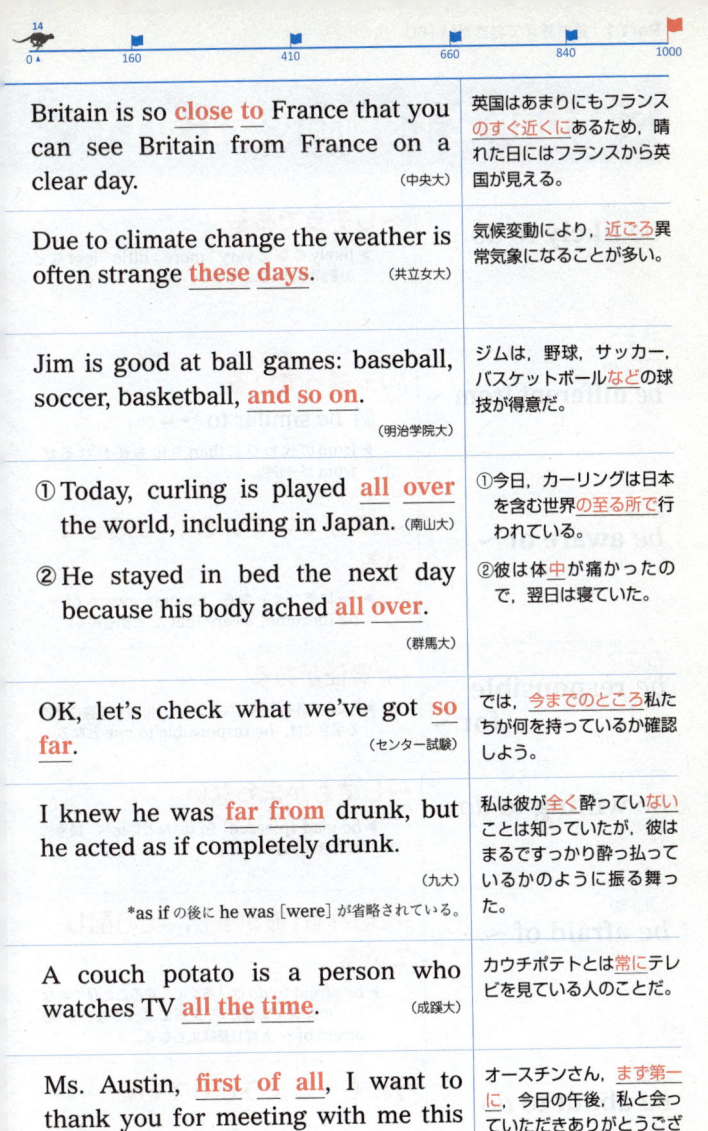

Britain is so **close to** France that you can see Britain from France on a clear day. (中央大)	英国はあまりにもフランス<u>のすぐ近くに</u>あるため、晴れた日にはフランスから英国が見える。
Due to climate change the weather is often strange **these days**. (共立女大)	気候変動により、<u>近ごろ</u>異常気象になることが多い。
Jim is good at ball games: baseball, soccer, basketball, **and so on**. (明治学院大)	ジムは、野球、サッカー、バスケットボール<u>など</u>の球技が得意だ。
① Today, curling is played **all over** the world, including in Japan. (南山大)	①今日、カーリングは日本を含む世界<u>の至る所で</u>行われている。
② He stayed in bed the next day because his body ached **all over**. (群馬大)	②彼は体<u>中</u>が痛かったので、翌日は寝ていた。
OK, let's check what we've got **so far**. (センター試験)	では、<u>今までのところ</u>私たちが何を持っているか確認しよう。
I knew he was **far from** drunk, but he acted as if completely drunk. (九大) *as ifの後にhe was [were] が省略されている。	私は彼が<u>全く</u>酔ってい<u>ない</u>ことは知っていたが、彼はまるですっかり酔っ払っているかのように振る舞った。
A couch potato is a person who watches TV **all the time**. (成蹊大)	カウチポテトとは<u>常に</u>テレビを見ている人のことだ。
Ms. Austin, **first of all**, I want to thank you for meeting with me this afternoon. (早大) *meet with ~ → 359②	オースチンさん、<u>まず第一に</u>、今日の午後、私と会っていただきありがとうございます。

Section 2 be動詞を含む句 11

□□ 15
be líkely to *do*

〜しそうである
▶ likely の前に very; more; little; less などの副詞が付くことも多い。

□□ 16
be dífferent from 〜

〜とは違っている
反 **be similar to 〜** → 551
▶ from の代わりに than や to も使われるが、from が一般的。

□□ 17
be awáre of 〜

〜に気がついている；〜を知っている
▶「〜に気づく」なら、become aware of 〜。be [become] aware that ... と節も続く。

□□ 18
be respónsible for 〜

〜に責任がある
▶「人」以外も主語になる。「人」に対して責任がある場合には、be responsible to *one* となる。

□□ 19
be wílling to *do*

〜してもかまわない
▶ be glad [pleased] to *do* などに比べ、積極的な気持ちは弱い。

□□ 20
be afráid of 〜

〜を恐れる[怖がる]；〜を心配している
▶ be afraid to *do* は「怖くて〜することができない」の意味が普通だが、文脈によってはこの be afraid of 〜 と同じ意味にもなる。

□□ 21
be abóut to dó

今にも〜しようとしている

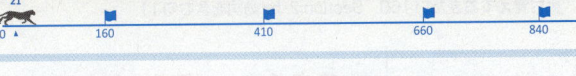

be動詞句の 11 個。of, on などは，その後に（動）名詞が必ず来る。また to では，(15) などのように to 不定詞になるものを集めた。

According to the text, the rainforests **are likely to** create more wealth if they are not destroyed. （センター試験）	その文書によると，熱帯雨林はもし破壊されなければおそらくもっと多くの富を生み出すだろう。
We were on the same team, but my experience **was** slightly **different from** his. （センター試験）	私たちは同じチームだったが，私の経験は彼のとはわずかに違っていた。
You **are aware of** the speed limit on this road, aren't you? （早大）	あなたはこの道路の制限速度を知っていますよね。
We **are** all **responsible for** protecting this planet Earth. （センター試験）	私たちは皆，地球というこの惑星を守る責任がある。
Studies show that men **are** more **willing to** drive in bad weather than women. （名古屋工大）	研究によれば，男性は女性よりも悪天候で運転するのをいとわない。
Amy **was afraid of** the dark and **of** being left alone. （琉球大）	エイミーは暗闇や1人取り残されることを怖がっていた。
When we **are about to** take action, we often make small, preparatory movements. （獨協医大） *preparatory「予備の」	今にも行動しようとするとき，私たちは小さく予備的な動作をする。

21

Part 1 絶対覚えておきたい160　Section 2 be動詞を含む句11

□□ 22 *be* cápable of ~	**~ができる；~の可能性がある** ▶「人」以外も主語になる。
□□ 23 *be* básed [on / upòn] ~	**~に基づいている** ▶ base *A* on [upon] *B* は「*A* を *B* に基づかせる」。
□□ 24 *be* máde of ~	**~で成り立っている** ▶「構成要素」がはっきりしている場合には，*be* màde úp of ~を使う。原材料の質的変化が伴う場合には，*be* made from ~。
□□ 25 *be* sátisfied with ~	**~に満足している** ▶ be は seem；look などになることもある。

My computer's hard drive <u>is capable of</u> storing a lot of information. (早大)	私のコンピュータのハードドライブは多くの情報を保存できる。
Her book <u>is based on</u> her long experience as a fashion designer. (同志社女大)	彼女の本はファッションデザイナーとしての彼女の長い経験に基づいている。
The wallet I lost <u>was</u> black, square and <u>made of</u> genuine leather. (広島工大) *genuine「本物の」	私がなくした財布は黒い正方形で,本革でできていた。
Bob <u>seems</u> <u>satisfied</u> <u>with</u> the suggestion the professor offered. (北里大)	ボブは教授が示した提案に満足しているようだ。

Section 3 動詞句〈動詞＋前置詞[副詞]〉36

□□ 26 léad to ~	~へ通じる；~を引き起こす ▶ lead A to B は「A を B に導く」。この場合の lead は他動詞。
□□ 27 cóme from ~	~の出身である；~から生じる；~に由来する
□□ 28 depénd [on / upòn] ~	~に頼る；~次第である ▶「A に B を頼る」は，depend on [upon] A for B。 ▶ depending on ~ は，主に文頭や文の後半に用いて「~に従って[応じて]」（前置詞句）。
□□ 29 thínk of ~	① ~のことを考える；~しようかなと思う ▶ 進行形で使うことも多い。 ② ~を思いつく ≡ hit on [upon] ~ → 205 ③ ~を思い出す ≡ remember ▶ ②③では，can [cannot]；try to などが前に付くことも多い。 【参考】think of A as B → 138
□□ 30 refér to ~	① ~に言及する ② ~を参照する；~に問い合わせる

〈動詞＋前置詞〉と〈動詞＋副詞〉からなる動詞句36を集めた。いくつかの意味を持つものもあるので、例文と合わせて確認しながら覚えよう。

One factor that <u>led to</u> Japan's post-war success was the hard work of its citizens. (はこだて未来大)	日本の戦後の成功<u>へと導いた</u>1つの要因は、国民の懸命な働きだった。
The word "comet" <u>comes from</u> a Greek word that means "having long hair." (成蹊大)	"comet" という単語は「長い髪を持つ」というギリシャ語<u>に由来する</u>。
We're planning to go hiking in the mountains, but it <u>depends on</u> the weather. (関東学院大)	私たちは山にハイキングに行く計画を立てているが、それも天候<u>次第である</u>。
① I'm <u>thinking of</u> buying one of these new smartphones. (近畿大)	①私はこれらの新しいスマートフォンの1つを買おう<u>かと思っている</u>。
② I need to make a speech tomorrow, but I still can't <u>think of</u> a good topic to talk about. (滋賀県大)	②私は明日スピーチをしなければならないが、話すのによい話題<u>がまだ思いつか</u>ない。
③ I cannot hear that song without <u>thinking of</u> my old friend. (追手門学院大)	③私はあの歌を聞くと私の古い友人<u>を思い出さ</u>ずにはいられない。
① In her letter to the newspaper, the high school girl <u>referred to</u> her cellphone addiction. (上智大) *addiction「常用；中毒」	①新聞にあてた手紙で、その女子高生は自らの携帯電話中毒<u>に言及した</u>。
② We should <u>refer to</u> a dictionary when we are not sure how to use a word correctly. (名古屋外大)	②ある単語の正しい使い方に確信が持てないときは、辞書<u>を参照す</u>べきだ。

25

☐☐ 31 **lóok for ~**	**~を探す** ≡ search for ~ → 47
☐☐ 32 **gròw úp**	**大人になる；(事態などが)生じる** ▶ 精神的に「大人になる」の意味でも使う。
☐☐ 33 **fócus on ~**	**~に焦点を合わせる；~に集中する** ▶ focus A on B ともなる。この場合の focus は他動詞。
☐☐ 34 **déal with ~**	**~を扱う；~を処理する** ▶ deal in ~ → 849 と混同しないこと。
☐☐ 35 **contríbute to ~**	**~に貢献する；~に寄付[寄稿]する** ▶ contribute A to B は「A を B に寄付[寄稿]する」。この場合の contribute は他動詞。
☐☐ 36 **fill óut ~**	**(書類など)に書き込む** 【語順】fill ~ out も。 ▶ fill in ~ もほぼ同じだが，括弧のような短い空欄を埋めるときに主に使う。[例] fill in the blanks
☐☐ 37 **resúlt in ~**	**~に終わる** ≡ end in ~ ▶ result from ~ → 60 と区別すること。
☐☐ 38 **relý [on / upòn] ~**	**~に頼る** ≡ depend on [upon] ~ → 28 ; count on [upon] ~ → 429 ; rest on [upon] ~ → 431

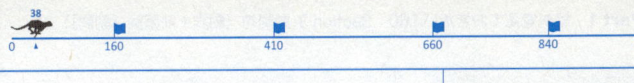

I'm going to the car dealer now to **look for** a good hybrid car. (日本大)	私は良いハイブリッド車を探しに今から自動車ディーラーへ行くつもりだ。
I **grew up** on a farm, but I prefer the city now. (日本大)	私は農場で育ったが，今は都会のほうが好きだ。
A TV program **focusing on** global warming was broadcast two nights in a row. (北里大) *in a row → 984	地球温暖化に焦点を合わせたテレビ番組が2夜連続で放送された。
Anyone who **deals with** children knows that too much softness is a mistake. (明治学院大)	子供を扱う誰もが，優しくしすぎるのは間違いだと知っている。
Scientists all over the world are **contributing to** the fight against global warming. (近畿大)	世界中の科学者たちは地球温暖化に対する闘いに貢献している。
In order to apply, you have to **fill out** this form. (近畿大)	申し込むには，この用紙に書き込まなくてはなりません。
I hope her efforts will **result in** success in the examination. (札幌大)	彼女の努力が試験で成功に終わることを願っている。
Almost all of us today **rely on** the Internet in many ways. (東京電機大)	今日，私たちのほとんどが，多くの点でインターネットに依存している。

39 gét to ~

① 《get to ＋(代)名詞で》**~に到着する**
　同 reach ; arrive at ~

② 《get to *do* で》**~するようになる ; ~できる**

40 súffer from ~

(病気など)**に悩む ; ~で苦しむ**

41 work ón (~)

① **働き続ける**
▶ on は「継続」を表す副詞。

② **~を製作する ; ~に取り組む ; ~に影響を与える**
▶ 意味②のときのアクセントは，wórk ón。

42 cáre for ~

① **~の世話をする**
　同 look after ~ → 56 ;
　　 take care of ~ → 114

② 《否定文・疑問文・条件文で》**~を好む ; ~を望む**

43 consíst of ~

~から成り立っている
　同 be composed of ~ → 542
▶ 進行形や受動態にはしない。
▶ consist in ~ → 247 と混同しないこと。

44 ásk for ~

~を求める
▶ ask A for B は「AにBを求める」。この場合の ask は他動詞。

① What's the best way to **get to** the airport from this hotel? (札幌大)	①このホテルから空港に行く最善の方法は何ですか。
② She was not used to living alone and soon she **got to** feel she would go mad if she didn't talk to someone. (横浜市大)	②彼女は一人暮らしに慣れておらず、誰かと話さなければ気がどうにかなってしまうと程なく思うようになった。
Many people **suffer from** culture shock when they live abroad. (関西外語大)	多くの人が外国で暮らすとカルチャーショックで苦しむ。
① The boy **worked on** while all the others took a short break. (獨協大)	①その少年は、ほかの全員が小休憩を取る間も働き続けた。
② We have been **working on** the same project for a year now. (法政大)	②私たちは今や1年間同じプロジェクトに取り組んでいる。
① **Caring for** others, and being **cared for** by them, is a very satisfying way to live. (小樽商大)	①他人の世話をしたり、他人に世話をされることは、とても満足のいく暮らし方である。
② I eat most vegetables but don't **care for** cucumbers very much. (センター試験)	②私はほとんどの野菜を食べるが、キュウリはあまり好きではない。
The academic year usually **consists of** three terms in the U.K. (関西学院大) *the U.K. = the United Kingdom	英国では、学年度はたいてい3学期から成る。
After **asking for** my key at the desk, I took the elevator to my floor. (関西学院大)	フロントで鍵を求めた後、私は自分の階までエレベーターに乗った。

29

□□ 45 **gò thróugh ~**	① **~を通過する**
	② (苦しみなど)を**経験する** 🔵 experience
□□ 46 **tùrn óut (~)**	① **~であることがわかる**；(結果的に) **~になる** 🔵 prove
	② **~を産出する** 🔵 produce 【語順】turn ~ out も。
	③ (催しなどに)**繰り出す**
□□ 47 **séarch for ~**	**~を捜[探]す** 🔵 look for ~ → 31 ▶ search for a house は「家はどこかと探す」，search a house は「家の中を捜す」の違いに注意。
□□ 48 **partícipate in ~**	**~に参加する** 🔵 take part in ~ → 629
□□ 49 **cóncentrate on ~**	**~に集中する** ▶ concentrate A on B は「A を B に集中する」。この場合の concentrate は他動詞。
□□ 50 **cáre abòut ~**	《通常，否定文・疑問文で》**~を気にかける**；**~に関心を持つ**
□□ 51 **héar of ~**	**~のこと[噂・消息]を聞く** ▶ hear from ~ → 59 と区別すること。

① <u>Go through</u> the first light, and turn left at the next intersection. (愛知大)	①最初の信号を通過して、次の交差点で左折してください。
② She <u>went through</u> a hard time when she lost her job. (摂南大)	②彼女は失業したとき、苦労を経験した。
① The results <u>turned out</u> better than I'd expected. (中央大)	①結果は私が期待していたより良かった。
② My father's factory <u>turns out</u> 30,000 cars each month. (姫路獨協大)	②父の工場は毎月3万台の車を生産している。
③ Hundreds of villagers <u>turned out</u> for the circus. (明治学院大)	③何百人という村人がサーカス見物に繰り出した。
Ken is <u>searching for</u> a job so he can be independent of his parents. (南山大)	ケンは、両親から独立できるように、仕事を探している。
I'm thinking of <u>participating in</u> the study abroad program. (埼玉大)	私は留学プログラムに参加しようかと思っている。
Ted is still sick, so he won't be able to <u>concentrate on</u> the report. (中村学園大)	テッドはまだ病気なので、彼はレポートに集中できないだろう。
Mika doesn't seem to <u>care about</u> improving her grades at school. (上智大)	ミカは学校での成績を良くすることに関心がないようだ。
It was just last week that I <u>heard of</u> her engagement to an actor. (金沢工大)	ある俳優との彼女の婚約を私が聞いたのはほんの先週のことだった。

☐☐ 52 **believe in ~**	**~を信用する；~の良さ[存在]を信じる** ▶ I believe in him. は「人格的に彼を信頼している」ことを表し、I believe him.「彼の言葉を信じる」とは質的に異なる。
☐☐ 53 **complain [about / of] ~**	**~について不平を言う；(苦痛など)を訴える**
☐☐ 54 **succeed in ~**	**~に成功する**
☐☐ 55 **call for ~**	① **~を必要とする；~を求める** 🔄 require；demand；need ▶「人」以外が主語になることも多い。 ② **(人)を誘い[迎え]に行く；(物)を取りに行く** ▶ 主に《英》式。ほかに、《米》式で「(天気予報で)~を予報する」の意味でも使われる。
☐☐ 56 **look after ~**	**~の世話をする** 🔄 care for ~ → 42①；take care of ~ → 114
☐☐ 57 **get along**	① **暮らす；(なんとか)やっていく** ② **(~と)仲良くやっていく(with ~)；(~が)進む(with ~)** ▶ ①②共に《英》式では get on → 73② とも言う。

Do you **believe in** life after death? (駒澤大)	あなたは来世を信じていますか。
These days, many people are **complaining about** the lack of job opportunities. (日本女大)	近ごろ，多くの人が就職の機会が不足していることについて不平を言っている。
Meg received an e-mail saying that she had **succeeded in** finding a new job. (広島工大)	メグは，彼女自身が新しい仕事を見つけることに成功したというＥメールを受け取った。
① This job **calls for** someone with good eyesight. (日本大)	①この仕事は視力の良い人を必要としている。
② I'll **call for** you at eight tomorrow morning. (日本大)	②明日の朝8時にあなたを迎えに行きます。
Susan was asked to **look after** her neighbor's children in the evening. (東京国際大)	スーザンは夜に近所の子供の世話をするよう頼まれた。
① He'll be gone for a year, so we'll have to **get along** without him. (中央大)	①彼は1年間いないので，私たちは彼なしでなんとかやっていかなければならないだろう。
② Beth is **getting along** very well **with** her new friends. (岩手大)	②ベスは新しい友だちととても仲良くやっている。

33

58 differ from ~

~と異なる
▶ 形容詞を使った be different from ~ → 16 よりやや堅い表現。

59 hear from ~

~から便り[電話・伝言]がある

60 result from ~

~から起こる
▶ result in ~ → 37 と混同しないこと。

61 try on ~

~を試着する
【語順】try ~ on も。

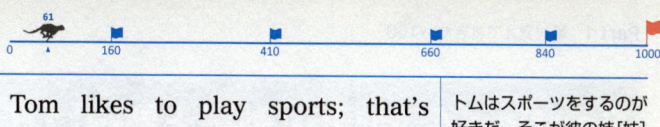

Tom likes to play sports; that's where he <u>differs</u> <u>from</u> his sister. （静岡県大）	トムはスポーツをするのが好きだ。そこが彼の姉［妹］<u>と異なる</u>ところだ。
I was very happy to <u>hear</u> <u>from</u> him for the first time in many years. （玉川大）	私は何年かぶりに彼<u>から便りをもらって</u>とてもうれしかった。
Serious health problems can <u>result</u> <u>from</u> smoking. （早大）	深刻な健康問題が喫煙<u>から起こる</u>こともある。
After <u>trying</u> <u>on</u> a dozen skirts, Helen ended up buying a red one. （学習院大） *end up 〜 ➡472	十数枚のスカート<u>を試着した</u>後，ヘレンは結局赤いのを1着買った。

Section 4 動詞句〈動詞＋副詞〉18

□□ 62
pick úp ~

~を拾う；~を(車などに)乗せる
【語順】pick ~ up も。

□□ 63
gìve úp ~

~をあきらめる；~を捨てる[やめる]
【語順】give ~ up も。
▶ give up on ~ の形もある。

□□ 64
sèt úp ~

~を立[建]てる；~を創設する；~を始める
【語順】set ~ up も。

□□ 65
wàke úp (~)

目が覚める；(人)の目を覚まさせる
【語順】他動詞では wake ~ up も。

□□ 66
brìng úp ~

① ~を育てる

② (問題・話題など)を持ち出す
【語順】①②共に bring ~ up も。

□□ 67
brèak úp (~)

① (~を)解散[散会・解体]させる[する]

② (関係などが)終わる；(人が)別れる；~を終わらせる
【語順】①②共に他動詞では break ~ up も。

他動詞句は，〈動詞＋目的語＋副詞〉と〈動詞＋副詞＋目的語〉の2通りの語順が多い。目的語が it などの代名詞の場合は前者の語順になる。

I'll be happy to **pick** you **up** at the airport when you come to Tokyo. (長崎大)	東京においでのときは，空港まで喜んで車であなたを迎えに行きますよ。
I will not **give up** my plans, no matter what difficulties I may face. (和光大)	どんな困難に直面しようとも，私は自分の計画をあきらめない。
Nobel was an inventor, whose will **set up** the Nobel Prizes in 1901. (広島国際大)	ノーベルは発明家で，彼の遺言により1901年にノーベル賞を創設した。
Do you ever **wake up** in the middle of the night? (愛知大)	あなたは真夜中に目が覚めることがありますか。
① Yoshio was born in Japan but was **brought up** in Britain. (慶大)	①ヨシオは日本で生まれたが，英国で育った。
② At the meeting Tom **brought up** the subject of a pay raise. (近畿大) *a pay raise「昇給；ベースアップ」	②会議で，トムは昇給の議題を持ち出した。
① When the sun goes down, it's time to **break up** the beach party. (日本大)	①日が沈んだら，ビーチパーティーを終わらせる時間だ。
② It's sad to see them **breaking up** after so many years of marriage. (清泉女大)	②何年もの結婚生活の後に彼らが別れるのを見るのは悲しい。

□□ 68
find óut ～
(調査などの結果)を**見つけ出す**；(真相)を**知る**
同 discover
【語順】 find ～ out も。

□□ 69
póint óut ～
～を指摘する
【語順】 point ～ out も。
▶「～を指差す；～を指し示す」は，point to [at] ～。

□□ 70
fìgure óut ～
～を理解する；～を計算する；～を解く
【語順】 figure ～ out も。

□□ 71
càrry óut ～
～を実行する
同 perform；fulfill
【語順】 carry ～ out も。

□□ 72
pùt ón ～
～を(身に)付ける；(電気器具・ガスなど)**をつける**
反 take off ～ → 78①
【語順】 put ～ on も。
▶「身に付ける」から，「～を装う」「～の振りをする」の意味にもなる。

□□ 73
gèt ón (～)
① **(公共の乗り物など)に乗る**
▶「(乗用車)に乗り込む」は，get into ～。

② **(なんとか)やっていく；(～と)仲良くやっていく(with ～)**
▶ この意味は主に《英》式。
同 get along → 57①②

The teacher told us that we'd <u>find out</u> the test results the next day. (和歌山大)	試験結果<u>は</u>翌日に<u>わかる</u>だろうと先生は私たちに言った。
Friends of mine often <u>point out</u> to me that I am a little overweight. (中央大)	私の友人たちは，私が少し太りすぎだ<u>と</u>よく私に<u>指摘する</u>。
At first, I couldn't even <u>figure out</u> what the problem was. (上智大)	最初，私は何が問題なのか<u>を理解する</u>ことさえできなかった。
It is a very good idea, but the question is how to <u>carry</u> it <u>out</u>. (千葉工大)	それはとても良い考えだが，問題はどうやってそれ<u>を実行する</u>かだ。
Amy <u>put on</u> her makeup before he arrived. (成蹊大) *makeup「化粧」	エイミーは彼が到着する前に化粧<u>をした</u>。
① I just want to <u>get on</u> a train and go as far north as possible. (早大)	①私はただ電車<u>に乗って</u>，できるだけ北に行きたいのです。
② It's a good thing to <u>get on</u> well <u>with</u> as many people as possible. (センター試験)	②できるだけ多くの人<u>と仲良くやっていく</u>のは良いことだ。

39

74
càrry ón ~

~を続ける

🔄 continue

【語順】carry ~ on も。
▶ 名詞が続く場合，carry on with ~ となることもある。

75
cùt [dówn / báck] (on) ~

~の(消費)量を減らす；~を切り詰める

🔄 reduce

【語順】cut ~ down [back] も (この場合には on は使われない)。

76
brèak dówn (~)

① ~を破壊する；~を取り壊す；~を分解する

【語順】break ~ down も。

② 故障する；取り乱す；肉体的[精神的]に参る

【参考】a nervous breakdown「神経衰弱；神経症」(breakdown は名詞)

77
brìng abóut ~

~を引き起こす

🔄 cause

【語順】bring ~ about も。

78
tàke óff (~)

① ~を脱ぐ；~を取りはずす

【語順】take ~ off も。

② 離陸する；(流行・売り上げなどが)急増[急伸]する

79
lèave ~ behínd

~を置いていく；~を置き忘れる

▶「~を残して死ぬ」「(場所)を後にする」などの意味もある。
【語順】leave ~ behind が一般形だが，leave behind ~ も。

Many employees **carried on** working despite pressure from the union. （関東学院大）	多くの従業員は組合からの圧力にもかかわらず働き続けた。
These days, many businesses are **cutting down on** their expenses. （中央大） *expense(s)「出費」	近ごろ，多くの会社は諸経費を切り詰めている。
① Water can be **broken down** into hydrogen and oxygen. （東海大）	①水は水素と酸素に分解することができる。
② When my car **broke down**, I left it at a repair shop instead of trying to fix it myself. （早大）	②私の車が故障したとき，私は車を自分で修理する代わりに，それを修理店に置いていった。
The new technologies including IT have **brought about** big social changes. （龍谷大）	IT を含む新たな技術が大きな社会的変化を引き起こしてきた。
① Please **take off** your shoes, and put these slippers on here. （獨協大）	①靴を脱いで，ここでスリッパを履いてください。
② Pop stars and presidents alike put on alohas, and a new trend **took off**. （センター試験）	②ポップスターも大統領も共にアロハシャツを着ると，新たな流行が急にはやり出した。
Dogs have powerful noses to smell tiny clues people **leave behind**. （国学院大） *clue「糸口；手がかり」	犬は人々が残していくわずかな手がかりを嗅ぎつける強力な鼻を持っている。

Section 5 副詞句33

□□ 80
for [exámple / ínstance]

例えば
- e.g. と略することもある（ラテン語 *exempli gratia* より）。

□□ 81
in fáct

① 実際に

② 《前言と対照して》(ところが)実際は
同 ①② in reality → 376
- 「そして実際に」のほかに、「ところが実際は」のニュアンスもある点に注意。

□□ 82
at hóme

① 在宅して；家庭で

② くつろいで

③ (〜に)精通して(in 〜；on 〜；with 〜)

□□ 83
in the fúture

将来は；今後は
- future には near；immediate；distant；remote などいろいろな形容詞も付く。in the not-too-distant future は「あまり遠くない将来に」。

前置詞で始まる副詞句 33 個を集めた。同じ意味を表せる別の表現も適宜載せているので，合わせて覚えてしまおう。

In Japan, for example, one must be at least 20 in order to buy or drink alcohol. (日本大)	日本では，例えば，アルコールを買ったり飲んだりするには少なくとも20歳になっていなければならない。
① She was happy to hear the news. She was, in fact, so excited that she couldn't fall asleep. (島根大)	①彼女はその知らせを聞いて喜んだ。実際，彼女はあまりにも興奮していたので，眠ることができなかった。
② The government is pretending that nothing is wrong, when, in fact, many people are out of work. (成城大)	②政府は何も悪いところはないふりをしているが，実際は多くの人々が失業している。
① He works at home, where he designs his robots all by himself. (神奈川大)	①彼は在宅で働き，自分1人だけでロボットを設計している。
② Even in other parts of the world, I feel very much at home. (関西学院大)	②世界のほかの地域にいるときでさえも，私はとてもくつろいだ気持ちになる。
③ He seems to be at home with Greek literature. (鹿児島大)	③彼はギリシャ文学に精通しているようだ。
A big earthquake is predicted to occur in the Tokyo area in the near future. (東海大)	近い将来に，東京圏で大地震が起こると予測されている。

Part 1 絶対覚えておきたい160　Section 5 副詞句33

84 after all
結局(は)；やっぱり
▶ after all is said and done という言い方もある。

85 at first
最初は
▶ first of all → 14; for the first time → 89 などと混同しないこと。

86 on the other hand
これに反して；他方では
▶ on (the) one hand は「一方では」。

87 in other words
言い換えれば；つまり
≒ namely; that is (to say) → 782

88 in general
① **一般に**
≒ as a (general) rule → 397; generally

② **《名詞の後に置いて》一般の**
≒ at large → 362①

89 for the first time
初めて
▶「2度目に」なら、for the second time。for the last time は「最後に」。

90 in turn
順々に；(立ち代わって)次に(は)
▶「AがBに~、そして『次には』BがCに~」といった文脈でよく使われる。例文はその一例。

91 by the way
ところで
≒ incidentally

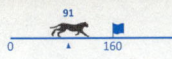

I thought he would visit me, but he couldn't make it <u>after all</u>. (専修大) *make it ➡623	私は彼が私を訪ねてくると思っていたが，<u>結局</u>彼は来られなかった。
<u>At first</u> I had some difficulty using this camera. (大阪電通大)	<u>最初</u>，私はこのカメラを使うのに少し苦労した。
<u>On the other hand</u>, shopping online is a completely new experience. (中部大)	<u>他方では</u>，オンラインでの買い物は全く新たな経験である。
There are many single-parent families: <u>in other words</u>, only a mother or father lives with the children. (東洋大)	ひとり親の家庭は多い。<u>つまり</u>，母親か父親だけが子供と暮らしている。
① <u>In general</u>, spending on eating out rises with income. (早大)	①<u>一般に</u>，収入に応じて外食費が上昇する。
② This is not a question about cultures <u>in general</u>. (東大)	②これは文化<u>一般</u>についての問題ではない。
<u>For the first time</u> in a long time, I was at home with nothing to do. (慶大)	長い間で<u>初めて</u>，私は何もすることのないまま家にいた。
When we fail, this often leads us to expect failure, which, <u>in turn</u>, produces further failure. (慶大)	失敗すると，私たちはよく失敗を予期するようになり，それが<u>次々と</u>さらなる失敗を引き起こす。
<u>By the way</u>, do you have any plans for this Friday evening? (東北大)	<u>ところで</u>，今週の金曜日の夜は何か予定がありますか。

□□ 92 **in particular**	特に ≡ especially ; particularly ▶ 限定する語句の直後に置かれる。
□□ 93 **for a while**	しばらくの間 ▶ while には short ; little ; long などの形容詞も付く。quite の場合には，for quite a while の語順。
□□ 94 **in time**	① (〜に)間に合って(for 〜) ② やがて；そのうちに ≡ in due course [time] → 986
□□ 95 **in the end**	ついには；結局は ≡ finally ; at last
□□ 96 **at once**	① すぐに ≡ immediately ; right away → 198 ② 同時に ≡ at the same time ; all at once → 392②
□□ 97 **at work**	① 仕事中で[の]；職場で ② 運転[作動]中で[の]；作用して

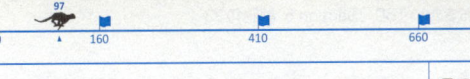

At the news, all of us were very excited, my grandfather **in particular**. (清泉女大)	その知らせに私たちは皆，特に祖父はとても興奮した。
I wonder how he's getting along. I haven't seen him **for a while**. (佛教大)	彼はどうしているだろうか。私はしばらく彼に会っていない。
① We made it to the theater just **in time for** the start of the movie. (九州産業大)	①私たちは映画の開始にちょうど間に合って映画館に着いた。
② Although the work was hard, **in time** he came to enjoy it. (筑波大)	②仕事はきつかったが，やがて彼はそれを楽しむようになった。
In the end, I had to admit I was mistaken. (明治学院大) *admit「〜を認める」	結局，私は自分が間違っていることを認めなければならなかった。
① The girl **at once** replied to my question, "Of course not." (関西大)	①その少女はすぐに私の質問に「もちろん違います」と答えた。
② John, you can't do so many things **at once**; you have to do them one at a time. (獨協医大)	②ジョン，そんなにたくさんのことは同時にできないよ。1度に1つずつやらないと。
① Many people wear casual clothes **at work** these days. (中央大)	①近ごろ多くの人が職場でカジュアルな服装をしている。
② I'm sure another factor is **at work** in this case. (慶大)	②私はこの場合は別の要因が働いていると確信しています。

☐☐ 98 **on tíme**	**時間どおりに[で]** 🔵 punctually ; punctual ▶ in time → 94① は「間に合って」であるから，on time に比べ，何秒か何分かにしろ，先に到着していることになる。
☐☐ 99 **in párt**	**一部には；いくぶん(かは)** 🔵 partly ▶ 例文の in part は because 以下の節全体を修飾している。
☐☐ 100 **as a whóle**	**全体として(の)** ▶ at large → 362①と同様に，名詞の直後に置かれることも多い。例文はその一例。
☐☐ 101 **at a tíme**	**1度に** ▶ ⟨at a time (when) S + V⟩ は「S が〜するときに」の意味。
☐☐ 102 **at áll**	① 《否定文で》**全く** ▶ no [not] 〜 at all が一般形。 ② 《疑問文で》**一体；そもそも** ③ 《条件文で》**せっかく；とにかく**
☐☐ 103 **at tímes**	**ときどき** 🔵 sometimes; every now and then [again] → 188 ; (every) once in a while → 189; from time to time → 191 ; on occasion → 989

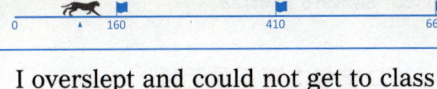

I overslept and could not get to class **on time** this morning. (札幌大)	今朝,私は寝過ごして,時間どおりに授業に出られなかった。
She went home early **in part** because she was tired from hard work. (静岡県大)	1つには彼女は重労働で疲れていたので,彼女は早く帰宅した。
Movies, TV, and music have a strong influence on society **as a whole**. (センター試験)	映画,テレビ,音楽は全体として社会に強い影響を与える。
I've never heard Tim speak more than a few words **at a time**. (立命館大)	私はティムが1度に数語以上の言葉を話すのを聞いたことがない。
① He got married without thinking **at all** of his wife's background. (名古屋学院大)	①彼は妻の経歴を全く考えずに結婚した。
② Dad said to me, "Have you thought **at all** what you'll do in the future?" (大阪市大)	②父は私に「自分が将来何をしようとするのかそもそも考えたことがあるかい」と言った。
③ No matter what it is or where you are, do it well if you do it **at all**. (和歌山大)	③それが何であろうとも,あなたがどこにいようとも,せっかくそれをやるのであればうまくやりなさい。
As human beings, we cannot avoid lying **at times**. (東大)	人間として,私たちはときどきうそをつくのは避けられない。

☐☐ 104 **in shórt**	**つまり；短く言えば** ≡ in a word → 286 ; in brief → 287 ▶ in a nutshell（口語）もある。for short は「略して，短く言って」。
☐☐ 105 **on éarth**	①《疑問詞を強めて》**一体全体** ②《最上級を強めて》**世界中で** ≡ ①② in the world ▶ 単に「地球上で」の意味で使うこともある。 ▶ 否定を強める用法もある。
☐☐ 106 **at léast**	**少なくとも** ▶ at the (very) least もときには使われる。 ▶ 関連情報 参照。
☐☐ 107 **as úsual**	**いつものように** ▶「いつもより〜」は，〈比較級＋than usual〉。 ［例］earlier than usual「いつもより早く」
☐☐ 108 **at bést**	**よくても；せいぜい** ▶ at the best もときに使われる。
☐☐ 109 **nò lónger 〜**	**もはや〜ない** ≡ not 〜 any longer ▶ no more [not 〜 anymore] は「数量・程度」について使うことが多い。

関連情報　at least (106) と類似の表現

〈at＋(the＋)最上級〉は表現力豊かな句である。いくつか例を挙げておこう（使用頻度が多ければ定冠詞は省略される傾向）。

People have, **in short**, become more mobile, both physically and electronically. (山梨大)	人々は，つまり，物理的にも電子的にも移動性がより高くなった。
① Where **on earth** did you buy a shirt like that, Dan? (同志社大)	①ダン，一体全体どこでそんなシャツを買ったの？
② The Amazon rainforest is one of the most wonderful places **on earth**. (名古屋学院大)	②アマゾンの熱帯雨林は世界中で最もすばらしい場所の1つだ。
We were lost; even the nearest city was **at least** a two-hour drive away. (名古屋工大)	私たちは道に迷ってしまった。最も近くの町でさえ少なくとも車で2時間離れていた。
My father got home from work at 7 p.m. **as usual**. (大東文化大)	父はいつものように午後7時に仕事から帰ってきた。
These data show that seatbelts are, **at best**, only nominally helpful. (慶大)	これらのデータは，シートベルトはせいぜい名目上，役に立つにすぎないということを示している。
What happens to old car tires when they can **no longer** be used? (南山大)	もはや使えなくなると，車の古いタイヤはどうなるのですか。

- at (the) best → 108　反 at (the) worst「最悪の場合には[でも]」
- at the longest「一番長くて(も)」　反 at the shortest「一番短くて(も)」
- at the earliest「一番早くて(も)」　反 at the latest「一番遅くて(も)」
- at the highest「一番高くて(も)」　反 at the lowest「一番低くて(も)」

☐☐ 110 **nòt álways ~**	**必ずしも〜ではない** ≒ not necessarily ▶ 関連情報 参照。
☐☐ 111 **as ~ as [póssible / *one* cán]**	**できる限り〜** ▶ as ~ as *one* possibly can という強調の形もある。
☐☐ 112 **at (the) móst**	**多くても；せいぜい** ▶「数量・程度」について使う。

関連情報 not always 〜 (110) のような部分否定の表現

〈否定語＋全体を表す語〉＝「部分否定」となることが多い。
・not all 〜「すべて〜とは限らない」

It's <u>not always</u> easy for immigrants to pick up a new language. (大阪経大)	移民が新しい言語を身に付けるのは<u>必ずしも</u>簡単<u>ではない</u>。
Our teacher told us to read <u>as</u> many books <u>as possible</u> while we were young. (近畿大)	私たちの先生は私たちに，若いうちに<u>できる限り</u>多くの本を読むように言った。
The trip to the downtown area will take 20 minutes, or half an hour <u>at most</u>. (目白大)	繁華街への道のりは 20 分か<u>せいぜい</u> 30 分だ。

- not every ～「すべて～とは限らない」
- not wholly ～「完全に～とは限らない」
- not altogether ～「全面的に～とは限らない」

Section 6 動詞句31

113 look forward to ~
~を楽しみに待つ
▶ to の後には(動)名詞が来る。

114. take care of ~
~の世話をする；~に気をつける
🔄 care for ~ → 42①; look after ~ → 56; attend to ~ → 845
▶ care の前に little; good; no などの形容詞を入れることも可能。

115 take place
起こる；催される
▶「(計画して)催す」の意味で使うとされるが,「(自然に)起こる」の意味でも広く使う。

116 play a [role / part] (in ~)
(~で)役割を演じる[果たす]
▶ role [part] の前にはいろいろな形容詞を入れることが可能。

117 make sure (~)
(~を)確かめる；確実に~する
▶ sure の後には that 節; to do; of のいずれも続けることが可能。

118 make sense
意味をなす；道理にかなう
▶ make sense of ~ は「~を理解する；~の意味がわかる」。

119 pay attention to ~
~に注意を払う
▶ attention にはいろいろな形容詞が付く。

動詞句の中で，(132)〜(143)は後に前置詞句を伴って，係り結び的な形を取る頻出の熟語をまとめている。

I'm really **looking forward to** seeing you next Friday. (札幌大)	今度の金曜日にあなたに会えるのを本当に楽しみにしています。
An aging society will need more people to **take care of** the elderly. (北大)	高齢化社会は高齢者の世話をする人をもっと必要としている。
Excuse me, but do you know when the next meeting will **take place**? (東洋英和女学院大)	すみません，次の会議がいつ行われるか知っていますか。
Music **plays an** important **role in** our mental growth. (九大)	音楽は私たちの精神的成長において重要な役割を果たしている。
She looked around to **make sure** that she was alone. (岩手医大)	彼女は周りを見回して自分がひとりきりであることを確かめた。
What he said didn't **make sense** to me at all. (東京経大)	彼が言ったことは私には全く意味をなさなかった。
I got lost on the way; I should have **paid** more **attention to** the street signs. (学習院大)	途中で私は道に迷った。もっと道路標識に注意を払っておくべきだった。

☐☐ 120 **màke a dífference**	**違いが生じる；重要である** ▶「大きな違い」の場合には a big [a lot of; a great deal of] difference, 「違いが生じない」の場合には no [little] difference などとなる。
☐☐ 121 **hàve an [ínfluence / efféct] on ~**	**~に影響を与える** ▶ influence [effect] にはいろいろな形容詞が付く。 ▶ have の代わりに，exercise；exert などの動詞もよく使われる。
☐☐ 122 **còme úp with ~**	**(解決策など)を思いつく；(案など)を提出する** 同 think of ~ → 29②
☐☐ 123 **màke a mistáke**	**間違いをする**
☐☐ 124 **dò *one's* bést**	**最善を尽くす** ▶ do *one's* utmost という表現もある。
☐☐ 125 **chànge *one's* mínd**	**気[考え]が変わる**
☐☐ 126 **màke [an éffort / éfforts]**	**努力する**
☐☐ 127 **còme trúe**	**(夢・予言などが)実現する** ▶ It's a dream come true. (それは夢の実現だ) のように，come true が名詞の直後に置かれ，形容詞的に使われることがある。

A few degrees can make a big difference when it comes to food storage. (東京都市大) *degree「(温度の)度」 *when it comes to ～ → 689	食料の貯蔵に関して言えば、数度の違いで大きな違いが生じることがある。
The fast food industry has had a widespread influence on what and how we eat. (関西学院大)	ファストフード産業は、私たちが何をどう食べるかに幅広い影響を及ぼしてきた。
We haven't yet come up with an efficient way to reduce carbon emissions. (愛知教育大)	私たちは炭酸ガス放出を減らす効率的な方法をまだ思いついていない。
Forgiving is very important because everybody makes mistakes. (関東学院大)	誰でも間違いを犯すのだから、許すということはとても大切だ。
What matters the most here is whether you do your best or not. (九州国際大)	ここで最も重要なのは、あなたが最善を尽くすかどうかです。
An obstinate person is a person who is unwilling to change his or her mind. (センター試験) *obstinate「頑固な；執拗な」	頑固な人とは、自分の考えを変えたがらない人のことだ。
I think we should make more efforts to keep our city clean. (上智大)	私たちは、町をきれいに保つための努力をもっとするべきだと思う。
You can't make your dreams come true without clear goals. (鳥取大)	明確な目標なしに、夢を実現させることはできない。

☐☐ 128 **gèt lóst**	**道に迷う** ≡ go astray ▶「人生の道に迷う」の意味でも使われる。be lost は「迷っている」という「状態」を表す。
☐☐ 129 **úsed to** [*do* / **bé**]	**〜したものだった；昔は〜であった** ▶「今はそうでない」の意味を含む。be used to *doing* → 685 と区別すること。
☐☐ 130 **had bètter** *dó*	**〜したほうがいい；〜すべきだ** ▶ 命令的な響きを持つので、2人称に使うときには要注意。否定形は had better not *do* の語順。had best *do* もよく使われる。
☐☐ 131 **enjóy** *onesèlf*	**楽しい時を過ごす** ≡ have a good [great] time → 807
☐☐ 132 **sée** *A* **as** *B*	***A* を *B* と見なす** ≡ think of *A* as *B* → 138; regard *A* as *B* → 139; view *A* as *B*; look on [upon] *A* as *B*
☐☐ 133 **províde** *A* **with** *B*	***A* に *B* を供給する** 【語順】provide *B* for *A* も。 ▶ 同形に、present *A* with *B* → 521; supply *A* with *B* → 522; furnish *A* with *B* → 523 など。
☐☐ 134 **prevént** *A* **from** *B*	***A* を *B* から防ぐ；*A* を妨げて *B* をさせない** ≡ keep *A* from *B* → 527; prohibit *A* from *B* → 528; hinder *A* from *B*
☐☐ 135 **spénd** *A* **on** *B*	***A* を *B* に使う** ▶ *A* には「お金・時間・労力」などが来る。

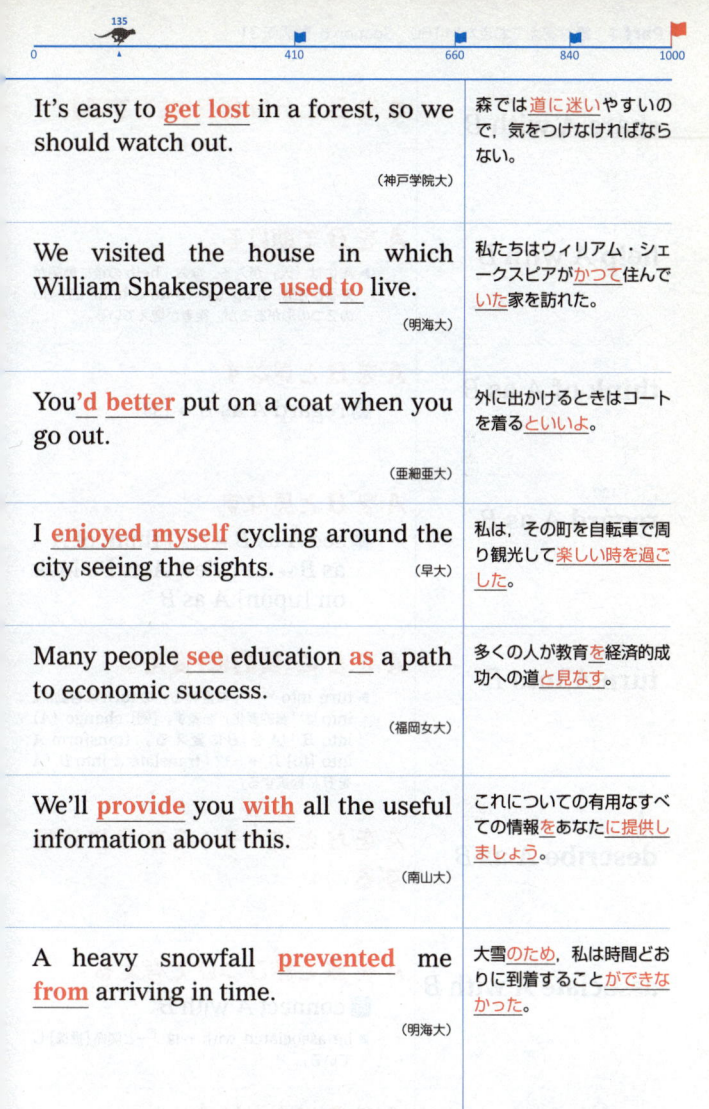

It's easy to get lost in a forest, so we should watch out. (神戸学院大)	森では道に迷いやすいので，気をつけなければならない。
We visited the house in which William Shakespeare used to live. (明海大)	私たちはウィリアム・シェークスピアがかつて住んでいた家を訪れた。
You'd better put on a coat when you go out. (亜細亜大)	外に出かけるときはコートを着るといいよ。
I enjoyed myself cycling around the city seeing the sights. (早大)	私は，その町を自転車で周り観光して楽しい時を過ごした。
Many people see education as a path to economic success. (福岡女大)	多くの人が教育を経済的成功への道と見なす。
We'll provide you with all the useful information about this. (南山大)	これについての有用なすべての情報をあなたに提供しましょう。
A heavy snowfall prevented me from arriving in time. (明海大)	大雪のため，私は時間どおりに到着することができなかった。
We'll have to spend less money on books as our budget is so tight. (立命館大)	予算がとても厳しいので，私たちは本に使うお金を減らす必要があるだろう。

□□ 136 **sháre** *A* **with** *B*	***A* を *B* と分け合う[共有する]**
□□ 137 **hélp** *A* **with** *B*	***A* を *B* で助ける** ▶ *A* には「人」が入る。なお，help の後に動詞が来るときは，help (*A*) to *do* と help (*A*) *do* の2つの形があるが，後者が増えている。
□□ 138 **thínk of** *A* **as** *B*	***A* を *B* と見なす** 回 regard *A* as *B* → 139
□□ 139 **regárd** *A* **as** *B*	***A* を *B* と見なす** 回 see *A* as *B* → 132; think of *A* as *B* → 138; view *A* as *B*; look on [upon] *A* as *B*
□□ 140 **túrn** *A* **ìnto** *B*	***A* を *B* に(質的に)変える** ▶ turn into ～「～に変わる」の turn は自動詞。into は「質的変化」を表す。[例] change (*A*) into *B*「(*A* を) *B* に変える」; transform *A* into [to] *B* → 532; translate *A* into *B*「*A* を *B* に翻訳する」
□□ 141 **describe** *A* **as** *B*	***A* を *B* と述べる; *A* を *B* に分類する**
□□ 142 **assóciate** *A* **with** *B*	***A* を *B* と結びつけて考える** 回 connect *A* with *B* ▶ be associated with ～は「～と関係[提携]している」。
□□ 143 **devóte** *A* **to** *B*	***A* を *B* にささげる** ▶ devote *oneself* to ～は「～に一身をささげる; ～に全力を尽くす」，be devoted to ～は「～に全力を尽くしている」。

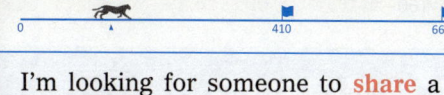

I'm looking for someone to **share** a room **with** me at the dormitory. (関西学院大)	私は寮で部屋を私と共有してくれる人を探している。
Karen was too busy to **help** her children **with** their homework. (西南学院大)	カレンはあまりにも忙しくて彼女の子供たちの宿題を手伝うことができなかった。
Human beings do not like to **think of** themselves **as** animals. (信州大)	人間は自分たちを動物と見なしたがらない。
I **regard** it **as** an honor that he has chosen me for captain of the team. (近畿大) *it は形式目的語で that 以下を指す。	私は，彼が私をチームのキャプテンに選んでくれたことを光栄に思う。
Personal computers are **turning** people **into** writers at a record pace. (お茶の水女大)	パソコンは記録的な勢いで人々を作家へと変えている。
Many people living on that small island **described** themselves **as** "very happy." (日本女大)	あの小さな島に住む多くの人々は，自分たちのことを「とても幸せだ」と述べた。
People tend to **associate** old age **with** a decline in mental abilities. (慶大)	人は高齢を知能の衰えと結びつけて考える傾向がある。
My brother has recently been **devoting** all his time **to** studying. (広島修道大)	兄[弟]は最近，自分の時間をすべて勉強に費やしている。

61

Section 7 前置詞句12

144 according to ~

① ~によれば

② ~に従って；~に応じて
≡ in accordance with ~ → 934

145 because of ~

~のために
≡ on account of ~ → 294;
owing [due] to ~ → 295

146 instead of ~

~の代わりに；~しないで

147 in front of ~

~の前に[で]
▶ 単に「前に[で]」なら, in front. 反対に「~の後ろに[で]」は, in back of ~(主に《米》式); at the back of ~; at [in / to] the rear of ~ など。

148 as a result (of ~)

(~の)結果として
≡ as a consequence (of ~)

149 in addition (to ~)

(~に)加えて；さらに
≡ besides; along with ~
→ 150; together with ~

前置詞句を12個まとめている。(148), (149)は、後に句や節を伴わずに単独で副詞的な働きをすることも覚えておこう。

① **According to** today's paper, a typhoon is approaching Japan. (関西外語大)	①今日の新聞によれば、台風が日本に近づいているそうだ。
② Do you think people have the right to educate their children **according to** their own beliefs? (関西学院大)	②人には自らの信念に応じて自分たちの子供を教育する権利があると思いますか。
Many students are sleepy in class **because of** their semi-permanent lack of sleep. (九大) *semi-permanent「半永久的な」	多くの学生は、いつまでも続くような睡眠不足のために、授業中は眠気を感じる。
He rides a bike **instead of** driving to help stop global warming. (芝浦工大)	地球温暖化を止めるのに役立とうと、彼は車の代わりに自転車に乗っている。
I feel nervous when I have to talk **in front of** a large audience. (青山学院大)	大勢の聴衆の前で話さなければならないとき、私は緊張する。
I started to get more exercise and, **as a result**, became very fit. (明治大)	私は運動量を増やし始め、その結果、とても健康になった。
Try to learn another foreign language, **in addition to** English. (一橋大)	英語に加えてもう1つ外国語を学んでみてください。

☐☐ 150 **alóng with ~**	**~と一緒に；~に加えて** ≡ besides ; in addition to ~ → 149 ; together with ~
☐☐ 151 **thánks to ~**	**~のおかげで** ▶ thanks は必ず複数形。悪いことにも使える。
☐☐ 152 **regárdless of ~**	**~に関係なく；~に(も)かかわらず**
☐☐ 153 **in cóntrast ([to / with] ~)**	**(~と)対照して；(~と)著しく違って** ▶ by contrast (to [with] ~) とも言う。
☐☐ 154 **in spíte of ~**	**~にもかかわらず** ≡ despite ; for all ~ → 290 ; with all ~ → 291 ▶ in spite of [despite] oneself は「思わず；我知らず」。
☐☐ 155 **apárt from ~**	① **~のほかに** ≡ besides ; in addition to ~ → 149 ; aside from ~ → 657 ② **~を除いては** ▶「~から離れて」の意味でも使う。 ≡ except for ~ → 613 ; aside from ~ → 657

His house, **along with** the garden, was donated to the city after his death. (神田外語大)	彼の死後, 彼の家は庭と一緒に市に寄贈された。
The cost of using the Internet is coming down **thanks to** Internet providers. (埼玉大)	インターネット接続業者のおかげで, インターネットの利用料金が下がっている。
We can live a happy life **regardless of** the level of our income. (大分大)	私たちは, 収入の度合いとは関係なく幸せな暮らしができる。
In contrast to last year, we've had a very snowy winter this year. (玉川大)	昨年と対照的に, 今年の冬はとても雪が多い。
In spite of the heavy traffic, I managed to get to the airport in time. (東京医大) *manage to *do* → 666	渋滞にもかかわらず, 私はなんとか遅れずに空港に着いた。
① **Apart from** being our coach, he also has a sporting goods store. (神戸学院大)	①彼は私たちのコーチであるほかに, スポーツ用品店も所有している。
② **Apart from** the size of the bedroom, I really liked the apartment. (中京大)	②寝室の大きさを除いては, 私はそのアパートがとても気に入った。

65

Part 1 絶対覚えておきたい160

Section 8 典型的な基本構文5

□□ 156 as [if / though] ...	**まるで…のように** ▶ if, though いずれの場合にも，仮定法のほかに直説法も使われる。
□□ 157 in cáse ...	**① もし…ならば** ▶ 主に《米》式。 **② …するといけないから；…に備えて** ▶ 主に《英》式。 ▶ ①②共に後に節が来る。 ▶ in case of ~は「~の場合には」の意味。just in case が独立した句の場合は「万一に備えて」の意味。
□□ 158 B as wéll as A	**A だけではなく B も** ▶ not only A but (also) B → 160 とは A, B の位置が逆。 ▶ B as well as A 全体が主語の場合は，動詞は B に一致。 ▶ 「A と同じようによく~な B」の意味もある。
□□ 159 nòt A but B	**A ではなく B** 同 B, not A
□□ 160 nòt ónly A but (àlso) B	**A だけではなく B も** ▶ only の代わりに，merely；simply；just なども使われる。 ▶ 全体が主語の場合，受ける動詞は B に合わせる。

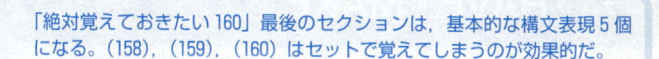

「絶対覚えておきたい 160」最後のセクションは、基本的な構文表現 5 個になる。(158),(159),(160)はセットで覚えてしまうのが効果的だ。

His shirt sleeves were rolled up, <u>as if</u> he was about to engage in hard work. (東大)	<u>まるで</u>これから重労働に携わる<u>かのように</u>、彼はシャツのそでを腕まくりしていた。
① <u>In case</u> you have trouble understanding Japanese fully, the movie has English subtitles. (同志社大)	①<u>もし</u>日本語を完全に理解するのが難しい<u>ならば</u>、その映画には英語の字幕があります。
② They rang the bell again <u>in case</u> we hadn't heard it the first time. (城西大)	②私たちに最初の呼び鈴が聞こえていなかった<u>らいけないので</u>、彼らは再び呼び鈴を鳴らした。
Tom received an A on his report, <u>as well as</u> an award for it. (青山学院大)	トムは賞<u>だけでなく</u>、レポートでAも獲得した。
It was <u>not</u> what she said <u>but</u> the way she said it that made me angry. (高知大)	私を怒らせたのは、彼女が言ったこと<u>ではなく</u>、その言い方だった。
Unfortunately, racism exists <u>not only</u> in the U.S. <u>but also</u> almost everywhere else. (常葉学園大)	残念なことに、人種差別はアメリカに<u>だけでなく</u>、ほかのほとんどどこにでも存在する。

コラム① HAVE・MAKE

(カッコ内の番号は，見出し熟語の番号を表す)

〈have＋名詞〉

have breakfast [lunch / dinner]	「朝食[昼食／夕食]を取る」
(ただし，have a light breakfast [lunch / dinner])	
have fun	「楽しむ」

〈have＋a＋名詞〉

have a break	「休憩を取る」
have a cold	「風邪をひいている」
have a drink	「1杯飲む」
have a good [great] time	「楽しい時を過ごす」(807)
have a headache	「頭が痛い」
have a (high) fever	「(高)熱がある」
have a look (at ~)	「(~を)見る」(808)
have a party	「パーティーをする」
have a rest	「休憩を取る」
have a stomachache [toothache]	「お腹[歯]が痛い」
have a talk	「話す」
have an accident	「事故に遭う」

〈make＋名詞〉

make money	「お金を儲ける」
make progress	「進歩する」(625)
make sense	「意味をなす；道理にかなう」(118)
make haste	「急ぐ」

〈make＋a＋名詞〉

make a decision	「決定[決意]する」
make a difference	「違いが生じる；重要である」(120)
make a face	「顔をしかめる」
make a [*one's*] living	「生計を立てる」(622)
make a mistake	「間違いをする」(123)
make a noise	「騒ぐ；音を立てる」
make a (phone) call	「電話をかける」
make a speech	「スピーチをする」
make a trip	「旅行をする」
make an effort [efforts]	「努力する」(126)

Part 2

グルーピングで覚える 250

ここに集めた250の熟語はまさに中核とも言えるものばかり。「覚えやすさ」を主眼にして，大きく6グループに分類した。セットで暗記できるものも多いのでテンポよく覚えていこう。

Section 1	1語で言い換えられる熟語38	70
Section 2	混同しがちな熟語44	80
Section 3	似た意味を持つ熟語55	92
Section 4	反対の意味を持つ熟語20	106
Section 5	いくつかの意味を持つ熟語52	112
Section 6	副詞の働きをする熟語41	138

Section 1 1語で言い換えられる熟語38

□□ 161 càll óff ~
= cancel
~を中止する；~を取り消す

□□ 162 càtch úp [with / to] ~
= reach
~に追いつく
▶ to は主に《米》式。「追いつく」の元の意味から、「(警察などが)~を逮捕する；(悪業などが)~の身にこたえる」などの意味にもなる。

□□ 163 còme abóut
= happen ; occur
起こる
▶「~を引き起こす」は bring about ~ → 77。

□□ 164 cóme by ~
= get ; obtain
~を手に入れる
▶「ちょっと立ち寄る」(= drop in → 492 ; drop by)の意味のときは、còme bý。

□□ 165 dò awáy with ~
= abolish ; eliminate
~を廃止する；~を取り除く
🔁 get rid of ~ → 168
▶ 受動態でも with を落とさない。

□□ 166 find fáult with ~
= criticize
~にけちをつける；~を非難する
▶ 受動態でも with を落とさない。

□□ 167 gèt óver ~
= overcome
(病気など)から回復する；~を克服する
🔁 recover from ~ → 450
▶〈can't (などの否定語) + get over ~〉で、「~に驚き続けている」の意味でも使う。

入試では，熟語の意味を1語で言い換えさせる形式の問題も多い。ここでの38個は頻出のものばかりなので，言い換えの1語とセットで覚えよう。

It looks like rain tomorrow, so we may need to call off the game. （立教大）	明日は雨のようなので，私たちは試合を中止する必要があるかもしれない。
He was such a slow runner that we caught up with him easily. （和光大）	彼はあまりにもゆっくりと走っていたので，私たちはたやすく彼に追いついた。
I'm still wondering how the quarrel came about between her and me. （玉川大）	彼女と私の間での口論がどのように起こったのか私はいまだに疑問に思っている。
The way to prepare this dish is easy to come by on the Internet. （福岡大）	この料理の作り方はインターネットで容易に手に入る。
Our school has decided to do away with some out-of-date rules. （早大） *out-of-date(→ 310)	私たちの学校は時代遅れの規則のいくつかを廃止することに決めた。
We tend to find fault with the results of other people's work. （関東学院大）	私たちは他人の仕事の結果にけちをつける傾向がある。
I got over the flu after I'd been in the hospital for a week. （関東学院大）	1週間の入院を経て，インフルエンザが治った。

☐☐ 168 **gèt ríd of ~**	**=eliminate ; remove** (やっかいな物)を**取り除く** 📘 do away with ~ → 165
☐☐ 169 **hànd ín ~**	**=submit** (手渡しで)~を**提出する** 📘 turn in ~ → 183 【語順】hand ~ in も。 ▶ send in ~ は「(郵便などで)~を提出する」。
☐☐ 170 **léarn ~ by héart**	**=memorize** ~を**暗記する** ▶ know ~ by heart は「~を暗記している」という「状態」を表す。
☐☐ 171 **lòok ínto ~**	**=investigate** ~を**調べる** ▶「~の中をのぞき込む」の元の意味でも使う。
☐☐ 172 **lòok óver ~**	**=examine** ~を**(ざっと)調べる** 【語順】look ~ over も。
☐☐ 173 **màke úp** *one's* **mínd**	**=decide ; determine** **決心する**
☐☐ 174 **pàss awáy**	**=die** **死ぬ** ▶「過ぎ去る;(時)を過ごす」の元の意味でも使う。
☐☐ 175 **pìck óut ~**	**=choose ; select** ~を**選ぶ** 【語順】pick ~ out も。

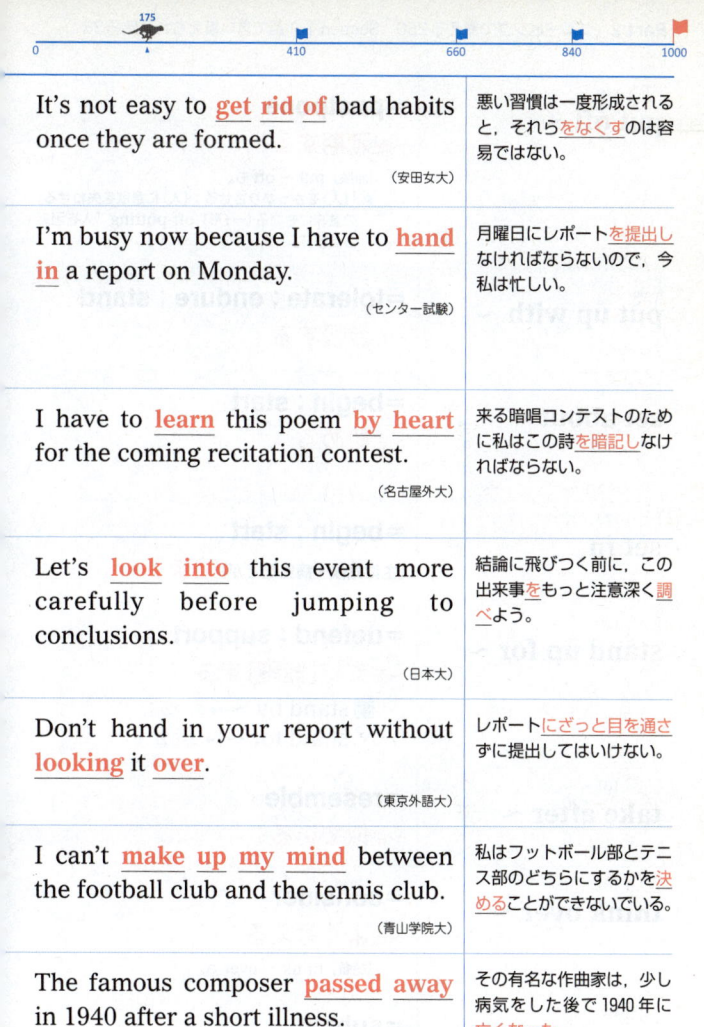

English	Japanese
It's not easy to get rid of bad habits once they are formed. (安田女大)	悪い習慣は一度形成されると、それらをなくすのは容易ではない。
I'm busy now because I have to hand in a report on Monday. (センター試験)	月曜日にレポートを提出しなければならないので、今私は忙しい。
I have to learn this poem by heart for the coming recitation contest. (名古屋外大)	来る暗唱コンテストのために私はこの詩を暗記しなければならない。
Let's look into this event more carefully before jumping to conclusions. (日本大)	結論に飛びつく前に、この出来事をもっと注意深く調べよう。
Don't hand in your report without looking it over. (東京外語大)	レポートにざっと目を通さずに提出してはいけない。
I can't make up my mind between the football club and the tennis club. (青山学院大)	私はフットボール部とテニス部のどちらにするかを決めることができないでいる。
The famous composer passed away in 1940 after a short illness. (獨協大)	その有名な作曲家は、少し病気をした後で1940年に亡くなった。
I was really surprised when she let me pick out a shirt for myself. (センター試験)	彼女が私に自分でシャツを選ばせてくれて本当に驚いた。

Part 2 グルーピングで覚える250　Section 1　1語で言い換えられる熟語38

□□ 176 pùt óff ～
=postpone
～を延期する
【語順】put ～ off も。
▶「(人) をがっかりさせる；(人) に意欲を失わせる」の意味にもなる (→ (形) off-putting「人を困惑させる」)。

□□ 177 pùt úp with ～
=tolerate；endure；stand
～を我慢する

□□ 178 sét abòut ～
=begin；start
～を始める

□□ 179 sèt ín
=begin；start
(主に気候・病気などが) 始まる

□□ 180 stànd úp for ～
=defend；support
～を支持[擁護]する
回 stand by ～ → 320②；
stand for ～ → 326②

□□ 181 tàke áfter ～
=resemble
～に似ている

□□ 182 thìnk óver ～
=consider
～をよく考える
【語順】think ～ over も。

□□ 183 tùrn ín ～
=submit
～を提出する；～を引き渡す[返却する]
回 hand in ～ → 169
【語順】turn ～ in も。
▶「～を返却する」の意味では、return と同じ意味。

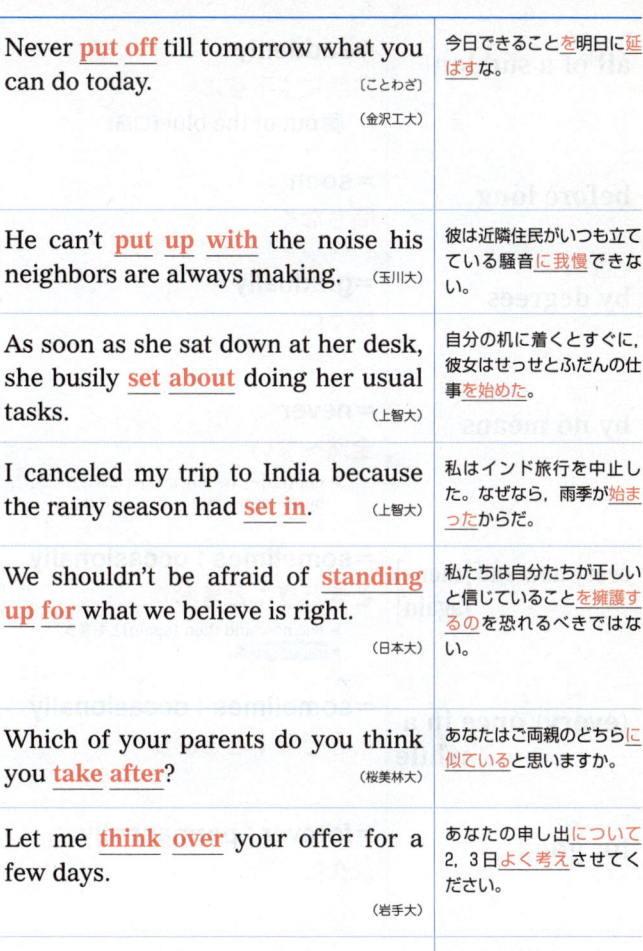

Never put off till tomorrow what you can do today. 〔ことわざ〕 (金沢工大)	今日できることを明日に延ばすな。
He can't put up with the noise his neighbors are always making. (玉川大)	彼は近隣住民がいつも立てている騒音に我慢できない。
As soon as she sat down at her desk, she busily set about doing her usual tasks. (上智大)	自分の机に着くとすぐに,彼女はせっせとふだんの仕事を始めた。
I canceled my trip to India because the rainy season had set in. (上智大)	私はインド旅行を中止した。なぜなら,雨季が始まったからだ。
We shouldn't be afraid of standing up for what we believe is right. (日本大)	私たちは自分たちが正しいと信じていることを擁護するのを恐れるべきではない。
Which of your parents do you think you take after? (桜美林大)	あなたはご両親のどちらに似ていると思いますか。
Let me think over your offer for a few days. (岩手大)	あなたの申し出について2,3日よく考えさせてください。
Our professor told us to turn in the assignment by Thursday. (大阪学院大)	私たちの教授は私たちに木曜日までに課題を提出するように言った。

Part 2 グルーピングで覚える250　Section 1　1語で言い換えられる熟語38

□□ 184 **àll of a súdden**	=suddenly 突然に；不意に 同 out of the blue《口語》
□□ 185 **before lóng**	=soon 間もなく
□□ 186 **by degrées**	=gradually 徐々に
□□ 187 **by nó mèans**	=never 全然～ない ▶ not [no] ～ by any means の形にもなる。 by all means → 364① は「ぜひとも」。
□□ 188 **èvery nòw and [thén / agáin]**	=sometimes；occasionally ときどき；ときおり ▶ 単に now and then [again] とも言う。 ▶ 関連情報 参照。
□□ 189 **(èvery) ónce in a whíle**	=sometimes；occasionally ときどき；ときおり
□□ 190 **for góod**	=forever；permanently 永久に

関連情報　every now and then [again]（188）と類似の表現

・at times → 103

All of a sudden, someone took me by the hand. （専修大）	突然，誰かが私の手を取った。
How about waiting in here? I'm sure she'll be home **before long**. （千葉工大）	この中で待ってはどうですか。彼女はきっと間もなく帰宅しますよ。
By degrees, the child understood what it was like to be an orphan. （琉球大）	その子供は孤児であることがどういうことなのかを徐々に理解した。
The present law is **by no means** perfect, so it should be revised. （岐阜大）	現在の法律は全然完ぺきではないので，改正されるべきだ。
I take my nephew to Disney World **every now and then**. （明治大）	私はときどき，おいをディズニーワールドへ連れていく。
Even now I return to my hometown **once in a while**. （東京経大）	今でも私はときどき故郷に帰る。
After staying here for 10 years, Mary went back to the States **for good**. （東京理大）	ここに10年間滞在した後，メアリーは永久に米国に帰っていった。

- (every) once in a while ➡ 189
- from time to time ➡ 191
- on occasion ➡ 989

191 **from time to time**	=sometimes ; occasionally ときどき；ときおり
192 **in advánce**	=beforehand 前もって
193 **in áll**	=altogether 全部で
194 **of impórtance**	=important 重要な；重要性のある ▶ 〈of +抽象名詞〉=形容詞 ［例］of interest = interesting「興味深い」；of use = useful「役に立つ」；of value = valuable「価値のある」 抽象名詞にはいろいろな形容詞も付く。
195 **on púrpose**	=intentionally ; purposely わざと；故意に
196 **óver and òver (agáin)**	=repeatedly 何度も繰り返し
197 **príor to ~**	=before ~より前で
198 **right awáy**	=immediately 直ちに；今すぐ 同 at once → 96①；right now

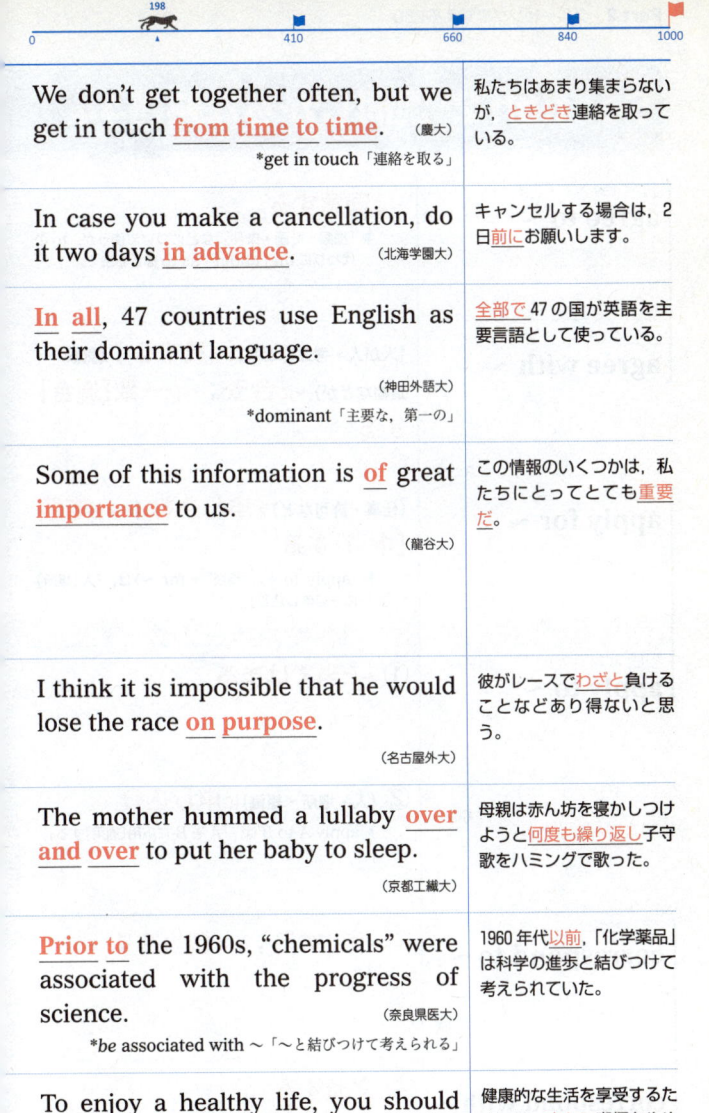

We don't get together often, but we get in touch **from time to time**. (慶大) *get in touch「連絡を取る」	私たちはあまり集まらないが、ときどき連絡を取っている。
In case you make a cancellation, do it two days **in advance**. (北海学園大)	キャンセルする場合は、2日前にお願いします。
In all, 47 countries use English as their dominant language. (神田外語大) *dominant「主要な、第一の」	全部で47の国が英語を主要言語として使っている。
Some of this information is **of** great **importance** to us. (龍谷大)	この情報のいくつかは、私たちにとってとても重要だ。
I think it is impossible that he would lose the race **on purpose**. (名古屋外大)	彼がレースでわざと負けることなどあり得ないと思う。
The mother hummed a lullaby **over and over** to put her baby to sleep. (京都工繊大)	母親は赤ん坊を寝かしつけようと何度も繰り返し子守歌をハミングで歌った。
Prior to the 1960s, "chemicals" were associated with the progress of science. (奈良県医大) *be associated with ~「～と結びつけて考えられる」	1960年代以前、「化学薬品」は科学の進歩と結びつけて考えられていた。
To enjoy a healthy life, you should stop smoking **right away**. (京都外語大)	健康的な生活を享受するためには、直ちに喫煙をやめるべきだ。

Section 2 混同しがちな熟語44

199 agrée to ~
~に同意する
▶「提案・計画・条件」などについて使うが、to の代わりに on；about；as to なども続く。

200 agrée with ~
(人が人・考えなど)に同意する；(気候・食物などが)~に合う；~に一致[適合]する

201 applý for ~
(仕事・許可など)を申し込む；~を志願[申請]する
▶ 〈apply to + 人[場所] + for ~〉は、「人[場所]に~を申し込む」。

202 applý to ~
① ~に当てはまる

② (人・場所・組織)に申し込む
▶ apply A to B は、「A を B に応用[適用]する」。

203 correspónd to ~
~に相当する；~に該当する

204 correspónd with ~
~と文通する
▶「~と一致[調和]する」の意味では、to；with のどちらも使える。

意味を混同しがちな 44 個を集めた。例えば (227) と (228) の場合，読解問題で意味を取り違えると大変なことになる。十分に注意して覚えよう。

If Tom **agreed to** the plan, I'm sure the others would agree, too. （武蔵大）	トムがその計画に同意すれば，残りの人たちもきっと同意すると思う。
Mary didn't **agree with** her mother about buying a new puppy. （常葉学園大）	メアリーは，新しい子犬を買うことについて母親と意見が一致しなかった。
To **apply for** membership, please fill out the application form. （学習院大）	入会を申し込むためには，申込書に記入してください。
① This result we get from humans also **applies to** any other animal. （長崎大） ② My brother has **applied to** the graduate school at Stanford. （明治大）	①人間から得られるこの結果は，そのほかのいかなる動物にも当てはまる。 ②兄[弟]はスタンフォードの大学院に出願した。
I assure you that what he said exactly **corresponds to** what I saw. （鹿児島大）	彼が言ったことはまさしく私が見たことに該当すると断言します。
I continued to **correspond with** Mary even after she left Japan. （慶大）	私はメアリーが日本を去った後でも，彼女と文通を続けた。

☐☐ 205 **hít [on / upòn]** ~	**~を思いつく；~に出くわす** ▶ hit on [upon] ~と occur to *one* は、主語と目的語が逆になる。 [例] A good idea occurred to me. / I hit on a good idea.（良い考えが浮かんだ）
☐☐ 206 **occúr to** *one*	**ふと(人)の心に浮かぶ**
☐☐ 207 **lày óff** ~	**~を一時解雇する** 【語順】lay ~ off も。
☐☐ 208 **lày óut** ~	**~を設計する；~を並べる** 【語順】lay ~ out も。
☐☐ 209 **màke the bést of** ~	**~を最大限に利用する** ▶「不利な状況」を最大限に利用する意味で使われる。
☐☐ 210 **màke the móst of** ~	**~を最大限に利用する**
☐☐ 211 *be* **ánxious abòut** ~	**~を心配している** 🔁 *be* concerned about [for] ~ → 215 ▶ ときに *be* anxious for ~も使う。
☐☐ 212 *be* **ánxious to** *do*	**~したがる**

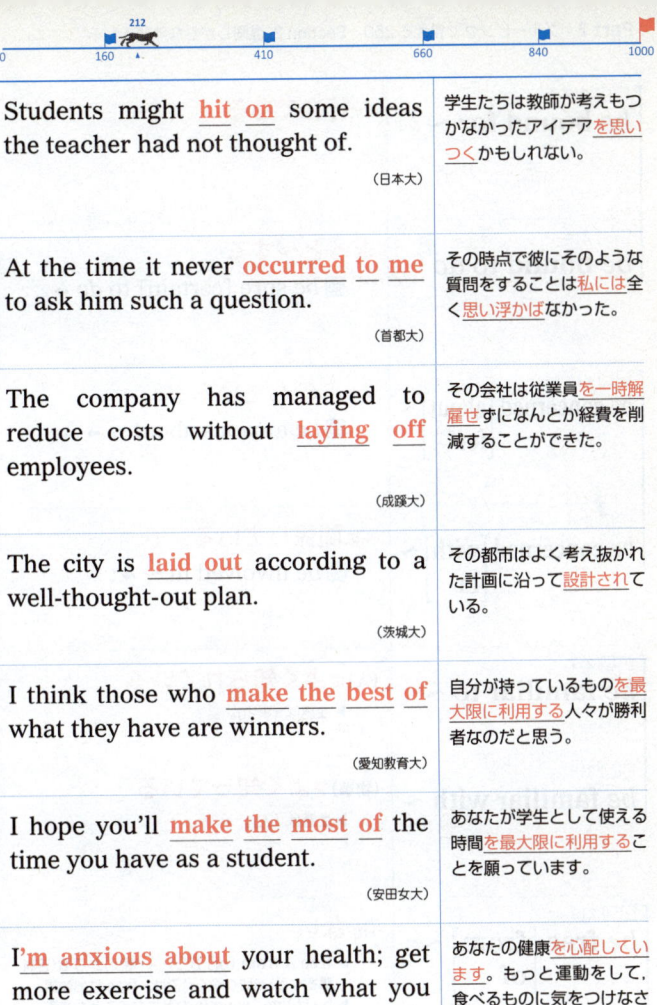

Students might <u>hit on</u> some ideas the teacher had not thought of. (日本大)	学生たちは教師が考えもつかなかったアイデアを思いつくかもしれない。
At the time it never <u>occurred to me</u> to ask him such a question. (首都大)	その時点で彼にそのような質問をすることは私には全く思い浮かばなかった。
The company has managed to reduce costs without <u>laying off</u> employees. (成蹊大)	その会社は従業員を一時解雇せずになんとか経費を削減することができた。
The city is <u>laid out</u> according to a well-thought-out plan. (茨城大)	その都市はよく考え抜かれた計画に沿って設計されている。
I think those who <u>make the best of</u> what they have are winners. (愛知教育大)	自分が持っているものを最大限に利用する人々が勝利者なのだと思う。
I hope you'll <u>make the most of</u> the time you have as a student. (安田女大)	あなたが学生として使える時間を最大限に利用することを願っています。
<u>I'm anxious about</u> your health; get more exercise and watch what you eat. (帝京大)	あなたの健康を心配しています。もっと運動をして、食べるものに気をつけなさい。
After having stayed in London for a year, I <u>was anxious to</u> see my family. (成蹊大)	ロンドンに1年間滞在した後、私は家族に会いたかった。

213
be **bóund for** ~

~行きである

214
be **bóund to** *do*

きっと~する
🔵 *be* sure [certain] to *do* → 222

215
be **concérned** [about / for] ~

~を心配している
🔵 *be* anxious about ~ → 211

216
be **concérned** [with / in] ~

~に関係している
🔵 *be* involved in ~ → 538

217
be **famíliar to** ~

(人)によく知られている
▶ 主語は「事物」。

218
be **famíliar with** ~

(物事)をよく知っている
▶ 主語は「人」。

219
be **frée** [from / of] ~

~がない
▶ free *A* from [of] *B*「*A*(人・場所)から*B*(苦難・障害など)を取り除く」では、free は他動詞。
▶ be は live ; remain などになることもある。

220
be **frée to** *do*

自由に~する
▶ feel free to *do* は主に命令形で、「遠慮なく~してください」の意味でよく使われる。例文はその一例。

One by one, injured passengers were put on buses <u>bound for</u> hospitals. (大阪市大)	1人ずつ，けがをした乗客は病院行きのバスに乗せられた。
You <u>are bound to</u> be late for school if you don't hurry, Ken! (駒澤大)	ケン，急がないと，きっと学校に遅れるよ！
Dad, there's one thing I'<u>m</u> very <u>concerned about</u>: that's your health. (センター試験)	お父さん，僕がとても心配していることが1つあるんだ。それはお父さんの健康だよ。
This book <u>is concerned with</u> social problems in Britain. (明治学院大)	この本は英国における社会問題に関係している。
This song <u>is</u> very <u>familiar to</u> us all. (帝京大)	この歌は私たちみんなにとてもよく知られている。
All the participants in the race <u>were familiar with</u> each other. (近畿大)	レースの参加者全員が互いをよく知っていた。
I wish to work for peace, so that people everywhere can <u>live free from</u> the fear of war. (北里大)	私は，あらゆる所にいる人々が戦争の恐怖がなく暮らせるよう，平和のために働きたい。
Please <u>feel free to</u> interrupt me if you have any questions to ask. (山形大)	もし質問がおありでしたら，どうぞ遠慮なく私の話を中断してください。

221 *be* **súre** [**of** / **abòut**] ~	**~を確信している** ≡ *be* certain of [about] ~ ▶ 主語には「人」が来る。
222 *be* [**súre** / **cértain**] to *do*	**きっと~する** ▶「きっと~する」と確信しているのは話者であり、主語ではない。
223 *be* **tíred** [**from** / **with**] ~	**~で疲れる**
224 *be* **tíred of** ~	**~に飽きる；~にうんざりしている** ≡ *be* fed up with ~ → 791； *be* bored with [of] ~ ▶ *be* は feel；become；get などになることもある。
225 *be* **trúe of** ~	**~に当てはまる** ▶ of の代わりに about；for；with なども使う。
226 *be* **trúe to** ~	**~に忠実である** ▶ *be* は remain となることも多い。 ▶ *be* true to life「生き写しである；実物大である」；*be* true to one's word [promise]「約束を守る」
227 **ánything but** ~	**全然~ではない；~どころではない** ≡ far from ~ → 12
228 **nóthing but** ~	**ただ~だけ；~にすぎない** ≡ only

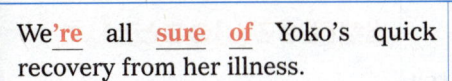

We're all sure of Yoko's quick recovery from her illness. (高知大)	私たちは全員、ヨウコの病気からの早い回復を確信している。
Teenagers who wear high heels are sure to develop back pain later in life. (神戸大)	ハイヒールを履いているティーンエイジャーたちは、後年になってきっと腰痛を起こす。
Rosa was very tired from working hard all day in the garden. (亜細亜大)	ローザは1日中庭で一生懸命に働いたのでとても疲れた。
We all sometimes feel tired of doing the same thing every day. (明海大)	私たちは皆、毎日同じことをすることにときどきうんざりする。
The same is true of relationships between customers and suppliers. (慶大)	同じことが顧客と供給業者との関係に当てはまる。
I always believe in the importance of being true to one's principles. (鹿児島大)	私は自分の主義に忠実であることの重要性を常に信じている。
Many U.S. citizens complain that their health-care system is anything but ideal. (東京医大)	多くのアメリカ国民は、自分たちの医療制度が理想であるどころではないと不満を述べている。
Oh, he's nothing but a small child. You should forgive him. (山口大)	ああ、彼は小さな子供にすぎないのだから、彼を許してあげるべきだ。

87

☐☐ 229 **as a màtter of cóurse**	当然[もちろん]のこととして
☐☐ 230 **as a màtter of fáct**	実際は；実を言うと ▶ 新情報を追加したり，相手の誤りを訂正するときに使われる。
☐☐ 231 **for *óne's* (ówn) pàrt**	〜としては；〜に関する限りは 同 as for 〜 → 289 ; as [so] far as 〜 *be* concerned → 768
☐☐ 232 **on *óne's* pàrt**	〜の側での；〜のほうでは ▶ on the part of *one* の形にもなる。
☐☐ 233 **at a dístance**	ある距離を置いて ▶ 例文のように後ろに of を続ければ，「〜の距離を置いて」の意味になる。
☐☐ 234 **in the dístance**	遠方に；遠くで
☐☐ 235 **in the áir**	空中で[の]；(雰囲気などが)感じられて ▶「空中に漂っている」の意味から，「未決定で」の意味にも発展する。
☐☐ 236 **on the áir**	放送中の 反 off the air ▶ on [off] air と the を省くこともある。

In the past, a family consisting of three generations lived together **as a matter of course**. (白百合女大)	昔は3世代から成る家族が当然のこととして一緒に暮らしていた。
Well, **as a matter of fact**, I was there for a couple of days last summer. (上智大)	そうですね、実を言うと、私はこの前の夏数日間そこにいました。
For their part, doctors say they lack the knowledge to treat this disease. (九大)	医者たちは、自分たちとしては、この病気を治療するための知識に乏しいと言っている。
I have no doubt this trouble occurred from a misunderstanding **on your part**. (群馬大)	この問題はあなた側の誤解から生じたということは間違いありません。
We decided to watch the shy animal **at a distance** of 100 m. (同志社大)	私たちはその臆病な動物を100m離れた所で見ることにした。
Somewhere **in the distance** she could hear a car. (広島修道大)	彼女にはどこか遠くの車のエンジンの音が聞こえた。
The CO_2 content **in the air** now is, sadly, higher than it was a decade ago. (早大)	現在空気中に存在する二酸化炭素の量は、残念ながら、10年前のそれより多い。
The program is to go **on the air** at 7 p.m. next Tuesday. (津田塾大)	その番組は今度の火曜日午後7時に放送の予定だ。

Part 2 グルーピングで覚える250 Section 2 混同しがちな熟語44

☐☐ 237 **in the wáy (of ~)**	**(~の)邪魔になって** ▶ in *one's* way の形も多い。 ▶ (in) the way S + V → 774 と混同しないこと。 ▶ in the way of ~ には「~の点では」の意味もある。
☐☐ 238 **on the wáy (to ~)**	**(~への)途中で** ▶ 例文のように, on *one's* way (to ~) とも言う。
☐☐ 239 **on the cóntrary**	**それどころか；それに反して**
☐☐ 240 **to the cóntrary**	**それと反対の[に]** ▶ 例文のように，修飾する語句の直後に置かれることが多い。
☐☐ 241 **ón and ón**	**どんどん；延々と** ▶ on は継続を表す副詞。
☐☐ 242 **ón and óff**	**断続的に** 同 **intermittently** ▶ off and on とも言う。

Don't let criticism get <u>in the way of</u> your creativity. (慶大)	批評にあなたの創造力<u>の邪魔</u>をさせてはならない。
Shall we drop in at her house <u>on our way</u> home? (沖縄国際大) *drop in at ~ (→ 492)	帰る<u>途中で</u>彼女の家に立ち寄りましょうか。
"Have you finished it yet?" "<u>On the contrary</u>, I haven't even started yet." (繼央大)	「もうそれを終えましたか」「<u>それどころか</u>，私はまだ始めてさえもいません」
The examples <u>to the contrary</u> are so many. (法政大)	<u>それと反対の</u>例はとても多い。
After he finished talking, the clapping went <u>on and on</u>. (明治大)	彼が話し終えた後，拍手が<u>延々と</u>続いた。
I've been having these bad headaches <u>on and off</u> for a week now. (日本大)	もう1週間もこのようなひどい頭痛が<u>断続的に</u>続いています。

Section 3 似た意味を持つ熟語55

□□ 243 **clíng to ~**	~に固執[執着]する；~にくっつく
□□ 244 **stíck to ~**	~にくっつく；(主義・決定など)を**堅持する**
□□ 245 **cómpensate for ~**	~の埋め合わせをする；~を**補償する** ≡ make up ~ → 352③
□□ 246 **màke úp for ~**	~の埋め合わせをする；~を**補償する**
□□ 247 **consíst in ~**	~にある
□□ 248 **líe in ~**	~にある
□□ 249 **dáte bàck to ~**	~にさかのぼる；~に始まる
□□ 250 **dáte from ~**	~から始まる；~から続いている

語彙を効率よく増やす方法の1つは，意味がほぼ同じものをまとめて覚えることだ。ニュアンスや用法の違うものもあるので，解説も参照のこと。

The monkey in her care <u>clung</u> tightly <u>to</u> her shoulder. (上智大)	彼女が世話をしているサルは，彼女の肩にしっかりとしがみついていた。
When you make a plan, don't try to <u>stick to</u> a rigid schedule. (東海大)	計画を立てるときは，厳しい日程を組むことにこだわろうとしないように。
The committee did their best to <u>compensate for</u> the loss. (関東学院大)	委員会は損失の埋め合わせをするために最善を尽くした。
I'll try to <u>make up for</u> all the time I wasted when I was younger. (青山学院大)	私はもっと若かったころに無駄にしたすべての時間の埋め合わせをしてみようと思う。
I believe in the proverb that says that happiness <u>consists in</u> contentment. (慶大)	私は，幸福は満足にあるということわざを信じている。
The charm of travel <u>lies in</u> the new experiences it gives us. (立教大)	旅の魅力はそれが私たちに与えてくれる新しい体験にある。
This law <u>dates back to</u> the late 19th century. (西南学院大)	この法律は19世紀後半にさかのぼる。
The making of wooden toothpicks <u>dates from</u> the 16th century. (京大)	木製のつま楊枝の製造は16世紀までさかのぼる。

☐☐ 251 **distínguish** *A* **from** *B*	***A* を *B* と区別する** ≒ distinguish between *A* and *B*; tell [see] the difference between *A* and *B*
☐☐ 252 **téll** *A* **from** *B*	***A* を *B* と区別する**
☐☐ 253 **gìve ín (to ~)**	**(~に)屈服する** ≒ surrender (to ~)
☐☐ 254 **gìve wáy (to ~)**	**(~に)屈する；(~に)道を譲る** ≒ surrender (to ~)
☐☐ 255 **yíeld to ~**	**~に屈する；~に道を譲る**
☐☐ 256 **hòld báck ~**	**~を制止する；(真相など)を隠す** 【語順】hold ~ back も。
☐☐ 257 **kèep báck ~**	**~を制止する；(真相など)を隠す** 【語順】keep ~ back も。
☐☐ 258 **kèep páce with ~**	**~に遅れずについていく** ≒ keep abreast of [with] ~
☐☐ 259 **kèep úp with ~**	**~に遅れずについていく** ▶「(遅れた状態から)~に追いつく」は，catch up with [to] ~ → 162。

At first glance, it is hard to **distinguish** sugar **from** salt. (東京経大)	一目見ただけで，砂糖を塩と区別するのは難しい。
I wonder how old a child has to be to be able to **tell** right **from** wrong. (日本大)	子供は，何歳になれば善と悪とを区別することができるのだろう。
I won't **give in to** temptation, and neither will my colleagues. (椙山女学園大)	私は誘惑に屈しないし，私の同僚たちも同様だ。
At first, he resisted, but finally he **gave way to** their demands. (同志社大)	最初，彼は抵抗したが，やがて彼らの要求に屈した。
Try not to **yield to** the temptation of eating snacks if you're on a diet. (明海大)	ダイエット中なら，間食をする誘惑に屈しないようにしなさい。
I tried in vain to **hold back** my tears when I heard the sad news. (上智大)	その悲しい知らせを聞いたとき，私は涙を抑えようとしたができなかった。
I began to suspect that she was **keeping back** the truth from me. (明海大)	彼女は私に真実を隠していると私は疑い始めた。
It is difficult for the law to **keep pace with** changing social attitudes. (国士舘大)	法律が変わりゆく社会的態度に遅れずについていくのは難しい。
It's not easy to **keep up with** the progress in information technology. (神戸学院大)	情報技術の進歩に遅れずについていくことは容易ではない。

□□ 260 **májor in ~**	(学生が)~を専攻する ▶ 主に《米》式。
□□ 261 **spécialize in ~**	~を専攻する;~を専門にする
□□ 262 **mistáke A for B**	**A を B と間違える**
□□ 263 **táke A for B**	**A を B だと(誤って)思う;A を B と間違える**
□□ 264 **pùt asíde ~**	~を取っておく;~を脇に置く;~を蓄える 【語順】put ~ aside も。
□□ 265 **sèt asíde ~**	~を取っておく;~を脇に置く;~を蓄える 【語順】set ~ aside も。 ▶ put aside ~ と同様に「~を脇に置く」の意味から、さらに「~を片づける;~を無視する」の意味にも発展する。
□□ 266 **stànd óut**	目立つ;際立つ
□□ 267 **stìck óut**	突き出る;目立つ

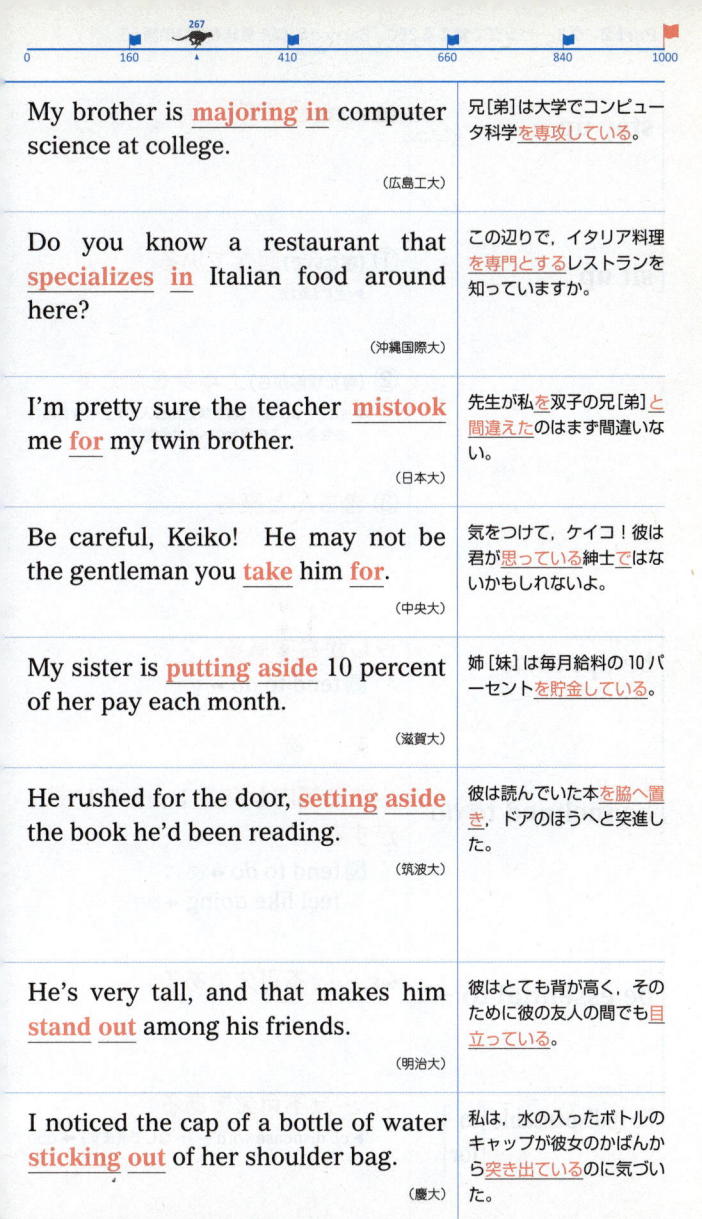

My brother is **majoring in** computer science at college. (広島工大)	兄[弟]は大学でコンピュータ科学を専攻している。
Do you know a restaurant that **specializes in** Italian food around here? (沖縄国際大)	この辺りで，イタリア料理を専門とするレストランを知っていますか。
I'm pretty sure the teacher **mistook** me **for** my twin brother. (日本大)	先生が私を双子の兄[弟]と間違えたのはまず間違いない。
Be careful, Keiko! He may not be the gentleman you **take** him **for**. (中央大)	気をつけて，ケイコ！彼は君が思っている紳士ではないかもしれないよ。
My sister is **putting aside** 10 percent of her pay each month. (滋賀大)	姉[妹]は毎月給料の10パーセントを貯金している。
He rushed for the door, **setting aside** the book he'd been reading. (筑波大)	彼は読んでいた本を脇へ置き，ドアのほうへと突進した。
He's very tall, and that makes him **stand out** among his friends. (明治大)	彼はとても背が高く，そのために彼の友人の間でも目立っている。
I noticed the cap of a bottle of water **sticking out** of her shoulder bag. (慶大)	私は，水の入ったボトルのキャップが彼女のかばんから突き出ているのに気づいた。

□□ 268 **stày úp**	**(寝ないで)起きている**
□□ 269 **sìt úp**	① **(寝ないで)起きている** ▶ 主に《英》式。 ② **(寝た状態から)上半身を起こす** ▶ sit ～ up は「(寝た状態から人の)上半身を起こさせる」。この場合の sit は他動詞。 ③ **きちんと座る**
□□ 270 *be* **ápt to** *do*	**～しがちである** ⊟ tend to *do* → 668
□□ 271 *be* **inclíned to** *do*	**～する傾向がある；～したい気がする** ⊟ tend to *do* → 668 ; feel like *doing* → 687
□□ 272 *be* **esséntial to ～**	**～にとって不可欠である**
□□ 273 *be* **indispénsable** [to / for] **～**	**～にとって不可欠である** ▶ *cf.* dispense with ～「～なしで済ます」→ 850

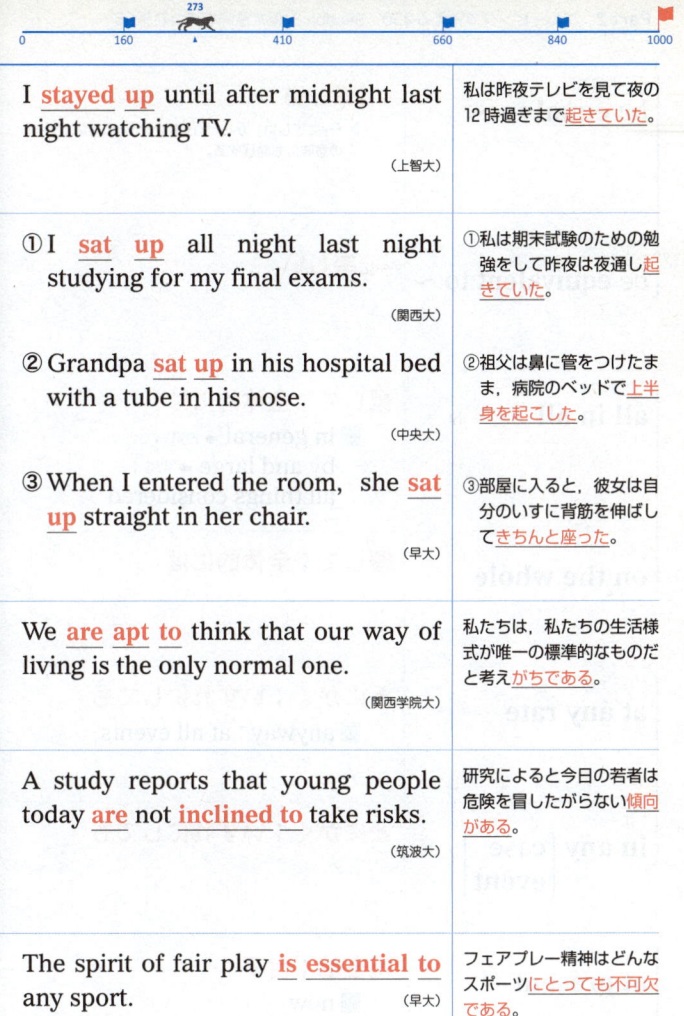

I **stayed up** until after midnight last night watching TV. (上智大)	私は昨夜テレビを見て夜の12時過ぎまで起きていた。
① I **sat up** all night last night studying for my final exams. (関西大)	①私は期末試験のための勉強をして昨夜は夜通し起きていた。
② Grandpa **sat up** in his hospital bed with a tube in his nose. (中央大)	②祖父は鼻に管をつけたまま, 病院のベッドで上半身を起こした。
③ When I entered the room, she **sat up** straight in her chair. (早大)	③部屋に入ると, 彼女は自分のいすに背筋を伸ばしてきちんと座った。
We **are apt to** think that our way of living is the only normal one. (関西学院大)	私たちは, 私たちの生活様式が唯一の標準的なものだと考えがちである。
A study reports that young people today **are** not **inclined to** take risks. (筑波大)	研究によると今日の若者は危険を冒したがらない傾向がある。
The spirit of fair play **is essential to** any sport. (早大)	フェアプレー精神はどんなスポーツにとっても不可欠である。
Investment **is indispensable to** the functioning of the economy. (東京理大)	投資は経済が機能するには不可欠である。

□□ 274 *be* **équal to** ~	**～に等しい** ▶「～に等しい」から「(仕事や状況)に対応できる」の意味にも発展する。
□□ 275 *be* **equívalent to** ~	**～に等しい**
□□ 276 **áll in áll**	**概して；全体的には** 🔁 in general → 88①； by and large → 976； all things considered
□□ 277 **on the whóle**	**概して；全体的には**
□□ 278 **at ány ràte**	**とにかく；いずれにしても** 🔁 anyway；at all events
□□ 279 **in ány [càse / evènt]**	**とにかく；いずれにしても**
□□ 280 **at présent**	**現在は；目下(もっか)** 🔁 now
□□ 281 **at the móment**	**現在は** ▶過去の時点における「(ちょうど)その時」の意味でも使う。

The quality of cultured pearls **is** completely **equal to** that of natural ones. (明治大)	養殖真珠の品質は天然のもの<u>と</u>完全に<u>等しい</u>。
One ppm **is equivalent to** 0.0001 percent, that is, one part per million. (早大)	1 ppm は 0.0001 パーセント,つまり,100 万分の 1 <u>に等しい</u>。
We managed to win, anyway, so, <u>all in all</u>, the day wasn't so bad. (センター試験)	とにかく私たちはなんとか勝てたので,<u>全体的には</u>その日はそれほど悪くはなかった。
There are a few problems, but <u>on the whole</u>, he's doing a good job. (関西学院大)	2,3の問題があるが,<u>全体的には</u>彼は良い仕事をしている。
<u>At any rate</u>, the important thing now is that he has reached this point. (東大)	<u>とにかく</u>,今重要なのは彼がこの地点に到達したということだ。
<u>In any case</u>, the whole thing is over, and I'm glad about that. (成蹊大)	<u>とにかく</u>,すべてが終わり,私はそれに満足している。
<u>At present</u> this program is still largely at the experimental stage. (早大)	<u>現在のところ</u>,このプログラムはまだ大部分は実験段階にある。
The art museum is closed <u>at the moment</u> but will reopen soon. (センター試験)	その美術館は<u>現在</u>閉館しているが,間もなく再開するだろう。

□□ 282 **by áccident**	**偶然に** ▶ happen to *do* → 665 も使える。
□□ 283 **by chánce**	**偶然に** ▶ by any chance は「万一にも；もしや」。
□□ 284 **for nów**	**当分は；今のところは** 🔁 for the present ; for the moment ▶「(後のことはともかく)今のところは」のニュアンス。for the moment は「その瞬間」の意味でも使う。
□□ 285 **for the tìme béing**	**差し当たり；当分の間(は)**
□□ 286 **in a wórd**	**要するに；つまり** 🔁 in short → 104
□□ 287 **in bríef**	**要するに；つまり**
□□ 288 **às to ～**	**～に関して(は)** 🔁 about ; concerning ; in relation to ～ → 591
□□ 289 **às for ～**	**～について言えば；～に関する限り** 🔁 as [so] far as ～ *be* concerned → 768 ; for *one's* (own) part → 231 ▶ すでに話題になったことに関連した新しいことを持ち出すときに主に使うが，as to ～ → 288 が使える場合も多い。

Ken met a beautiful girl **by accident** in a foreign city and fell in love with her. (名古屋学院大)	ケンは外国の町で美しい少女に偶然出会い，彼女と恋に落ちた。
In human affairs, sometimes great things happen **by chance**. (北里大)	人事では，ときどきすばらしいことが偶然起こる。
We'll learn more about it soon, but that's all **for now**, everybody. (東京国際大)	それについてはすぐにもっと学びますが，皆さん，今のところはそれで全部です。
For the time being, I have to focus on finishing this report. (関西学院大)	差し当たり，私はこのレポートを終わらせることに集中しなければならない。
My life there was without any freedom — **in a word**, it was miserable. (成蹊大)	私のそこでの生活には全く自由はなかった。要するに，惨めだった。
Everybody was complaining; **in brief**, the tour was a disaster. (法政大)	皆が不平を言っていた。要するに，そのツアーは大失敗だった。
From tree rings we can get information **as to** the climate in the past. (大阪学院大)	木の年輪から私たちは過去の気候に関する情報を得ることができる。
As for manners, Americans have a wide range of what's acceptable. (関西学院大)	礼儀作法について言えば，アメリカ人は許容できる範囲が広い。

□□ 290 **for áll ~**	**～にもかかわらず** 🔁 in spite of ~ → 154 ; despite ; in (the) face of ~ → 596 ▶ for all that は「それにもかかわらず」。
□□ 291 **with áll ~**	**～にもかかわらず** ▶ with all ~ には，「～が(こんなに)あるので」(順接)の意味もあるので，注意が必要。
□□ 292 **lèt alóne ~**	**～は言うまでもなく** 🔁 much [still] less ~ → 714 ▶ 通常，否定構文の中で使われる。 ▶ let ~ alone = leave ~ alone → 649「～をそのままにしておく」と区別すること。
□□ 293 **nòt to méntion ~**	**～は言うまでもなく** 🔁 to say nothing of ~ → 676
□□ 294 **on accóunt of ~**	**～のために** 🔁 because of ~ → 145
□□ 295 **[ówing] to ~** **[dúe]**	**～のために**
□□ 296 **èach óther**	**お互い** 🔁 one another → 297 ▶ one another → 297 とほぼ区別なく使われる。
□□ 297 **òne anóther**	**お互い** 🔁 each other → 296

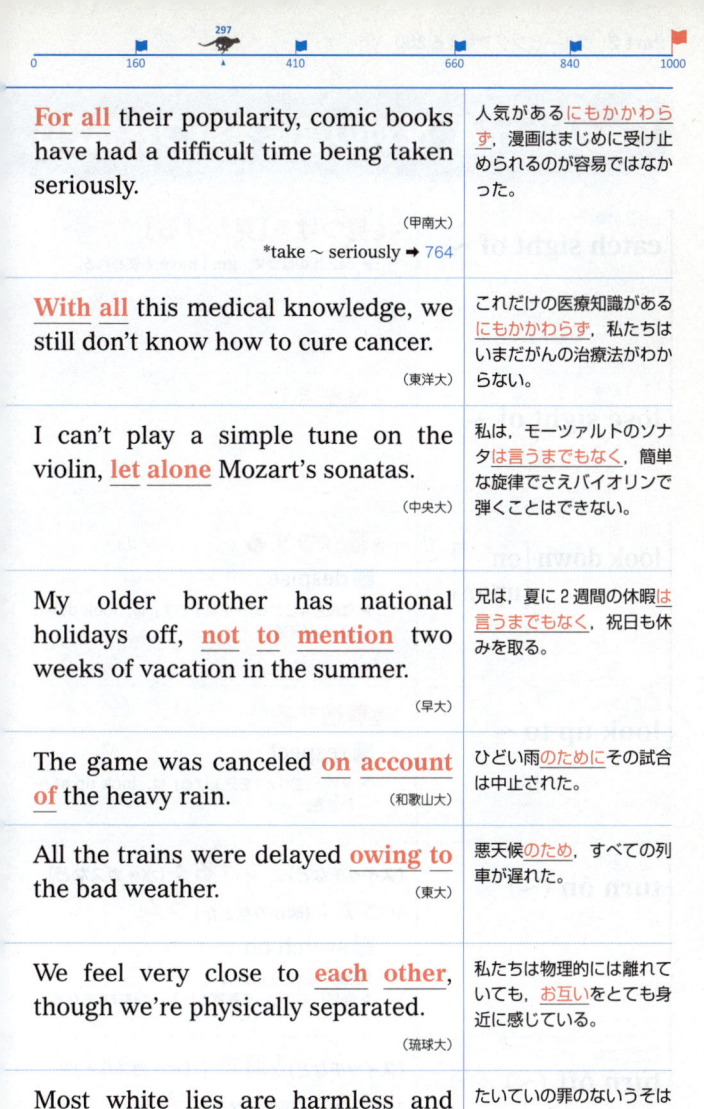

For all their popularity, comic books have had a difficult time being taken seriously. (甲南大) *take ~ seriously ➡ 764	人気がある<u>にもかかわらず</u>, 漫画はまじめに受け止められるのが容易ではなかった。
With all this medical knowledge, we still don't know how to cure cancer. (東洋大)	これだけの医療知識がある<u>にもかかわらず</u>, 私たちはいまだがんの治療法がわからない。
I can't play a simple tune on the violin, <u>let alone</u> Mozart's sonatas. (中央大)	私は, モーツァルトのソナタ<u>は言うまでもなく</u>, 簡単な旋律でさえバイオリンで弾くことはできない。
My older brother has national holidays off, <u>not to mention</u> two weeks of vacation in the summer. (早大)	兄は, 夏に2週間の休暇<u>は言うまでもなく</u>, 祝日も休みを取る。
The game was canceled <u>on account of</u> the heavy rain. (和歌山大)	ひどい雨<u>のために</u>その試合は中止された。
All the trains were delayed <u>owing to</u> the bad weather. (東大)	悪天候<u>のため</u>, すべての列車が遅れた。
We feel very close to <u>each other</u>, though we're physically separated. (琉球大)	私たちは物理的には離れていても, <u>お互い</u>をとても身近に感じている。
Most white lies are harmless and allow us to get along with <u>one another</u>. (東大)	たいていの罪のないうそは無害で, <u>互い</u>にうまくやっていくことを可能にする。

105

Section 4 反対の意味を持つ熟語20

298
càtch síght of ~
~を見つける[見かける]
▶ catch のほかに, get ; have も使われる。

299
lòse síght of ~
~を見失う

300
lòok dówn [on / upòn] ~
~を軽べつする
[同] despise
▶「(高台などから)~を見下ろす」は, look down at ~ が普通。

301
lòok úp to ~
~を尊敬する
[同] respect
▶ 単に「(空など)を見上げる」は, look up at ~ が普通。

302
tùrn ón (~)
(スイッチなど)をつける;(水・ガスなど)を出す;(明かりなどが)つく
[同] switch on (~)
【語順】turn ~ on も。
▶ 発展して「(人)を興奮させる」の意味にもなる。

303
tùrn óff (~)
(スイッチなど)を消す;(水・ガスなど)を止める;(明かりなどが)消える
[同] switch off (~)
【語順】turn ~ off も。
▶「(人の気持ち)をしらけさせる」の意味もある。

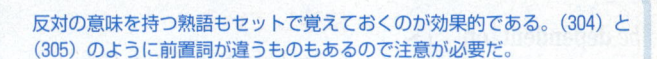

反対の意味を持つ熟語もセットで覚えておくのが効果的である。(304)と(305)のように前置詞が違うものもあるので注意が必要だ。

The fans waited outside the door in the hope of **catching sight of** the movie star. (センター試験)	ファンたちはその映画スターをひと目見ることを期待してドアの外で待った。
We might **lose sight of** reality if we get excited too much in the debate. (慶大)	議論であまり興奮しすぎると、現実を見失いかねない。
Left-handed children used to be **looked down on** and considered abnormal. (中部大)	左利きの子供はかつて軽べつされ、普通ではないと思われていた。
You're lucky if you have someone you can **look up to** as a role model. (山形大)	お手本として尊敬することのできる人がいるならば、あなたは幸運だ。
I felt at a loss when I found out my computer wouldn't **turn on**. (金沢工大) *at a loss ➡ 570	コンピュータの電源がどうしてもつかないとわかり、私は途方に暮れた。
I think I forgot to **turn off** the heater in the office. (センター試験)	私は事務所のヒーターを消すのを忘れたと思う。

Part 2 グルーピングで覚える250　Section 4 反対の意味を持つ熟語20

304
be depéndent [on / upòn] ~

〜に依存している
▶「〜に依存するようになる」は, *be* の代わりに, become ; grow ; get などを用いる。

305
be indepéndent of ~

〜から独立している
▶「〜から独立する」は, become ; grow ; get なども用いる。
▶ of は「分離・距離」を表す前置詞。

306
at (òne's) éase

くつろいで
≒ relaxed
▶ 他動詞的に「〜をリラックスさせる」は, put A at (A's) ease ; make A feel at home [ease] など。

307
ill at éase

不安で；落ち着かないで

308
in órder

整頓(とん)されて；順調で

309
òut of órder

故障して；順序が狂って
▶「体の一部の不調」についても使う。

310
òut of dáte

時代遅れの
▶ out of fashion [style] は「流行遅れの」。名詞の前に付けるときには, out-of-date のようにハイフンを付けて形容詞にするのが普通。

311
ùp to dáte

最新(式)の
▶ 名詞の前に付けるときには, up-to-date のようにハイフンを付けて形容詞にするのが普通。

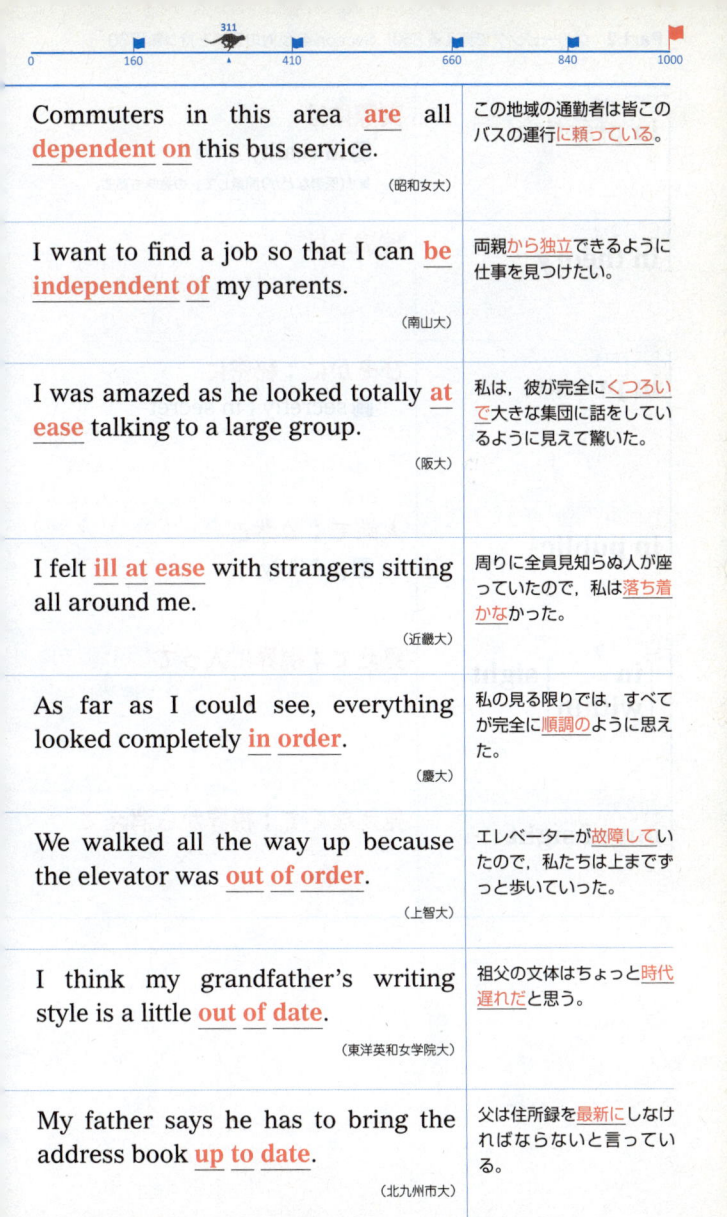

Commuters in this area **are** all **dependent on** this bus service. (昭和女大)	この地域の通勤者は皆このバスの運行に頼っている。
I want to find a job so that I can **be independent of** my parents. (南山大)	両親から独立できるように仕事を見つけたい。
I was amazed as he looked totally **at ease** talking to a large group. (阪大)	私は，彼が完全にくつろいで大きな集団に話をしているように見えて驚いた。
I felt **ill at ease** with strangers sitting all around me. (近畿大)	周りに全員見知らぬ人が座っていたので，私は落ち着かなかった。
As far as I could see, everything looked completely **in order**. (慶大)	私の見る限りでは，すべてが完全に順調のように思えた。
We walked all the way up because the elevator was **out of order**. (上智大)	エレベーターが故障していたので，私たちは上までずっと歩いていった。
I think my grandfather's writing style is a little **out of date**. (東洋英和女学院大)	祖父の文体はちょっと時代遅れだと思う。
My father says he has to bring the address book **up to date**. (北九州市大)	父は住所録を最新にしなければならないと言っている。

109

□□ 312 **in práctice**	**実際には** ≒ in reality → 376 ▶「(医者などが)開業して」の意味もある。
□□ 313 **in théory**	**理論上は**
□□ 314 **in prívate**	**ひそかに；秘密に** ≒ secretly ; in secret
□□ 315 **in públic**	**人前で；公然と** ≒ publicly
□□ 316 **in / within síght**	**見えて；視界に入って**
□□ 317 **òut of síght**	**見えなくて；視界から消えて**

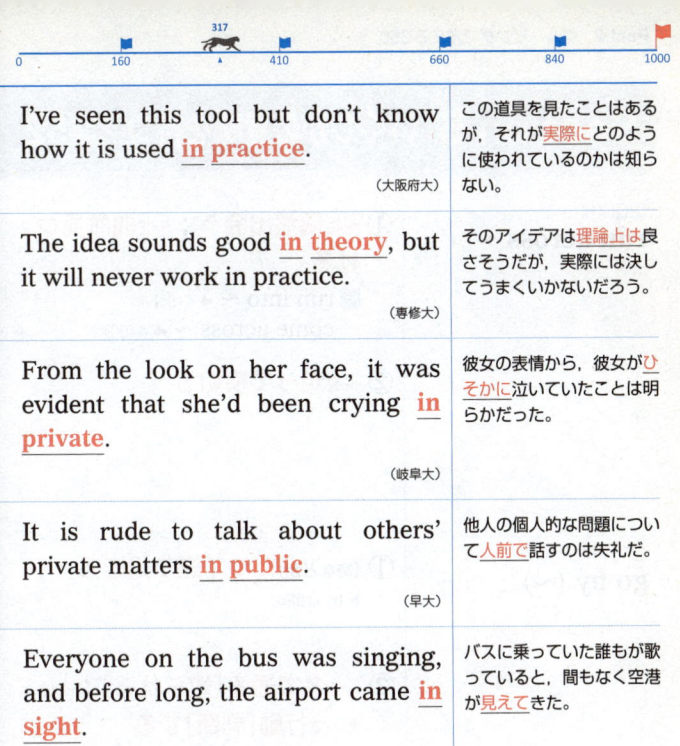

I've seen this tool but don't know how it is used **in practice**. (大阪府大)	この道具を見たことはあるが，それが実際にどのように使われているのかは知らない。
The idea sounds good **in theory**, but it will never work in practice. (専修大)	そのアイデアは理論上は良さそうだが，実際には決してうまくいかないだろう。
From the look on her face, it was evident that she'd been crying **in private**. (岐阜大)	彼女の表情から，彼女がひそかに泣いていたことは明らかだった。
It is rude to talk about others' private matters **in public**. (早大)	他人の個人的な問題について人前で話すのは失礼だ。
Everyone on the bus was singing, and before long, the airport came **in sight**. (島根大)	バスに乗っていた誰もが歌っていると，間もなく空港が見えてきた。
The ship went gradually **out of sight** as it sailed out of the port. (神奈川大)	その船は出港するとだんだんと見えなくなっていった。

Section 5 いくつかの意味を持つ熟語52

□□ 318
rún acròss ~

① **~に偶然出会う；~を偶然見つける**
　🔄 run into ~ → 418；
　come across ~ → 448①

② **~を走って横切る**

□□ 319
gò bý (~)

① **(時などが)たつ；通り過ぎる**
　▶ by は副詞。

② **~の名で通る[知られる]；~によって行動[判断]する**
　▶ by は前置詞。
　▶ 意味②のときのアクセントは，gó bỳ ~。

□□ 320
stànd bý (~)

① **待機する；傍観する**
　▶「~のそばに立つ」という文字どおりの意味にもなる。
　▶ by は副詞。

② **~を支持[擁護]する；(約束など)を守る**
　🔄 support；stand up for ~ → 180；
　stand for ~ → 326②
　▶ by は前置詞。
　▶ 意味②のときのアクセントは，stánd bỳ ~。

複数の意味を持つものを集めた。覚えるのは大変かもしれないが，表現が広がり英作文にも役立つのでぜひとも覚えよう。

① He <u>ran across</u> a rare book at a secondhand bookstore the other day.
(関西学院大)

①先日，彼は古本屋で希少な本を<u>偶然見つけた</u>。

② The child <u>ran across</u> the street and went straight to his waiting mother.
(武蔵大)

②その子供は通りを<u>走って横切り</u>，待っている母親の所にまっすぐに行った。

① His eyes seemed to be getting worse as time <u>went by</u>.
(共立女大)

①時間が<u>たつ</u>につれて，彼の目は悪くなっていくようだった。

② I used to know a dancer who <u>went by</u> the name of Janet.
(芝浦工大)

②私はジャネットという名<u>で通っていた</u>ダンサーをかつて知っていた。

① Tom just <u>stood by</u> without doing anything to help her pick out a gift.
(早大)

①トムは彼女が贈り物を選ぶ手助けを何もせずに，ただ<u>傍観していた</u>。

② She firmly said to me, "I'll <u>stand by</u> you whatever happens."
(日本大)

②彼女は「私は何が起ころうともあなた<u>を支持します</u>」と私にきっぱりと言った。

113

321 pùt dówn ~

① **~を置く**
▶「~を下に置く」から「~を書き留める」の意味にもなる(take down ~ → 457; write down ~)。

② **~を抑える；~を鎮める**
【語順】①② put ~ down も。

322 séttle dòwn

① **落ち着く；定住する**

② **腰を据えて~を(し)始める (to ~ / to do)**

323 tùrn dówn ~

① **~を拒絶する；~を却下する**
同 reject；refuse

② **(音量・火力など)を小さくする**
反 turn up ~ → 357②
【語順】①② turn ~ down も。

324 máke for ~

① **~のほうへ進む**
同 head for ~ → 413；
 be headed for ~

② **~に寄与する；~に役立つ**
同 contribute to ~ → 35

325 províde for ~

① **~を扶養する**
▶ 目的語には「人」が入るのが普通。

② **~に備える；(法律が)~を規定する**
▶「将来の災害・攻撃・不足などに備える」の意味では，provide against ~ もある。

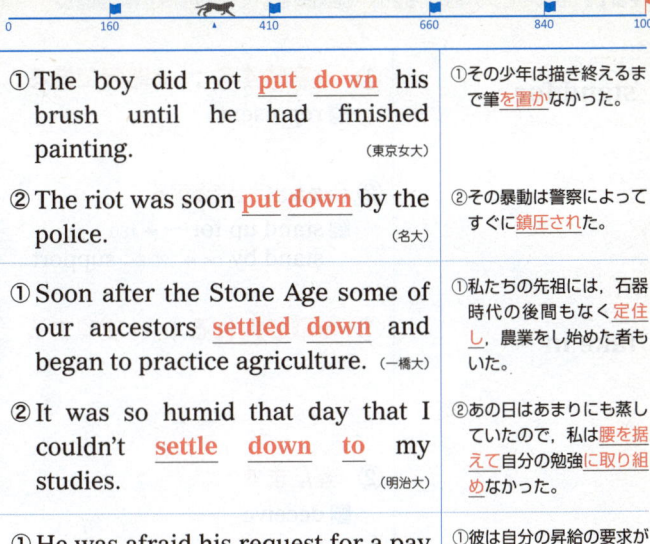

① The boy did not <u>put down</u> his brush until he had finished painting. (東京女大)	①その少年は描き終えるまで筆を置かなかった。
② The riot was soon <u>put down</u> by the police. (名大)	②その暴動は警察によってすぐに鎮圧された。
① Soon after the Stone Age some of our ancestors <u>settled down</u> and began to practice agriculture. (一橋大)	①私たちの先祖には，石器時代の後間もなく定住し，農業をし始めた者もいた。
② It was so humid that day that I couldn't <u>settle down to</u> my studies. (明治大)	②あの日はあまりにも蒸していたので，私は腰を据えて自分の勉強に取り組めなかった。
① He was afraid his request for a pay raise would be <u>turned down</u>. (金沢工大)	①彼は自分の昇給の要求が却下されることを恐れていた。
② Lucy <u>turned down</u> the radio so that Ted could concentrate. (京都外語大)	②ルーシーは，テッドが集中できるよう，ラジオの音量を小さくした。
① He <u>made for</u> the exit when he heard a knock on the back door. (早大)	①彼は裏口をノックする音を聞くと出口のほうへと向かった。
② Father always says that idleness doesn't <u>make for</u> success. (同志社大)	②父は，怠惰は成功に役立たないといつも言う。
① Her parents were willing to <u>provide for</u> her, but she did not want to be dependent. (東大)	①彼女の両親は，彼女を扶養することをいとわなかったが，彼女は依存したくはなかった。
② All of us have to earn enough to <u>provide for</u> our future. (上智大)	②私たちは皆，将来に備えるために十分稼がないといけない。

115

□□ 326 **stánd for ～**	① ～を意味する；～の略字である 同 represent ② (主義など)を支持する 同 stand up for ～ ➡ 180； stand by ～ ➡ 320②；support
□□ 327 **tàke ín ～**	① ～を取り入れる；～を理解する ② ～をだます 同 deceive ③ ～を見物する 【語順】①②③ take ～ in も。 ▶「予定に取り入れる」から発展した。
□□ 328 **brèak ín (～)**	① 押し入る；口を挟む ▶「～に押し入る」と後ろに名詞が続けば，break into ～ ➡ 419① となる。 ② ～を慣らす 【語順】break ～ in も。
□□ 329 **gò óff**	① 去る；(電灯などが)消える(反 go on) ② (仕掛けが)作動する；(爆薬が)爆発する(同 explode)；(銃などが)発射される(同 *be* fired)

① Do you know what "B & B" <u>stands for</u>? (大阪経大) *B&B = bed and breakfast「朝食付き宿泊(施設)」	①"B & B"が何<u>の略である</u>か知っていますか。
② She is well remembered as a politician who <u>stood for</u> women's rights. (北里大)	②彼女は女性の権利<u>を支持した</u>政治家としてよく記憶されている。
① The effect of lead on the body varies according to the amount <u>taken in</u>. (甲南大) *lead「鉛」	①鉛が体に与える影響は,<u>取り入れられた</u>量によって異なる。
② We were all <u>taken in</u> by his story about how he lost his wallet. (静岡県大)	②彼がどのように財布をなくしたかという彼の話に,私たちはみんな<u>だまされ</u>た。
③ We decided to <u>take in</u> a few more sights while we were there. (立命館大)	③私たちはそこにいる間,さらにいくつかの名所<u>を見物する</u>ことにした。
① If you leave the door unlocked at night, burglars will <u>break in</u>. (東京国際大)	①夜ドアに鍵をかけないままでおくと,泥棒が<u>押し入ります</u>よ。
② It'll take a few days to <u>break in</u> these shoes. (関西大)	②この靴<u>を履き慣らす</u>には数日かかるだろう。
① After having written a quick message to my colleague, I <u>went off</u> to lunch. (立命館大)	①同僚に素早くメッセージを書いた後,私は昼食に<u>出かけた</u>。
② I overslept because my alarm clock didn't <u>go off</u>. (学習院大)	②目覚まし時計が<u>鳴ら</u>なかったので,私は寝過ごした。

117

□□ 330 **áct** [on / upòn] ~	① **~に作用する**；**~に働きかける** ② (命令・信念など)**に従って行動する**
□□ 331 **cáll** [on / upòn] ~	① **~を訪問する** ▶「(場所)に立ち寄る，寄港する」は，call at ~。 ② **~に要求する** ▶〈call on +人+ to *do* [for ~]〉が一般的。
□□ 332 **càtch ón**	① (ファッション・考えなどが)**流行する**；**はやる** ② (~を)**理解する**(to ~)；(~に)**気づく**(to ~) ▶「(遅ればせながら)理解する」のニュアンス。
□□ 333 **hòld ón**	① **持ちこたえる**；**頑張る** ② **待つ**；**電話を切らずにいる** ③ (~を)**しっかりつかむ**(to ~) 同 ①②③ hang on → 806 ▶通常，命令形で使われる。

① This chemical <u>acts on</u> the nervous system of the insects and kills them. （聖マリアンナ医大）	①この化学薬品は昆虫の神経系に作用し，昆虫を殺す。
② People who <u>act on</u> their feelings can lead themselves, and others, to disaster. （愛知大）	②自分の感情に従って行動する人々は，自分自身や他人を不運に導く可能性がある。
① I think I'll <u>call on</u> my friend in Kobe next week. （大阪電通大）	①来週，神戸にいる友人を訪問しようかと思う。
② The U.N. <u>called on</u> all countries to try to cut their carbon emissions. （慶大）	②国連は，二酸化炭素の排出の削減に努力するよう，すべての国に要求した。
① Bamboo is not widely used in the U.S., but it's <u>catching on</u>. （中央大）	①アメリカでは竹は広く使われていないが，はやり出している。
② I'm sure you'll quickly <u>catch on to</u> the way we do things here. （亜細亜大）	②きっとあなたはすぐに私たちのここでのやり方を理解するでしょう。
① He climbed onto a lifeboat and <u>held on</u> for five hours, until help arrived. （大阪市大）	①彼は救命艇によじ登って5時間持ちこたえ，ついに助けが到着した。
② <u>Hold on</u> a minute. We might be going in the wrong direction. （甲南大）	②ちょっと待って。私たちは間違った方向に行っているかもしれません。
③ <u>Hold on to</u> this iron railing tightly. （県立広島大）	③この鉄柵にしっかりとつかまってください。

119

334
líve on (〜)

① **〜を常食にする**
▶「(動物が)〜を常食にする」なら feed on 〜 ➡ 426。

② **(〜の収入・金額)で生活する**

③ **生き続ける**
▶ ①②の on は前置詞。③の on は「継続」を表す副詞。[例]read on「読み続ける」, talk on「話し続ける」
▶ 意味③のときのアクセントは，live ón。

335
tàke ón 〜

① **〜を引き受ける；〜を雇う**
▶「〜を引き受ける」= undertake,「〜を雇う」= employ

② **(色・性質など)を帯びる**
【語順】①② take 〜 on も。

336
brèak óut

① **(火事・戦争などが)起こる**

② **(吹き出もの・汗などが)出る；急に(〜)し出す**
▶「(汗などが)出る」では，例文のように人が主語になることもある。

337
gìve óut (〜)

① **〜を配る；〜を発する**
【語順】give 〜 out も。
▶「〜を配る」= distribute,「〜を発する」= emit；give off 〜 ➡ 461

② **(供給物・力などが)尽きる；なくなる**

① People in the Edo period <u>lived</u> chiefly <u>on</u> rice and fish. (日本女大)	①江戸時代の人々は主に米と魚<u>を常食にしていた</u>。
② Billions of people across the world <u>live on</u> less than a dollar a day. (獨協大)	②世界中の何十億もの人々が1日1ドルに満たない額<u>で暮らしている</u>。
③ Some Japanese superstitions have <u>lived on</u> for hundreds of years. (名古屋外語大)	③日本の迷信の中には何百年も<u>生き続けている</u>ものもある。
① Many companies have started to <u>take on</u> foreign-born employees. (甲南大)	①多くの企業は外国生まれの従業員<u>を雇い</u>始めている。
② The same expression can <u>take on</u> a new meaning when a new situation arises. (神奈川大)	②新たな状況が発生すると、同じ表現が新しい意味<u>を帯びる</u>ことがある。
① Jack was having lunch when a fire <u>broke out</u> in the restaurant. (日本大)	①レストランで火事が<u>起きた</u>とき、ジャックは昼食をとっていた。
② I was so frightened that I <u>broke out</u> in a cold sweat. (大阪経大)	②私は怖さのあまり冷や汗が<u>出た</u>。
① Don't <u>give out</u> personal information to people you don't know. (桜美林大)	①知らない人に個人情報<u>を与えて</u>はいけない。
② His strength <u>gave out</u> just before he reached the finish line. (名古屋大)	②彼はゴールに到達する直前で力<u>尽きた</u>。

338
hòld óut (〜)

① (手など)を**差し出す**
【語順】hold 〜 out も。

② **持ちこたえる；耐える；**
(希望など)を**抱く**

339
lòok óut (for 〜)

① (〜に)**気をつける**
🔲 watch out (for 〜) → 891

② (〜の)**世話をする；**(〜の)**面倒を見る**
🔲 take care of 〜 → 114

340
màke óut 〜

① (通常, 否定文・疑問文で) **〜を理解する**
🔲 understand

② **〜を見分ける**
🔲 discern

③ (書類・小切手など)を**作成する**
【語順】①②③ make 〜 out も。
▶ ①②③の意味のほかに, How で始まる疑問文で「結果・首尾」を尋ねる決まり文句もある。
[例] How did you make out in the interview?(面接の結果はどうだった？)

341
pùt óut 〜

① (火・明かりなど)を**消す**
🔲 extinguish

② **〜を出す**
【語順】①② put 〜 out も。

① Seated in an armchair, Ms. Sato <u>held</u> <u>out</u> her hand to me. (横浜市大)	①肘掛けいすに座ったままで、サトウさんは私に手を差し出した。
② She <u>held</u> <u>out</u> the hope that one day I'd be famous. (首都大)	②彼女は私がいつか有名になるという希望を抱いていた。
① <u>Look</u> <u>out</u>, Chiyo! There's a big truck coming. (桜美林大)	①気をつけて、チヨ！大きなトラックがやって来るよ。
② Since I'm the adult, I have to <u>look</u> <u>out</u> <u>for</u> my younger brother. (神戸大)	②私は大人なので、弟の面倒を見なければならない。
① What I can't <u>make</u> <u>out</u> is why you have changed your mind. (明海大)	①私が理解できないのは、あなたがなぜ気が変わってしまったのかだ。
② We'll be able to <u>make</u> <u>out</u> more detail as we get closer to the statue. (東邦大)	②その像のもっと近くに寄れば、もっと詳細を見分けることができるだろう。
③ I <u>made</u> <u>out</u> a check for $25 and handed it to the salesperson. (富山大)	③私は25ドルの小切手を書き、それを店員に渡した。
① Please remember to <u>put</u> <u>out</u> the light as you go out. (千葉工大)	①外に出るときは明かりを消すのを忘れないでください。
② I hear the vocal group has <u>put</u> <u>out</u> a new CD of their music. (同志社大)	②そのボーカルグループは彼らの音楽の新しいCDを出したと聞いています。

123

342 **sèt óut**

① **出発する**
🔵 set off → 460

② **(〜し)始める (to do)**
🔵 start ; begin

343 **rùn óver (〜)**

① **(車が)〜をひく**
【語順】run 〜 over も。
▶《米》式では、代名詞の場合でも、run it over ; run over it の両方が可能。

② **(〜から)あふれる**
🔵 overflow
▶「〜を復習する；〜を繰り返す」の意味もある (🔵 go over 〜 → 345②)。

344 **tùrn óver (〜)**

① **(ページなど)をめくる；〜をひっくり返す；ひっくり返る**
▶《米》式では、「ページをめくる」の意味では over のないことも多い。turn over a new leaf は「新しいページをめくる」から「心機一転やり直す」の意味の口語表現。

② **〜を譲る；〜を引き渡す**
【語順】①② turn 〜 over も。

345 **gò óver 〜**

① **〜を調べる；〜に詳細に目を通す**

② **〜を復習する；〜を繰り返す**
🔵 review ; repeat
▶「〜に近づいていく；〜を越えていく」の意味もある。

① I occasionally <u>set out</u> on a journey alone, without any definite purpose. (共立女大)	①私はときどき，明確な目的もなく一人旅に<u>出る</u>。
② It was during the 1980s that many countries <u>set out to</u> reduce automobile emissions. (東京医歯大)	②多くの国々が自動車の排ガスを減ら<u>し始めた</u>のは1980年代だった。
① Frank was <u>run over</u> and is in serious condition at the hospital. (上智大)	①フランクは車に<u>ひかれ</u>，病院で重体だ。
② In an hour the tank was full, and the water began to <u>run over</u>. (名古屋市大)	②1時間でタンクはいっぱいになり，水が<u>あふれ</u>始めた。
① A strong storm hit the area, leaving cars <u>turned over</u> here and there. (京都産業大)	①大嵐がその地域を襲い，あちこちで車が<u>ひっくり返っていた</u>。
② The robber demanded that the woman <u>turn over</u> what she had. (東大)	②強盗は，女性に持っているもの<u>を引き渡す</u>よう要求した。
① I'd like you to <u>go over</u> this report to see if it is all right. (沖縄国際大)	①このレポート<u>に詳細に目を通して</u>，問題ないか見ていただきたいのです。
② In each class, the students <u>go over</u> the words they've newly learned. (関西大)	②それぞれの授業で，生徒たちは新しく習った単語<u>を復習する</u>。

125

☐☐ 346 *be dúe to* ~	① **~のため[結果]である** ≡ on account of ~ → 294 ; owing [due] to ~ → 295 ② **~する予定である** ≡ *be* scheduled [expected ; supposed → 663] to *do*
☐☐ 347 *cóme to* (~)	① **~に来る；~に達する** ≡ amount to ~ → 435 ② **(come to *do* で) ~するようになる** ③ **意識を回復する；正気に戻る** ▶ この意味では, come to *oneself* [*one's senses*] の短縮形で, to に強勢を置く。
☐☐ 348 *lóok to* ~	① **~のほうを見る；~に気をつける** ≡ pay attention to ~ → 119 ; attend to ~ → 845 ② **~に頼る；~を当てにする** ▶ look to *A* for *B* [to *do*]「*A* に *B* を[~するよう]頼る」の形が多い。
☐☐ 349 *táke to* ~	① **(習慣的に)~を始める；~にふける** ② **~を好きになる**

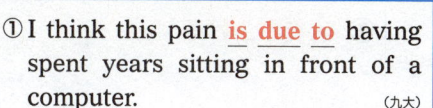

① I think this pain <u>is due to</u> having spent years sitting in front of a computer. (九大)	①この痛みは長年コンピュータの前に座って過ごした<u>せいだ</u>と思う。
② The new classes <u>are due to</u> start in September. (上智大)	②新たな授業は9月に始まる<u>予定である</u>。
① I had the machine repaired, and the total cost <u>came to</u> ¥15,000. (名古屋工大)	①私は機械を修理してもらい、総費用は1万5千円<u>に達した</u>。
② I'm curious to know how my parents <u>came to</u> know each other. (東洋英和女学院大)	②私は両親が互いをどのように知る<u>ようになった</u>のかを知りたい。
③ When he <u>came to</u>, he looked up and saw a spreading mushroom-shaped cloud. (亜細亜大)	③彼が<u>意識を回復して</u>上を見上げると、広がっていくキノコ状の雲が見えた。
① He <u>looked to</u> the right and to the left, and then he crossed the road. (同志社大)	①彼は右<u>を見て</u>から左を見て、それから道路を渡った。
② When in doubt, she <u>looked to</u> her mother as a role model. (北里大)	②疑わしいときは、彼女は手本として母親<u>に頼った</u>。
① The husband <u>took to</u> drinking after his wife's death. (お茶の水女大)	①妻の死後、夫は飲酒<u>にふけった</u>。
② The neighbors <u>took to</u> her as well, the moment they met her. (福井大)	②近所の人々もまた、彼女に会った瞬間、彼女<u>を好きになった</u>。

*as well ➡ 370

Part 2 グルーピングで覚える250　Section 5 いくつかの意味を持つ熟語52

350
hòld úp ~

① ~を持ち上げる

② ~を遅らせる

③ ~に強盗に入る
【語順】①②③ hold ~ up も。

351
lòok úp ~

① (辞書・電話帳などで)~を調べる

② (人)を訪ねる
【語順】①② look ~ up も。
▶ look up ~ で「~を見上げる」という文字どおりの意味もある。

352
màke úp (~)

① ~を作り上げる；~を構成する
▶「作り上げる」から「化粧する」の意味にもなる。
[例] make oneself [one's face] up；make up one's face

② (~と)仲直りさせる[する] (with ~)
▶ make it up (with ~) の形もある。

③ ~の埋め合わせをする
▣ make up for ~ → 246
【語順】①②③ make ~ up も。

353
pùll úp (~)

① ~を引き抜く[引き上げる]；~を根絶する

② (車などを)止める；止まる
【語順】①② pull ~ up も (②は他動詞の場合)。

① She **held up** a flower and said, "Look how beautiful it is." 〈京都府大〉	①彼女は1輪の花を持ち上げて「これがどんなに美しいか見て」と言った。
② Our train was **held up** for several hours due to a heavy snowfall. 〈立教大〉	②大雪の中,私たちの列車は数時間遅れた。
③ The bank was **held up** last night. 〈上智大〉	③昨夜その銀行は強盗に入られた。
① I usually **look up** the words whose meaning I'm not sure of in my dictionary. 〈センター試験〉	①私は意味に確信が持てない語をふだんは辞書で調べる。
② Be sure to **look** us **up** when you're in town. 〈青山学院大〉	②町にいらしたときは,ぜひ私たちをお訪ねください。
① He **made up** some interesting stories to tell his grandchildren. 〈立命館大〉	①彼は孫たちに話すためにいくつかのおもしろい話を作り上げた。
② Tom and Jane quarreled but **made up** the next morning. 〈上智大〉	②トムとジェーンはけんかをしたが,翌朝には仲直りをした。
③ I know that, sooner or later, I have to **make up** all the lost time. 〈工学院大〉	③私は早晩,無駄に過ごしたすべての時間の埋め合わせをしなければならないことは,わかっている。
① We **pulled up** the plant and moved it to a better place. 〈駒澤大〉	①私たちはその植物を引き抜き,もっと良い場所へとそれを移した。
② A car **pulled up** near the sidewalk, and a woman got out. 〈立教大〉	②歩道近くに車が止まり,1人の女性が降りてきた。

129

354
pùt úp (～)

① ～を掲げる；～を上げる；～を建てる

② ～を泊める；泊まる
【語順】①② put ～ up も（②は他動詞の場合）。
▶ ②を自動詞として使うのは，主に《英》式。

355
shòw úp (～)

① (予定の所に)現れる
同 turn up → 357①

② ～を目立たせる；目立つ
【語順】他動詞では show ～ up も。

356
tàke úp ～

① (場所・時間)を取る；～を取り上げる

② (仕事・趣味など)を始める
【語順】①② take ～ up も。

357
tùrn úp (～)

① 現れる；起こる
同 show up → 355①
▶ 「上を向く；(経済などが)上向く」という文字どおりの意味もある。

② (ガス・音量など)を大きくする；～を探し出す
【語順】turn ～ up も。

358
gó with ～

① ～と付き合う
▶ go out with ～ とも言う。
▶ go steady with ～ は「決まった人と付き合う」。

② ～に似合う
▶ go with ～ には「～と一緒に行く」の意味ももちろんある。

① A sign was put up in front of the station to advertise the new store. (中央大)	①その新しい店を宣伝するために，駅前に看板が掲げられた。
② I'll put him up at a hotel near our place when he comes to see us next month. (岐阜大)	②来月彼が私たちに会いに来たら，我が家の近くのホテルに彼を泊めるつもりだ。
① Hundreds of people in the town showed up for the festival. (中央大)	①町の何百人もの人々が，その祭りに現れた。
② Our cat is gray, so he doesn't show up well at night. (法政大)	②私たちの猫は灰色なので，夜はあまり目立たない。
① Dan complains that bikes, even folding ones, take up too much room. (上智大)	①自転車は，折りたたみ式のものさえも，場所を取りすぎるとダンは不満を言っている。
② Jane took up yoga when she was recovering from a muscle injury. (明海大)	②ジェーンは筋障害からの回復時にヨガを始めた。
① It's already 7:45, but neither of them has turned up. (立教大)	①もうすでに7時45分なのに，2人とも現れていない。
② Will you turn up the volume a little? I can hardly hear the news. (旭川医大)	②音量をもう少し上げてもらえますか。ニュースがほとんど聞こえません。
① Tom has been going with Jane for almost a year now. (高崎経大)	①トムはほぼ1年近くジェーンと付き合っている。
② I'm looking for a coat to go with this skirt. (九州産業大)	②このスカートに合うコートを探しています。

Part 2 グルーピングで覚える250　Section 5 いくつかの意味を持つ熟語52

□□ 359 **méet with ~**	① ~を経験する；~を受ける ② ~と約束して会う；~と会見する
□□ 360 **tàke *one's* pláce**	①《主語と *one's* が一致》いつもの席に着く；特定の地位を占める ②《主語と *one's* が不一致》~に取って代わる ▶ ②は take the place of *one* の形にもなる。
□□ 361 **áll but ~**	① ~も同然；ほとんど~ 🔁 almost；just about ~ ▶ 副詞として働き、形容詞や動詞が続く。 ② ~以外すべて ▶ but は前置詞(= except)で，名詞や代名詞が続く。
□□ 362 **at lárge**	①《名詞の後に置いて》全体としての；一般の 🔁 in general → 88②； as a whole → 100 ② 逃走中で；逮捕されないで
□□ 363 **at léngth**	① 詳細に；長々と ▶ length に great；some などの形容詞が付くことも多い。 ▶ lie at full length は，「長々と寝そべる」。 ② とうとう；ついに 🔁 at last ▶ at last に比べ格式語。

① Genetic engineering has <u>met with</u> opposition from environmentalists. (法政大)

①遺伝子組み換えは環境保護主義者たちから反対<u>を受けて</u>きた。

② To <u>meet with</u> the professor, you need an appointment. (関東学院大)

②教授<u>と会う</u>には約束が必要だ。

① Father <u>took his place</u> at the head of the table and smiled at us. (成蹊大)

①父はテーブルの上座の<u>自分の席に着き</u>，私たちにほほえみかけた。

② Joe, our oldest brother, <u>took our father's place</u> as head of our family. (都留文科大)

②私たちの一番上の兄であるジョーは，家族の主として<u>父に取って代わった</u>。

① There's a ship buried in the sand there, <u>all but</u> forgotten to the villagers. (法政大)

①村人には<u>ほとんど</u>忘れられているが，あそこの砂の中に船が埋まっている。

② <u>All but</u> 10 houses were destroyed in a forest fire here. (大妻女大)

②ここの森林火災で10軒の家屋<u>以外すべて</u>全焼した。

① A company has a duty not only to its shareholders but to society <u>at large</u>. (慶大)

①企業は株主に対してだけでなく社会<u>全体</u>に対する義務がある。

② The prisoner who escaped two days ago is still <u>at large</u>. (成城大)

②2日前に脱走した囚人は，まだ<u>捕まっていない</u>。

① At the meeting, they discussed the plan <u>at</u> great <u>length</u>. (立命館大)

①会議では彼らはその計画について<u>詳細に</u>話し合った。

② <u>At length</u> the travelers decided to select someone as their leader. (和歌山大)

②<u>とうとう</u>その旅行者たちは誰かを自分たちのリーダーとして選ぶことに決めた。

□□ 364 **by áll mèans**	① ぜひとも；必ず 同 at any cost [all costs] → 408 ; without fail → 619 ▶ 命令文で使われることも多い。 ② 《承諾の返事として》ぜひどうぞ
□□ 365 **by wáy of ~**	① ～経由で 同 via ② ～として；～のつもりで(の)
□□ 366 **in effect**	① 事実上；要するに ② 《法律などが》実施されて ▶ come [go] into effect は「実施される」, bring [put] ～ into effect は「～を実施する」。
□□ 367 **néxt to ~**	① ～の次の[に] ② 《否定を表す語の前に置いて》ほとんど～ 同 almost ▶ next to nothing は「ほとんど何もない」。

① Mr. Sato told us to bring our report the next day **by all means**.
(明治大)

①サトウ先生は私たちに必ず翌日にレポートを持ってくるように言った。

② "May I use your dictionary a minute?" "**By all means**."
(明星大)

②「あなたの辞書をちょっと使ってもいいですか」「どうぞどうぞ」

---

① Hideo left New York and went to Seattle **by way of** Chicago.
(大東文化大)

①ヒデオはニューヨークをたち，シカゴ経由でシアトルへ行った。

② I had to say a few words to the boys **by way of** an apology.
(南山大)

②私は少年たちに謝罪としてひと言述べなければならなかった。

---

① In ancient times, the aged knew everything — they were, **in effect**, their tribe's library.
(武蔵大)

①古代では，高齢者は何もかも知っていた。彼らは，事実上，彼らの部族の図書館だったのだ。

② This law has been **in effect** for the past ten years.
(北海学園大)

②この法律は実施されて10年がたつ。

---

① We stayed at a hotel which was **next to** a large park.
(芝浦工大)

①私たちは大きな公園の隣にあるホテルに滞在した。

② The situation seems **next to** impossible to improve.
(城西大)

②状況が改善するのはほとんど不可能なようだ。

368
on énd

① 連続して
≡ in a row → 984

② まっすぐに

369
úp to ～

① ～まで
▶ 例えば up to 40% は「最高で40%」。

② 《It is up to ～で》～次第である；
～の責任である

③ 《be up to ～で》～をしようとして
▶ 「悪いことをしようとする」ときに使われることが多い。

① I know he has the willpower to continue studying for hours <u>on end</u>. (小樽商大)	①彼には何時間も<u>連続して</u>勉強し続ける意志の力があることを私は知っている。
② When animals are frightened, the hairs on their backs stand <u>on end</u>. (慶大)	②動物は脅えると、背中の毛が<u>まっすぐに</u>立つ。
① It's estimated that <u>up to</u> 95% of people sometimes procrastinate. (センター試験) *procrastinate「先延ばしにする」	①95%<u>までの</u>人が先延ばしにすることがあると推定されている。
② If I want to go to college, it's <u>up to</u> me to find out how to get there. (成蹊大)	②大学に行きたいのなら、そこにどうやって行くかを見つけるのは私<u>の責任だ</u>。
③ What have you been <u>up to</u> lately? (上智大)	③最近君はどう<u>して</u>たんだい。

Section 6 副詞の働きをする熟語41

370
as wéll

〜もまた
- too ; also
- ▶ 文末に置くことが多い。

371
[sórt / kínd] of (〜)

なんとなく(〜)；ちょっと(〜)
- ▶ 副詞句として形容詞・動詞を修飾する。その場合は冠詞は付けない。
- ▶ a sort [kind] of 〜は「一種の〜」。

372
to 〜 [exténtdegrée]

〜の程度に
- ▶ 「〜」には a certain ; some ; a great ; a large ; a slight などのいろいろな形容詞が入る。
  to the extent [degree] that ... は「…という程度に」。

373
from 〜 pòint of víew

〜の視点から(は)
- ▶ 「〜」には所有格のほか、〈a +形容詞〉が来る。
- ▶ from 〜 viewpoint の形もある。

374
from 〜 [ón / ónward(s)]

〜から以後は
- ▶ on [onward(s)] は継続を表す副詞。
- ▶ from 〜 up [upward(s)]「〜から上は」；
  from 〜 down [downward(s)]「〜から下は」
  など同形のものは多い。

375
on ([the / an]) áverage

平均して

376
in reálity

(想像などでなく)実際に；(ところが)実際には
- in fact → 81①②
- ▶ in fact と同様に、「ところが実際は」のニュアンスがある点に注意したい。

ここでは副詞の働きをする典型的な熟語を覚えよう。特に，(385) の解説や (388) の類例（関連情報）はまとめて覚えてしまうのが効率的だ。

Besides a lot of similarities, there are differences <u>as well</u>. (関西大)	類似点が多いことに加えて，相違点もまたある。
Referring to living in the basement, he said, "It's <u>kind of</u> like living under the sea." (東北大)	地下で暮らすことについて触れて，彼は「それはちょっと海底で暮らすようなものだ」と言った。
I'm satisfied with your answer <u>to</u> some <u>extent</u>, but not completely. (愛知教育大)	あなたの返事にはある程度は満足していますが，完全にではありません。
I'm trying to look at the matter <u>from</u> a different <u>point of view</u>. (国学院大)	私は異なる視点からその問題を見ようとしています。
<u>From</u> the 90s <u>on</u>, I lived for a part of each year in a rural village. (南山大)	1990年代以後，私は毎年1年のある期間を農村で暮らした。
<u>On average</u>, Japanese men are expected to live to almost 80. (京都工繊大)	平均して，日本人男性の寿命はほぼ80歳だ。
I thought the answer was simple; <u>in reality</u>, however, it was far more complicated. (一橋大)	その答えは単純だと思った。しかし実際にはもっとずっと複雑だった。

139

377 **in** *one's* **[opinion / view]**	**〜の意見では** 🔄 as I see it 《口語》; to *one's* mind [thinking]
378 **in the [meantime / meanwhile]**	**その間に(も);一方(話変わって)** ▶「その間に」の意味で meantime [meanwhile] 1語を副詞としても使う。
379 **in the first place**	**まず第一に** 🔄 first of all → 14 ; to begin [start] with → 674 ▶「第二[三]に」は in the second [third] place,「最後に」は in the last place。
380 **at a glance**	**ひと目見て** 🔄 at first sight → 571
381 **most of all**	**とりわけ;何[誰]よりもまず**
382 **by now**	**今ごろは;今はもう**
383 **above all (else)**	**とりわけ;特に** 🔄 above all (things)
384 **in a sense**	**ある意味では;ある程度** ▶ to a certain extent (→ 372) ; in a way → 578 などと書き換えられることも多い。
385 **by hand**	**手で;手を使って** ▶ この by は「手段」を表し、後の名詞は無冠詞。 [例] by bus「バスで」; by fax「ファックスで」; by machine「機械で」; by check「小切手で」; by e-mail「E メールで」

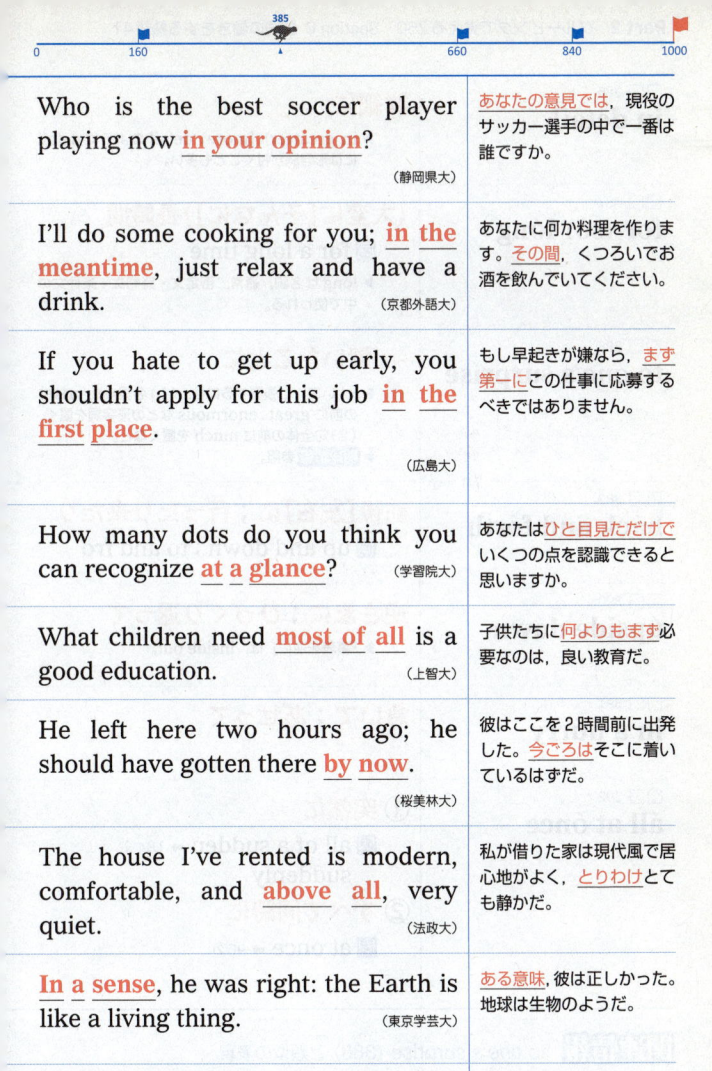

Who is the best soccer player playing now **in your opinion**? (静岡県大)	あなたの意見では，現役のサッカー選手の中で一番は誰ですか。
I'll do some cooking for you; **in the meantime**, just relax and have a drink. (京都外語大)	あなたに何か料理を作ります。その間，くつろいでお酒を飲んでいてください。
If you hate to get up early, you shouldn't apply for this job **in the first place**. (広島大)	もし早起きが嫌なら，まず第一にこの仕事に応募するべきではありません。
How many dots do you think you can recognize **at a glance**? (学習院大)	あなたはひと目見ただけでいくつの点を認識できると思いますか。
What children need **most of all** is a good education. (上智大)	子供たちに何よりもまず必要なのは，良い教育だ。
He left here two hours ago; he should have gotten there **by now**. (桜美林大)	彼はここを2時間前に出発した。今ごろはそこに着いているはずだ。
The house I've rented is modern, comfortable, and **above all**, very quiet. (法政大)	私が借りた家は現代風で居心地がよく，とりわけとても静かだ。
In a sense, he was right: the Earth is like a living thing. (東京学芸大)	ある意味，彼は正しかった。地球は生物のようだ。
Farmers in those days used to harvest all the crops **by hand**. (兵庫県大)	当時の農場主たちはすべての作物を手で収穫したものだった。

☐☐ 386 **in détail**	**詳細に** ▶ in great(er) [more] detail のように detail には形容詞が付くことも多い。
☐☐ 387 **for (sò) lóng**	**(大変に[そんなに])長時間** 🔃 for a long time ▶ long は名詞。通常，否定文・疑問文・条件文の中で使われる。
☐☐ 388 **to *one's* surprise**	**～が驚いたことに** ▶「大いに」と強調するには，(1) 名詞 (surprise) の前に great; enormous などの形容詞を置く，(2) 句全体の前に much を置くなど。 ▶ 関連情報 参照。
☐☐ 389 **báck and fórth**	**前後[左右]に；行ったり来たり** 🔃 up and down; to and fro
☐☐ 390 **úpside dówn**	**逆さまに；ひっくり返って** ▶「裏表を逆に」は，inside out。
☐☐ 391 **in a húrry**	**急いで；あせって**
☐☐ 392 **áll at ónce**	① **突然に** 🔃 all of a sudden → 184 ; suddenly ② **すべて同時に** 🔃 at once → 96②

関連情報　to *one's* surprise (388) と類似の表現

〈to *one's* ＋感情を表す名詞〉で「～したことには」の意味の副詞句を作り，文頭に置かれることが多い。
・to *one's* amazement「びっくりしたことに」
・to *one's* amusement「おもしろく思ったことに」

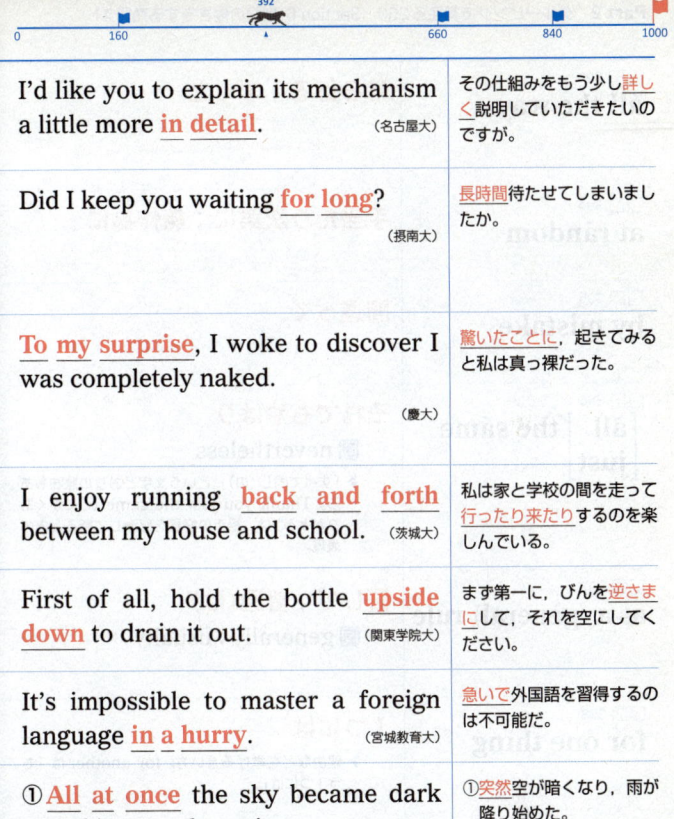

I'd like you to explain its mechanism a little more **in detail**. (名古屋大)	その仕組みをもう少し詳しく説明していただきたいのですが。
Did I keep you waiting **for long**? (摂南大)	長時間待たせてしまいましたか。
To my surprise, I woke to discover I was completely naked. (慶大)	驚いたことに, 起きてみると私は真っ裸だった。
I enjoy running **back and forth** between my house and school. (茨城大)	私は家と学校の間を走って行ったり来たりするのを楽しんでいる。
First of all, hold the bottle **upside down** to drain it out. (関東学院大)	まず第一に, びんを逆さまにして, それを空にしてください。
It's impossible to master a foreign language **in a hurry**. (宮城教育大)	急いで外国語を習得するのは不可能だ。
① **All at once** the sky became dark and it started to rain. (千葉工大)	①突然空が暗くなり, 雨が降り始めた。
② Take a walk for 30 minutes a day: you don't have to do it **all at once**. (熊本大)	②1日に30分散歩をしなさい。すべていっぺんにする必要はありません。

- to *one's* astonishment「仰天したことに」
- to *one's* delight[relief]「喜ばしい[ほっとした]ことに」
- to *one's* disappointment「失望したことに」
- to *one's* embarrassment「当惑したことに」
- to *one's* joy「うれしいことに」
- to *one's* regret「残念なことに」

☐☐ 393 **áll the wáy**	はるばる；ずっと
☐☐ 394 **at rándom**	手当たり次第に；無作為に
☐☐ 395 **by mistáke**	間違って
☐☐ 396 **[àll / jùst] the sáme**	それでもやはり 同 nevertheless ▶「すべて同じ(の)」という文字どおりの意味もある。Thank you just the same. (とにかくありがとう)は、相手の好意を感謝して断るときの表現。
☐☐ 397 **as a (gèneral) rúle**	概して；普通(は) 同 generally；usually
☐☐ 398 **for óne thìng**	1つには ▶理由などを挙げる言い方。for another は「もう1つには」。
☐☐ 399 **for the móst pàrt**	大部分は；大体は 同 mostly
☐☐ 400 **làter ón**	後で 反 early on → 979
☐☐ 401 **hánd in hánd (with ~)**	(~と)手を携えて；相伴って ▶「(~と)腕を組み合って」なら、arm in arm (with ~)。

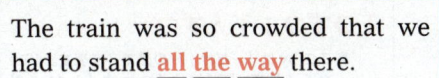

The train was so crowded that we had to stand <u>all the way</u> there. (福岡大)	電車はとても混雑していたので，私たちはそこへ到着するまで<u>ずっと</u>立っていなければならなかった。
Those three students were chosen <u>at random</u> from the class. (千葉大)	その3人の生徒はクラスから<u>無作為に</u>選ばれた。
It seems that I took somebody else's umbrella <u>by mistake</u>. (大阪経大)	<u>間違って</u>誰かほかの人の傘を持ってきてしまったようだ。
I know she has faults, but I like her very much <u>all the same</u>. (立教大)	彼女に欠点があるのはわかっているが，<u>それでもやはり</u>彼女のことがとても好きだ。
<u>As a rule</u>, we don't invite tourists into this place; it's too sacred. (桜美林大)	<u>概して</u>，この場所に観光客は招き入れません。非常に神聖なので。
<u>For one thing</u>, we have to pay for it; for another, I'm too tired to go out. (京都外語大)	<u>1つには</u>，私たちはそれを支払わなければなりません。もう1つには，私は疲れすぎて出かけられません。
It rained <u>for the most part</u> while I was in the southern city. (立教大)	私が南部の都市にいる間，<u>大部分は</u>雨が降っていた。
<u>Later on</u> in the evening of that day, he gave me a call to apologize. (桃山学院大)	<u>その後</u>同日夕方に，彼は私に謝罪するために電話をしてきた。
Company executives need to work <u>hand in hand with</u> their employees. (九大)	会社経営者は従業員<u>と手を携えて</u>働く必要がある。

145

☐☐ 402 **óne by óne**	**1つずつ；1人ずつ** ▶ この by は「〜だけ；〜の差で」を表す。403, 404 も同様。[例] inch by inch「1インチずつ」；day by day「1日ずつ」
☐☐ 403 **líttle by líttle**	**少しずつ**
☐☐ 404 **stép by stép**	**一歩ずつ；着実に**
☐☐ 405 **síde by síde (with 〜)**	**(〜と)肩を並べて；(〜と)協力[共存]して**
☐☐ 406 **ónce upòn a tíme**	**昔々** ▶ 昔話の出だしに使われる。
☐☐ 407 **on the spót**	**その場で；即座に**
☐☐ 408 **at [ány cóst / áll cósts]**	**ぜひとも**
☐☐ 409 **nò dóubt**	**たぶん；おそらく** ▶ no doubt 〜 but ... で「確かに〜だが…」と譲歩の構文を構成することもある。
☐☐ 410 **sóoner or láter**	**遅かれ早かれ**

The boys jumped into the river from the rock, <u>one by one</u>. (山形大)	少年たちは岩の上から<u>1人ずつ</u>川に飛び込んだ。
As the days went by, I began to feel homesick <u>little by little</u>. (新潟大)	日がたつにつれて、私は<u>少しずつ</u>ホームシックになり始めた。
It's dark in here, everyone; walk slowly and carefully, <u>step by step</u>. (早大)	皆さん、ここは暗いですよ。ゆっくり慎重に<u>一歩ずつ</u>歩いてください。
A young couple were seated <u>side by side</u>, talking, on a park bench. (産業医大)	若いカップルが公園のベンチに<u>肩を並べて</u>座り、話していた。
<u>Once upon a time</u>, there lived a healthy boy and a sick girl. (都留文科大)	<u>昔々</u>、健康な少年と病気の少女が住んでいました。
Keiko phoned the company, went over and was hired <u>on the spot</u>. (横浜市大)	ケイコはその会社に電話をして、そこに行き、<u>その場で</u>雇われた。
The company has decided to drive down its debts <u>at any cost</u>. (早大)	その会社は<u>何としてでも</u>借金を減らすことを決めた。
<u>No doubt</u> somebody stole into the cottage during the night. (千葉大)	<u>たぶん</u>誰かが夜の間に小屋に忍び込んだのだろう。
I'm sure that <u>sooner or later</u> he'll become president. (中央大)	<u>遅かれ早かれ</u>、彼はきっと社長になるだろう。

コラム② TAKE 〈前置詞＋抽象名詞〉の慣用表現

(カッコ内の番号は，見出し熟語の番号を表す)

〈take＋名詞〉

take action	「行動を起こす」
take care (of ～)	「(～の)世話をする；(～に)気をつける」(114)
take effect	「発効する」
take place	「起こる；催される」(115)
take time	「時間がかかる」

〈take＋a＋名詞〉（haveで置き換えられるものも多い）

take a bath	「風呂に入る」
take a break	「休憩を取る」
take a bus [train]	「バス[電車]に乗る」
take a chance	「危険を冒す；思い切ってやってみる」(626)
take a look (at ～)	「(～を)見る」
take a picture	「写真を撮る」
take a rest	「休憩を取る」
take a risk [risks]	「危険を冒す」(627)
take a seat	「着席する」
take a walk	「散歩する」
take an examination	「試験を受ける」

〈前置詞＋抽象名詞〉の慣用表現（抽象名詞にはいろいろな形容詞も付く）

① 〈of＋抽象名詞〉＝形容詞

 a person of importance (＝ an important person)「重要人物」(194)
 a matter of interest (＝ an interesting matter)「興味のある事柄」
 a man of courage (＝ a courageous man)「勇気のある男性」
 a girl of great beauty (＝ a very beautiful girl)「とても美しい少女」
 a book of value (＝ a valuable book)「価値のある本」

② 〈with＋抽象名詞〉＝副詞

 with ease (＝ easily)「容易に」(1000)
 with difficulty (＝ not (～) easily)「苦労して」
 with care (＝ carefully)「注意しながら」
 with caution (＝ cautiously)「用心して；慎重に」
 with diligence (＝ diligently)「熱心に；一生懸命に」

Part 3

形で覚える 250

ここでの250の熟語もPart 2と同様に中核と言えるものばかりだ。「形」に注目して，大きく7グループに分類している。同じ前置詞や副詞を使った熟語は一気に覚えてしまおう。

Section 1	〈動詞＋前置詞〉43	150
Section 2	〈動詞＋副詞〉43	164
Section 3	〈動詞＋A＋前置詞＋B〉38	176
Section 4	〈be動詞＋形容詞＋前置詞〉35	188
Section 5	前置詞で始まる熟語50	198
Section 6	〈動詞＋名詞（＋前置詞）〉32	212
Section 7	形で覚えるその他の熟語9	222

Part 3 形で覚える250

Section 1 〈動詞＋前置詞〉43

1-1 〈動詞＋at〉

411 aim at ~
~を狙う；~を目指す
▶「A を B に向ける」は, aim A at B。この場合の aim は他動詞。

412 get at ~
① ~に達する；~を手に入れる
▶「~に達する」から「~を理解する」の意味にもなる。

② ~をほのめかす
▶ 真意を尋ねるときによく使われる。drive at ~ とも言う。

1-2 〈動詞＋for〉

413 head for ~
~に向かう
🔲 make for ~ → 324①
▶ 同じ意味を be headed for ~（主に《米》式）で表すこともある。例文はその一例。

414 prepare for ~
~の準備をする；~に備える
▶ prepare A for B は「B に備えて A を準備する」。この場合の prepare は他動詞。
▶ be prepared for ~ は,「~への用意[覚悟]ができている」(🔲 be ready for ~)。

415 long for ~
~を切望する
🔲 wish for ~ → 416 ;
　 yearn for ~ → 857

416 wish for ~
~を望む[願う]；~を欲しがる
▶ hope for ~ に比べ, 入手しにくいものを「望む」ときに多く使う。

形に注目することでより効率的に覚えられる熟語も多い。まずは,〈動詞＋前置詞〉の熟語を集めて,前置詞別に分類している。

Many schools are now aiming at improving the quality of education. (明治大)	今,多くの学校は教育の質を改善することを目指している。
① The mother put the medicine where the kids couldn't get at it. (北大)	①母親は子供たちの手が届かない場所に薬を置いた。
② Unable to understand her, I asked what she was getting at. (北大)	②彼女が言うことを理解できなかったので,私は彼女が何をほのめかしているのか尋ねた。
At the airport, he boarded a plane that was headed for Hawaii. (東京女大)	空港で,彼はハワイに向かう飛行機に搭乗した。
I have to prepare for tomorrow's English test. (北海学園大)	明日の英語の試験の準備をしなければならない。
Those children were starving and longed for food — any food. (九大)	その子供たちは飢えていて,食料を,どんな食料でも切望していた。
In April they have a spring festival wishing for a rich harvest. (福岡大)	4月には豊作を願う春祭りがある。

☐☐ 417 **sénd for ~**	(人)を**呼びにやる**；(物)を**取りにやる**

1-3 〈動詞＋into〉

☐☐ 418 **rún into ~**	**~にぶつかる**；**~に偶然出会う**；**~を偶然見つける** 同 run across ~ → 318①；come across ~ → 448① ▶「~の中に走り込む」の文字どおりの意味でももちろん使う。
☐☐ 419 **bréak into ~**	① **~に侵入する** ▶ 自動詞として「侵入する」は break in → 328① と置き換えることができる。 ② **急に~し出す** 同 burst into ~ → 421 ▶ 関連情報 参照。
☐☐ 420 **énter into ~**	**~に参加する**；**~を始める** ▶「(契約など)を取り結ぶ」の意味もある。例文はその一例。
☐☐ 421 **búrst into ~**	**急に~し出す**；**突然~に入る** ▶ 関連情報 参照。

1-4 〈動詞＋of〉

☐☐ 422 **die [of / from] ~**	**~で死ぬ** ▶ 一般に，死因が「病気・飢え・老齢」などのときは die of ~ を，「外傷・衰弱・不注意」などのときは die from ~ を使うが，後者でも die of ~ を使うことも多く，区分はあいまいである。

関連情報 burst into ~ (421) の具具体例

・burst [break] into tears「急に泣き出す」

When the father was dying, his two sons were <u>sent for</u>. (明治大)	父親が死にかけていたとき，2人の息子が<u>呼びにやられ</u>た。
The world economy has <u>run into</u> a brick wall. (北九州市大)	世界経済は大きな壁<u>にぶつかって</u>いる。
① The police are investigating how the house was <u>broken into</u>. (南山大) ② Upon hearing the comedian's joke, the whole audience <u>broke into</u> laughter. (名古屋市大)	①警察はその家がどのように<u>侵入された</u>かを調査している。 ②そのコメディアンのジョークを聞いたとたん，観客全員が笑い<u>出した</u>。
They <u>entered into</u> a new contract after a series of long talks. (日本大)	彼らは一連の長期にわたる協議の後，新たな契約<u>を取り結んだ</u>。
The moment the dog recognized its master, it <u>burst into</u> a sprint toward him. (東京工大)	その犬は飼い主に気づいたとたん，<u>突然</u>飼い主に向かって全速力で走り<u>出した</u>。
Sadly, even very young people are <u>dying of</u> cancer these days. (青山学院大)	悲しいことに，今日，とても若い人たちでさえもがん<u>で死んでいる</u>。

- burst [break] into laughter「急に笑い出す」
- burst [break] into song「急に歌い出す」
- burst [break] into a run「急に走り出す」

☐☐ 423 appróve of ~	~を承認する；~に賛成する ▶ of をはずして他動詞としても使われる。
☐☐ 424 becóme of ~	(what, whatever を主語にして) ~はどうなるか
☐☐ 425 dispóse of ~	~を処分する；~を平らげる

1-5 〈動詞＋on〉

☐☐ 426 féed on ~	~を常食[餌]にする ▶ 通常は動物について用いるが，人間についても使われる。 ▶ feed A on B は「A に B(餌)を与える」。
☐☐ 427 decíde [on / upòn] ~	~を決める；~に決める
☐☐ 428 insíst [on / upòn] ~	~を主張する ▶ insist that ... と節を続けることもできる。
☐☐ 429 cóunt [on / upòn] ~	~に頼る；~を当てにする 🔁 depend on [upon] ~ → 28； rely on [upon] ~ → 38； rest on [upon] ~ → 431
☐☐ 430 refléct [on / upòn] ~	~を熟考[反省]する ▶「~の上に反射[反映]する」という文字どおりの意味もある。

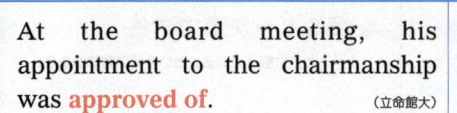

At the board meeting, his appointment to the chairmanship was <u>approved of</u>. （立命館大）	取締役会で，彼の会長［社長］への任命が<u>承認された</u>。
I wonder what has <u>become of</u> Yamada, an old friend of mine. （佛教大）	私の古い友人の山田さんは<u>どうしている</u>だろうか。
We are supposed to <u>dispose of</u> waste in the right place. （学習院大） *be supposed to *do* ➡ 663	私たちは廃棄物<u>を</u>正しい場所に<u>処分する</u>ことになっている。
The panda, which is peculiar to China, <u>feeds on</u> bamboo leaves. （奈良県医大） *be peculiar to ～ ➡ 561	パンダは中国特有のものだが，笹の葉<u>を餌としている</u>。
I want to do so many things that I can't <u>decide on</u> which one to do first. （金沢大）	やりたいことがあまりにもたくさんあるので，どれを最初にしたらよいのか<u>を決められ</u>ない。
It was very cold, but Jim <u>insisted on</u> keeping the window open. （駒澤大）	とても寒かったが，ジムは窓を開けておくよう<u>言い張った</u>。
It's a good thing to have a friend you can <u>count on</u> when you're in trouble. （センター試験）	困ったときに<u>頼れる</u>友人がいるのは良いことだ。
She sat <u>reflecting on</u> what she should do in the future. （中村学園大）	彼女は将来何をすべきか<u>を</u>座って<u>熟考していた</u>。

☐☐ 431 **rést [on / upòn] ~**	**~に頼る；~次第である** ▶「~の上に載っている」という元の意味もある。
☐☐ 432 **fáll [on / upòn] ~**	**(休日などが)~に当たる；(責任・仕事などが)~に降りかかる** ▶「(物などが)~の上に落ちる」の文字どおりの意味にもなる。

1-6 〈動詞＋ to〉

☐☐ 433 **ádd to ~**	**~を増す** ▶ add A to B は「A を B に加える」。この場合の add は他動詞。
☐☐ 434 **apólogize to A (for B)**	**(B のことで) A (人) に謝る**
☐☐ 435 **amóunt to ~**	**総計~になる**
☐☐ 436 **objéct to ~**	**~に反対する** 🟰 oppose
☐☐ 437 **confórm [to / with] ~**	**~に合わせる；~に従う** ▶ conform A to [with] B は「A を B に合わせる」。この場合の conform は他動詞。
☐☐ 438 **adhére to ~**	**~にくっつく；(主義・規則など)に固執する[を守る]** 🟰 stick to ~ → 244 ; abide by ~ → 841

Whether we win or lose all **rests on** how he pitches tomorrow. (明治大)	私たちが勝つか負けるかはすべて，彼の明日の投球にかかっている。
Most of the burden of housekeeping **fell on** the young girl. (追手門学院大)	家事の負担のほとんどはその幼い少女にかかっていた。
The new tower in town will **add to** the city's tourist appeal. (関西大)	町の新しい塔によってその町の観光の魅力が増すだろう。
We **apologize to** our customers **for** any inconvenience we may have caused. (東京国際大)	お客さまにご不便をおかけしておりますことをおわび申し上げます。
The shopping we did today **amounted to** over ¥20,000. (名古屋外大)	今日私たちがした買い物は2万円を超える額になった。
It is surprising that no one has **objected to** this proposal. (山梨大)	誰もこの提案に反対しなかったとは驚きだ。
Living in a foreign country, I felt the need to **conform to** the local customs. (慶大)	外国に暮らしているとき，私は地元の習慣に合わせる必要性を感じた。
Adhering to a healthy diet can add years to your life. (同志社大)	健康的な食事を守ると，寿命が延びることもある。

157

□□ 439 **resórt to ~**	**(手段など)に訴える；~に頼る** ▶ to は前置詞で，後には(動)名詞が来る。「好ましくない手段に訴える」ニュアンスであることが多い。
□□ 440 **kéep to ~**	**~に従う；~から脱線しない**

1-7 〈動詞＋with〉

□□ 441 **interfére with ~**	**~を妨げる；~の邪魔をする**
□□ 442 **énd [with/by] ~**	**~で終わる** ▶ end A with [by] B は「A を B で終える」。この場合の end は他動詞。
□□ 443 **coincíde with ~**	**~と一致する；~と同時に起こる**
□□ 444 **sýmpathize with ~**	**~に同情する** 🔁 take pity on ~
□□ 445 **compéte with ~**	**~と競争する** ▶ 「B を求めて A と競争する」は，compete with A for B。

158

Further quarrels were avoided without resorting to violence. (九大)	さらなる紛争は暴力に訴えることなく回避された。
One of the basic rules in business is to keep to deadlines. (法政大)	ビジネスにおける基本ルールの1つは、締め切りを守ることだ。
If you take exercise too close to your bedtime, it may interfere with your sleep. (早大)	就寝時間直前に運動をすると、眠りを妨げる可能性がある。
The book ends with a poem the author composed for the flood victims. (南山大)	その著書は、洪水の犠牲者のために著者が作った詩で終わっている。
My return home coincided with the wedding of an old friend of mine. (名古屋外大)	私の帰省は、古い友人の結婚式と時が一致した。
We sincerely sympathize with the victims of the natural disaster. (成蹊大)	自然災害の犠牲者に心からお悔やみ申し上げます。
In today's global economy, we have to compete with many multinationals. (小樽商大) *multinational「多国籍企業」(= ~ corporation) (*cf.* multi + national)	今日の世界経済の中で、私たちは多くの多国籍企業と競争しなければならない。

□□ 446 dó with ~	① 《what を目的語にして》 ~を処理[処置]する ② 《have done with ~ ; be done with ~で》 ~を済ませた ; ~と縁を切った
□□ 447 párt with ~	(物)を(しぶしぶ)手放す ▶「(人)と別れる」は、part from ~。

1-8 〈動詞＋その他の前置詞〉

□□ 448 cóme acròss (~)	① ~に偶然出会う ; ~を偶然見つける 同 run across ~ → 318① ; run into ~ → 418 ② (考えなどが相手に)伝わる ; 理解される 同 get across ▶「~を横切ってやって来る」という元の意味もある。 ▶ 意味②のときのアクセントは、còme acróss。
□□ 449 gráduate from ~	~を卒業する
□□ 450 recóver from ~	~から立ち直る ; ~から回復する 同 get over ~ → 167
□□ 451 refráin from ~	~を慎む ▶ refrain は自動詞なので refrain A from ~ の形はない。

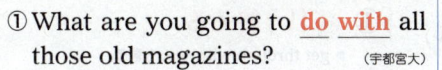

① What are you going to <u>do with</u> all those old magazines? (宇都宮大)	①それらの古い雑誌をあなたはどう処理するつもりですか。
② What's the first thing you want to do when you're <u>done with</u> all your exams? (慶大)	②すべての試験を終えたら，あなたが最初にしたいことは何ですか。
I hate to <u>part with</u> this old car, but it doesn't work anymore. (日本大)	この古い車を手放すのは嫌だが，もう動かない。
① While walking in a crowd yesterday, I <u>came across</u> a friend from high school. (関西外語大)	①昨日，人込みの中を歩いていると，高校時代の友人に偶然出会った。
② The speaker was not sure if what he meant really <u>came across</u>. (阪大)	②その話し手は，自分の言いたいことが本当に伝わったかどうか確信が持てなかった。
I hear his big brother <u>graduated from</u> university with honors. (大阪学院大) *graduate with honors「優等で卒業する」	彼の兄は優等で大学を卒業したそうですね。
I think I've completely <u>recovered from</u> the cold I had for a month. (東京工大)	私は1か月間患っていた風邪から完全に回復したようだ。
You are requested to <u>refrain from</u> smoking in this restaurant. (龍谷大)	このレストランでは喫煙をご遠慮ください。

452
gèt thróugh (～)

① **～を(し)終える**
▶ get through with ～ とも言う。

② **(電話などが)通じる；連絡がつく**
▶ 「～に連絡がつく」なら，get through to ～。
▶ 「(～を)通り抜ける」という元の意味でも使う。そこから「合格する」などの意味にもなる。

453
dò withóut (～)

(～)なしで済ます
🟰 go without (～)；
dispense with ～ → 850
▶ do［go］without の後の目的語がなく，自動詞的に使われる場合もある。

① I think I'll be able to <u>get through</u> today's work by four. 〔東京工大〕	①今日の仕事<u>を</u>4時までに<u>終える</u>ことができると思う。
② I wasn't able to <u>get through</u> to him because the phone was out of order. 〔東京理大〕	②電話が故障していたので、彼に<u>連絡が取れ</u>なかった。
Probably we could <u>do without</u> sugar, but not without salt. 〔東京理大〕	おそらく砂糖<u>がなくてもやっていけ</u>るが、塩なしではやっていけないだろう。

Section 2 〈動詞＋副詞〉43

2-1 〈動詞＋down〉

454 hànd dówn ~
~を子孫[後世]に伝える
【語順】hand ~ down も。
▶「~を(高い所から)降ろす；(判決)を言い渡す」の意味もある。

455 sèt dówn ~
~を書き留める；~を決める
≡ put down ~ → 321①；take down ~ → 457；write down ~
【語順】set ~ down も。
▶文字どおり「~を下に置く」の意味もある。

456 bùrn dówn (~)
(建物が)全焼する；~を全焼させる
≡ burn (~) to the ground；reduce ~ to ashes
【語順】他動詞では burn ~ down も。
▶受動態でも多く使われる。

457 tàke dówn ~
~を書き留める；(建物など)を取り壊す
【語順】take ~ down も。
▶「~を降ろす」という文字どおりの意味もある。

458 slòw dówn (~)
(~の)速度を落とす；速度が落ちる
≡ slow up (~)
【語順】他動詞では slow ~ down も。

2-2 〈動詞＋off〉

459 shòw óff (~)
(~を)見せびらかす
【語順】他動詞では show ~ off も。

〈動詞＋副詞〉の熟語を集めて，副詞別に分類している。自動詞的な働きと他動詞的な働きの2種の働きを持つ熟語が多いので注意しよう。

This necklace was <u>handed down</u> from my grandmother. （共立女大）	このネックレスは祖母が残してくれたものだ。
If you can't agree, <u>set down</u> all the reasons you object to the plan. （千葉大）	同意できないなら，その計画に反対する理由をすべて書いてください。
The house <u>burned down</u> long ago, but the garden is well maintained. （東海大）	その家はずっと前に全焼したが，庭はよく手入れされている。
He spoke so fast that I couldn't <u>take down</u> anything. （獨協大）	彼はあまりにも早口で話したので，私は何も書き留めることができなかった。
<u>Slow down</u> a bit, Father. You've been working too hard recently. （立教大）	お父さん，少しペースを落としてください。最近働きすぎです。
I don't like people who tend to <u>show off</u> their possessions. （西南学院大）	自分の財産を見せびらかしがちな人は好きではない。

□□ 460 **sèt óff (～)**	**出発する；～を引き起こす** 回 set out → 342① ▶「～を引き起こす」(他動詞)の意味では、set ～ off の語順にもなる。
□□ 461 **gìve óff ～**	**(光・音・においなど)を発する** 回 give out ～ → 337①；produce；emit 【語順】give ～ off も。
□□ 462 **brèak óff (～)**	**(～を)急にやめる；～を切り離す** 【語順】他動詞では break ～ off も。
□□ 463 **kèep óff ～**	**～に近寄らない；～に触れない；～を慎む** 【語順】keep ～ off も。

2-3 〈動詞＋out〉

□□ 464 **còme óut**	**現れる；ばれる；出版される**
□□ 465 **dròp óut**	**脱落する；中途退学する** ▶ drop out of school [university] のように、of 以下を続けることもできる。dropout は「脱落者；中途退学者」。
□□ 466 **dìe óut**	**絶滅する；(習慣などが)すたれる**
□□ 467 **brìng óut ～**	**～を出す；～を明らかにする** 【語順】bring ～ out も。
□□ 468 **lèave óut ～**	**～を省く；～を入れずにおく** 【語順】leave ～ out も。

Two weeks later, on June 1, Mary **set off** again, this time flying east. (福岡大)	2週間後の6月1日に，メアリーは再び出発して，今度は東へ飛行機で向かった。
Newly printed newspapers often **give off** a strange smell. (法政大)	印刷されたばかりの新聞はよく奇妙なにおいを発する。
Following the border dispute, the two countries **broke off** relations. (山口大)	国境紛争に続いて，その2国は関係を絶った。
We have to **keep off** sweets in order to remain fit. (福井県大)	健康を保つためには，甘い物を控えなければならない。
The new video game that **came out** today sounds cool. (南山大) *video game「テレビゲーム」	今日発売された新しいテレビゲームはおもしろそうだ。
The stock market crash in 1929 forced Father to **drop out** of school. (北里大)	1929年の株式市場の暴落のせいで，父は学校を中途退学しなければならなかった。
Many animal and plant species are in danger of **dying out**. (東京理大)	多くの動植物種は絶滅する危機にある。
The auto company has **brought out** a new hybrid model. (早大)	その自動車会社は新型ハイブリッド車を出した。
I need to decide what to put in the frames and what to **leave out**. (阪大)	その額に何を入れて，何を入れないでおくか決める必要がある。

☐☐ 469 **wèar óut (〜)**	**すり減る；〜をすり減らす[疲れ果てさせる]** 【語順】他動詞では wear 〜 out も。 ▶ *be worn out* は「疲れ果てている」(⊜ *be tired out*；*be used up*；*be exhausted*)。 ▶ この out は「完全に」の意味を表す副詞。
☐☐ 470 **ìron óut 〜**	**(問題など)を解決[調整]する** 【語順】iron 〜 out も。 ▶「(しわ)をアイロンで伸ばす」の元の意味でも使う。
☐☐ 471 **rùn óut of 〜**	**〜を使い果たす** ▶「〜から走り出る」という元の意味もある。run out には「(〜が)尽きる」の意味も。

2-4 〈動詞＋up〉

☐☐ 472 **ènd úp (〜)**	**最後には〜になる** ▶ up の後には，in；with；*doing* などが続く。
☐☐ 473 **ùse úp 〜**	**〜を使い果たす** ⊜ exhaust 【語順】use 〜 up も。 ▶ *be used up* は《口語》で「疲れ果てている」(⊜ *be tired out*；*be exhausted*)。
☐☐ 474 **sùm úp (〜)**	**(〜を)要約する；〜を合計する** 【語順】他動詞では sum 〜 up も。
☐☐ 475 **sìgn úp (for 〜)**	**(署名して)(〜に)加わる；(受講などの)届け出をする** 【語順】他動詞では sign 〜 up も。

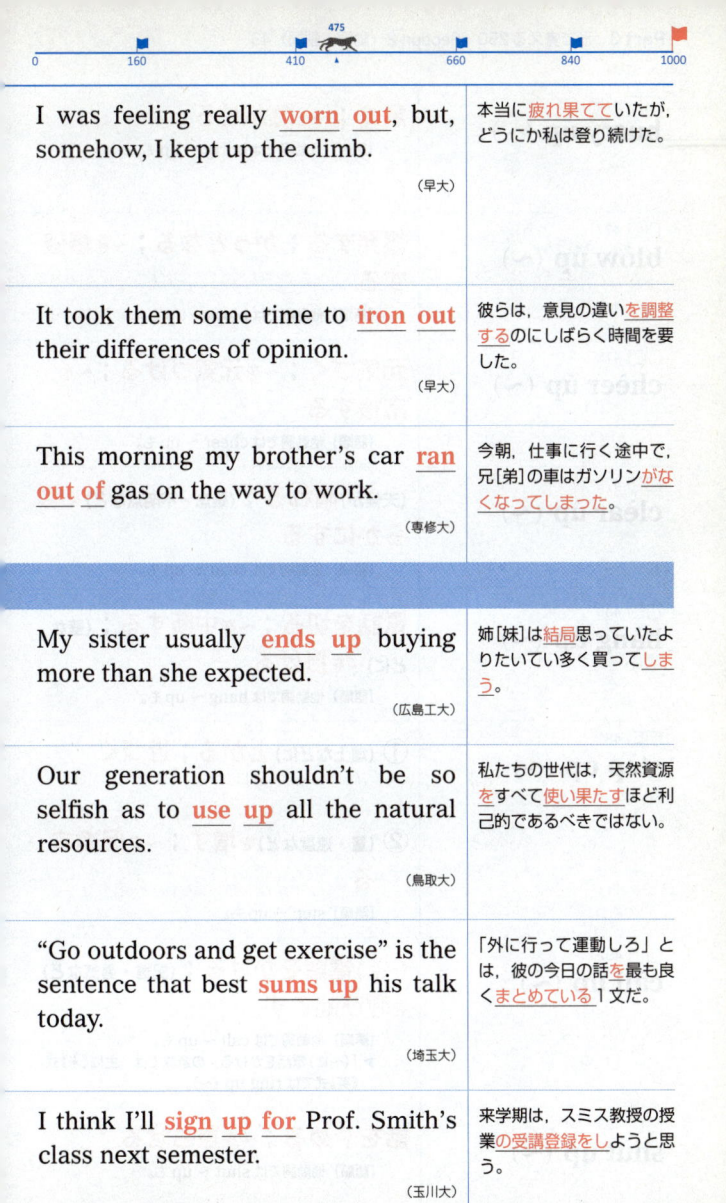

I was feeling really <u>**worn out**</u>, but, somehow, I kept up the climb. (早大)	本当に<u>疲れ果てて</u>いたが, どうにか私は登り続けた。
It took them some time to <u>**iron out**</u> their differences of opinion. (早大)	彼らは, 意見の違い<u>を調整する</u>のにしばらく時間を要した。
This morning my brother's car <u>**ran out of**</u> gas on the way to work. (専修大)	今朝, 仕事に行く途中で, 兄[弟]の車はガソリン<u>がなくなってしまった</u>。
My sister usually <u>**ends up**</u> buying more than she expected. (広島工大)	姉[妹]は<u>結局</u>思っていたよりたいてい多く買って<u>しまう</u>。
Our generation shouldn't be so selfish as to <u>**use up**</u> all the natural resources. (鳥取大)	私たちの世代は, 天然資源<u>を</u>すべて<u>使い果たす</u>ほど利己的であるべきではない。
"Go outdoors and get exercise" is the sentence that best <u>**sums up**</u> his talk today. (埼玉大)	「外に行って運動しろ」とは, 彼の今日の話<u>を</u>最も良く<u>まとめている</u>1文だ。
I think I'll <u>**sign up for**</u> Prof. Smith's class next semester. (玉川大)	来学期は, スミス教授の授業の<u>受講登録をし</u>ようと思う。

169

☐☐ 476 **hùrry úp (~)**	急ぐ；~を急がせる 【語順】他動詞では hurry ~ up も。
☐☐ 477 **blòw úp (~)**	爆発する；かっとなる；~を爆破する 【語順】他動詞では blow ~ up も。
☐☐ 478 **chèer úp (~)**	元気づく；~を元気づける；~を応援する 【語順】他動詞では cheer ~ up も。
☐☐ 479 **clèar úp (~)**	(天候が)晴れる；(疑念・不明点など)を明らかにする 【語順】他動詞では clear ~ up も。
☐☐ 480 **hàng úp (~)**	電話を切る；~を中断する；(壁などに)~を掛ける 【語順】他動詞では hang ~ up も。
☐☐ 481 **stèp úp (~)**	① (壇上などに)上がる；近づく ② (量・速度など)を増す；~を促進する 【語順】step ~ up も。
☐☐ 482 **càll úp (~)**	(~に)電話をかける；(記憶・勇気など)を呼び起こす 【語順】他動詞では call ~ up も。 ▶「(~に)電話をかける」の意味では，主に《米》式。《英》式では ring up (~)。
☐☐ 483 **shùt úp (~)**	話をやめる；~を黙らせる 【語順】他動詞では shut ~ up も。

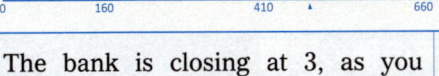

The bank is closing at 3, as you know. So you should <u>hurry up</u>. (青山学院大)	ご存知のように，銀行は3時に閉まります。ですから，急ぐといいですよ。
The young man <u>blew up</u> at her words and dashed for the door. (北大)	その若い男性は彼女の言葉にかっとなり，ドアに向かって突進した。
<u>Cheer up</u>, Jack! Things aren't as bad as you think they are. (北里大)	元気を出して，ジャック！ 事態はあなたが悪いと思っているほど悪くはないよ。
I hope it will <u>clear up</u> in the afternoon so we can go fishing. (成蹊大)	午後には晴れて魚釣りに行けたらいいと思う。
I <u>hung up</u> the phone feeling like my world had ended. (成蹊大)	私は自分の世界が終わったかのように感じ，電話を切った。
① When Karen was introduced, she <u>stepped up</u> to the stage. (成蹊大)	①紹介されると，カレンは壇上に上がった。
② The company is to <u>step up</u> the production of its hybrid cars. (早大)	②その会社はハイブリッド車の生産を増やす予定だ。
She <u>called</u> me <u>up</u> late at night to say good-bye. (北海学園大)	彼女はさよならを言うために夜遅く私に電話してきた。
Suddenly the boy <u>shut up</u> like a clam, and wouldn't talk at all. (埼玉大)	突然，その少年は貝のように口を閉ざし，全く話そうとはしなかった。

171

2-5 〈動詞＋その他の副詞〉

484 gó abòut ~
~に精を出す；~に取り掛かる
- 「(~を)歩き回る」の意味にもなる。
- 〈go＋前置詞〉のときのアクセントは gó abòut（例文のように〈go about＋目的語〉），〈go＋副詞〉では gò abóut（[例] go about in the park「公園の中を歩き回る」）。

485 thròw awáy ~
~を捨てる
同 discard
【語順】throw ~ away も。

486 tàke awáy ~
~を持ち去る；~を取り除く
【語順】take ~ away も。

487 gìve awáy ~
~をただでやる；~を配る；(秘密など)を漏らす
【語順】give ~ away も。

488 pùt awáy ~
~を片づける；~を取っておく；~を捨てる
【語順】put ~ away も。

489 brìng báck ~
~を返す；~を思い出させる
【語順】bring ~ back も。

490 lòok báck [on / upòn] ~
~を回顧する；~を追想する
- 「振り向いて(具体的な物)を見る」の意味では，look back at ~ にもなる。

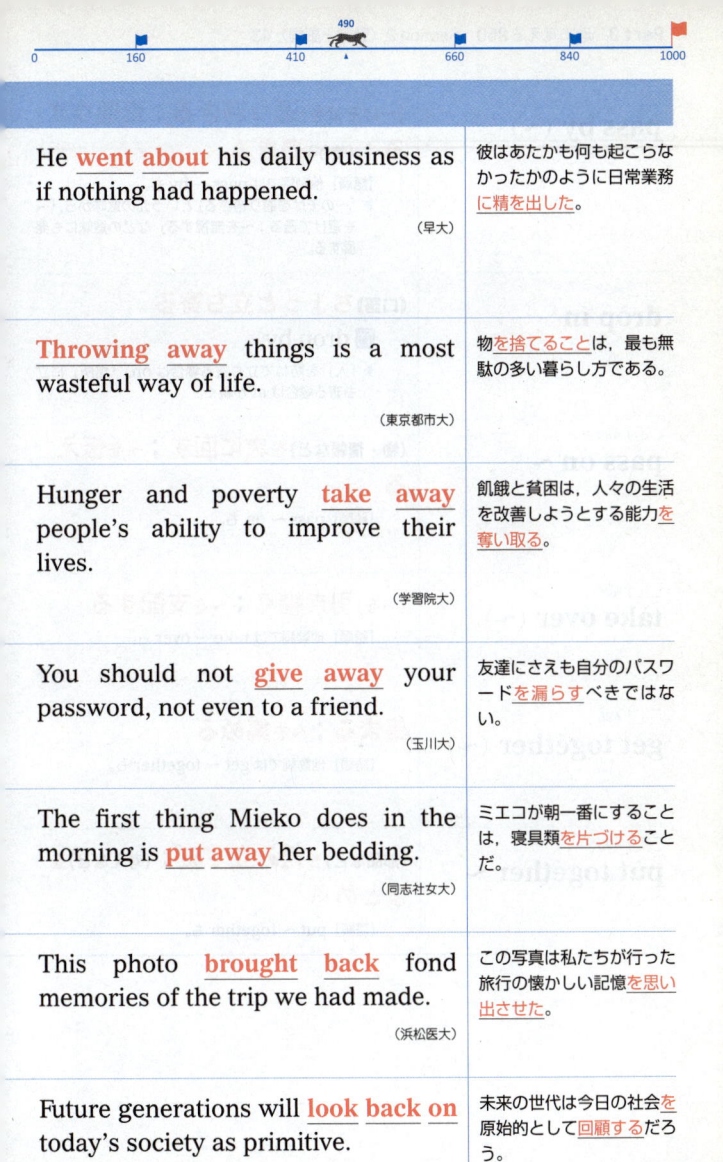

He **went about** his daily business as if nothing had happened. (早大)	彼はあたかも何も起こらなかったかのように日常業務に精を出した。
Throwing away things is a most wasteful way of life. (東京都市大)	物を捨てることは，最も無駄の多い暮らし方である。
Hunger and poverty **take away** people's ability to improve their lives. (学習院大)	飢餓と貧困は，人々の生活を改善しようとする能力を奪い取る。
You should not **give away** your password, not even to a friend. (玉川大)	友達にさえも自分のパスワードを漏らすべきではない。
The first thing Mieko does in the morning is **put away** her bedding. (同志社女大)	ミエコが朝一番にすることは，寝具類を片づけることだ。
This photo **brought back** fond memories of the trip we had made. (浜松医大)	この写真は私たちが行った旅行の懐かしい記憶を思い出させた。
Future generations will **look back on** today's society as primitive. (慶大)	未来の世代は今日の社会を原始的として回顧するだろう。

173

□□ 491 **pàss bý (〜)**	(〜のそばを)**通り過ぎる；素通りする；**(時が)**過ぎる** 【語順】他動詞では pass 〜 by も。 ▶「〜のそばを通り過ぎる」という元の意味から、「〜を避けて通る；〜を無視する」などの意味にも発展する。
□□ 492 **dròp ín**	《口語》**ちょっと立ち寄る** 同 drop by ▶「人」を訪ねて立ち寄る場合は on,「場所」に立ち寄る場合は at が続く。
□□ 493 **pàss ón 〜**	(物・情報など)**を次に回す；〜を伝える** 【語順】pass 〜 on も。
□□ 494 **tàke óver (〜)**	(〜を)**引き継ぐ；〜を支配する** 【語順】他動詞では take 〜 over も。
□□ 495 **gèt togéther (〜)**	**集まる；〜を集める** 【語順】他動詞では get 〜 together も。
□□ 496 **pùt togéther 〜**	(部品など)**を組み立てる；**(考えなど)**をまとめる** 【語順】put 〜 together も。

I was **passing by** the house when I heard a scream from inside. (南山大)	その家のそばを通りかかっていたとき，中から悲鳴が聞こえた。
How about **dropping in** at her house for a cup of coffee? (立教大)	彼女の家にちょっと立ち寄ってコーヒーでも飲みませんか。
Ancient people **passed on** their histories by oral tradition. (聖心女大) *oral tradition「口承」	古代の人々は自分たちの歴史を口づてに伝えた。
Mark is expected to **take over** the business after his father retires. (近畿大)	マークは彼の父親が引退した後，その事業を引き継ぐものと思われている。
Let's **get together** on Friday night and have a farewell party. (高知大)	金曜日の夜に集まって送別会をしましょう。
I tried to **put** my thoughts **together** before I stood up to speak. (九大)	私は立ち上がって話す前に，自分の考えをまとめようとした。

Section 3 〈動詞＋A＋前置詞＋B〉38

3-1 〈動詞＋A＋for＋B〉

□□ 497
substitute (A) **for** B | **Bの代わりに(Aを)使う**
▶ まれに substitute B with A の形もある。

□□ 498
blame A **for** B | **BをAのせいにする；Bのことで A を非難する**
▶ blame B on A とすることもできる。for は「理由・原因」を表し、500, 501 も同じ用法。

□□ 499
exchange A **for** B | **AをBと交換する**
▶ 「A を人と交換する」なら、〈exchange A (複数名詞) ＋ with ＋人〉となる。

□□ 500
punish A **for** B | **BのことでAを罰する**

□□ 501
forgive A **for** B | **BのことでAを許す**

3-2 〈動詞＋A＋of＋B〉

□□ 502
remind A **of** B | **AにBを思い出させる**

□□ 503
accuse A **of** B | **BのことでAを非難[告訴]する**

□□ 504
inform A [**of** / **about**] B | **AにBを知らせる**

前置詞別に5つに分類している。「原因・理由の for」,「分離・除去の of」など,前置詞の意味も確認しながら覚えるとさらに効果的だ。

Some companies are **substituting** English **for** Japanese as the in-house means of communication. (県立広島大)	社内のコミュニケーション手段として日本語の代わりに英語を使っている企業もある。
Some people **blame** video games **for** an increase in violence. (宮城教育大)	暴力の増加をテレビゲームのせいにする人々もいる。
Could you **exchange** this shirt **for** one in another color, please? (上智大)	このシャツを別の色のものと交換していただけますか。
What do you think about parents **punishing** children **for** crying? (日本女大)	泣くことで子供を罰する親たちについてどう思いますか。
Forgive me **for** disturbing you by phoning so late at night. (東北学院大)	夜分遅くの電話でご迷惑をおかけすることを許してください。
Thanks for **reminding** me **of** the appointment with my dentist. (東邦大)	歯医者の予約を私に思い出させてくれてありがとう。
The girl **accused** her boyfriend **of** not telling the truth. (関西学院大)	その少女は真実を話さなかったことでボーイフレンドを非難した。
I **informed** the company **of** my new phone number last week. (摂南大)	先週,会社に私の新しい電話番号を知らせた。

☐☐ 505 **deprive** *A* of *B*	**A から B を奪う** ▶「分離・除去」を表す of。関連情報 参照。
☐☐ 506 **rób** *A* of *B*	(暴力・脅迫などで) **A から B を奪う**
☐☐ 507 **cléar** *A* of *B*	**A から B を取り除く**
☐☐ 508 **cúre** *A* of *B*	**A の B を治す[取り除く]**
☐☐ 509 **convínce** *A* of *B*	**A (人) に B (事) を納得[確信] させる** ▶ be convinced of ～ は「～を確信している」の意味で, convinced は形容詞。
☐☐ 510 **assúre** *A* of *B*	**A (人) に B (物・事) を請け合う[保証する]**
☐☐ 511 **suspéct** *A* of *B*	**B について A を疑う**

3-3 〈動詞＋A＋to＋B〉

☐☐ 512 **compáre** *A* [to / with] *B*	**A を B と比較する; A を B にたとえる**

関連情報　deprive *A* of *B* (505) と類似の表現

● 「分離・除去」を表す of。同じ of を持つものは, rob *A* of *B* → 506; clear

Sadly, his wife's death seems to have **deprived** him **of** his will to live. （下関市大）	悲しいことに，彼の妻の死は彼から生きる意欲を奪ってしまったようだ。
Too much television watching **robs** children **of** their precious time. （センター試験）	テレビの見すぎは，子供たちから貴重な時間を奪うことになる。
Early in the morning, we had to **clear** the street **of** snow. （関西学院大）	早朝，私たちは通りから雪を片づけなければならなかった。
I thought this aroma therapy **cured** me **of** my fatigue. （川崎医大）	このアロマセラピーが私の疲れを取り除いてくれたと思った。
I tried hard, but it was impossible to **convince** her **of** her mistake. （北大）	私は一生懸命やったが，彼女に彼女の間違いを納得させるのは不可能だった。
This system **assures** all citizens **of** the same medical treatments. （東京医大）	この制度は，全国民に同じ医療を保証する。
We **suspected** the boy **of** having hidden his classmate's book on purpose. （上智大）	私たちはその少年をクラスメートの本をわざと隠したことで疑った。
You can see how big it is when you **compare** it **to** a whale. （東京農工大）	それをクジラと比較してみれば，それがいかに大きいかがわかる。

A of *B* → 507; cure *A* of *B* → 508; relieve *A* of *B*; rid *A* of *B*; strip *A* of *B* など。
●*A* is deprived of *B* の受動態もよく使われる。

☐☐ 513 **adápt** A [to / for] B	**AをBに合うように変える； AをBに適合させる** ▶ adapt (*oneself*) to [for] ～ は「～に順応する」。
☐☐ 514 **prefér** A to B	**BよりAを好む** 🔵 like A better than B
☐☐ 515 **expóse** A to B	**AをBにさらす** ▶ A is exposed to B「AがB（危険など）にさらされる」の受動態でもよく使う。
☐☐ 516 **attách** A to B	**AをBに取りつける[付与する]** ▶ be attached to ～ は「～に附属[所属]している」のほかに、「～に愛着を持っている」の意味もある。
☐☐ 517 **léave** A (**úp**) to B	**AをBに任せる；AをBに残す** ▶ 受動態で使うことも多い。
☐☐ 518 **attríbute** A to B	**AをBのせいにする** 🔵 ascribe A to B → 893
☐☐ 519 **ówe** A to B	**AをBに借りている；A(恩・義務など)をBに負っている** 【語順】owe B A にできる場合もある。[例] I owe ¥1,000 to you.=I owe you ¥1,000.（私は千円をあなたに借りている）
☐☐ 520 **confíne** A to B	**AをBに限定する；AをBに閉じ込める**

Are you having any difficulty **adapting** yourself **to** life here? (佛教大) *have difficulty (in) *doing* ➔ 628	自分をここでの生活に合わせるのに苦労していますか。
Many people **prefer** cats **to** dogs when deciding on a pet. (摂南大)	ペットを決めるとき，多くの人々が犬より猫を好む。
We shouldn't **expose** our skin **to** the sun for too long in summer. (城西大)	夏にあまり長時間肌を太陽にさらすべきではない。
The mayor **attached** special importance **to** the new project. (早大)	市長はその新プロジェクトに特別な重要性を置いた。
I can't decide just now, but I don't want to **leave** the decision **to** my parents, either. (中村学園大)	今すぐには決められないが，決定を両親に任せたくもない。
The researcher **attributed** this health problem **to** the polluted environment. (九大)	その研究者はこの健康問題を汚染された環境のせいにした。
We **owe** it **to** our climate that we can grow a variety of crops. (東洋大) *it は仮目的語で that 以下が真目的語。	私たちがさまざまな作物を育てられるのは，気候のおかげである。
I'd like to **confine** this interview **to** how we'll handle this problem. (明治大)	このインタビューを，私たちがこの問題をどう扱うかに限定したい。

181

3-4 〈動詞＋A＋with＋B〉

521 present A with B
A に B を贈る[与える]
▶ 特に《米》式では，with を省略することもある。
▶ present B to A の形もある。

522 supply A with B
A に B を供給する
▶ A is supplied with B の受動態も多い。
▶ supply B to [for] A の形もある。

523 furnish A with B
A に B を供給する[備えつける]
▶ A is furnished with B の受動態も多い。
▶ furnish B to A の形もある。

3-5 〈動詞＋A＋その他の前置詞＋B〉

524 name A after B
A を B にちなんで名づける
▶ 主に《米》式では name A for B とも言う。

525 strike A as B
A(人)に B の印象を与える
▶ 無生物主語構文で多く用いられる。B には名詞・形容詞・分詞が入る。

526 derive A from B
B から A を引き出す
▶ derive from ～ は「～に由来する；～から出ている」〔自動詞〕。

The company presented him with a medal for his long years of service. (東北学院大)	その会社は彼の長年の勤めに対し，彼にメダルを贈った。
Our school is going to supply us with new textbooks tomorrow. (関東学院大)	明日，学校は私たちに新しい教科書を供給する予定だ。
The house he was born in was furnished with only the barest necessities. (東京理大)	彼が生まれた家には最低限の必需品だけが備わっていた。
My friend's newborn son was named after his grandfather. (獨協大)	友人の生まれたばかりの息子は，彼の祖父にちなんで名づけられた。
She was there in a pink dress, but it struck me as a bit out of place. (高崎経大) *out of place「場違いな」	彼女はピンクのドレスを着てそこにいたが，私には少し場違いな印象を与えた。
The children derived great pleasure from her storytelling. (日本医大)	子供たちは彼女が語る物語から大きな楽しみを得た。

☐☐ 527 **kéep** *A* **from** *B*	***A* を *B* から防ぐ；*A* を妨げて *B* をさせない** ▶ 関連情報 参照。
☐☐ 528 **prohíbit** *A* **from** *B*	***A* が *B*(するの)を禁止する[妨げる]**
☐☐ 529 **stóp** *A* **from** *B*	***A* に *B* をさせない**
☐☐ 530 **pùt ~ into** $\begin{bmatrix} \text{práctice} \\ \text{operátion} \end{bmatrix}$	**~を実行[実施]する**
☐☐ 531 **tálk** *A* **into** *B*	***A*(人)を説得して *B* をさせる** 同 persuade *A* to *do* 反 talk *A* out of *B*「*A*(人)を説得して *B* をやめさせる」
☐☐ 532 **transfórm** *A* $\begin{bmatrix} \text{into} \\ \text{to} \end{bmatrix}$ *B*	***A* を *B* に変える[変質させる]** 同 turn *A* into *B* → 140；change *A* into *B* ▶ いずれのニュアンスでも into を使うことが多い。

関連情報　keep *A* from *B* (527)と類似の表現

「抑制・防止」を表す from を含む典型例。
- prevent *A* from *B* → 134
- prohibit *A* from *B* → 528
- stop *A* from *B* → 529
- ban *A* from *B*「*A* が *B*(するの)を禁止する」

Few women now feel that the "glass ceiling" <u>keeps</u> them <u>from</u> advancing. (京都外語大) *glass ceiling「ガラスの天井(女性や少数民族出身者の組織内での昇進などの限界)」	「ガラスの天井」に<u>妨げられて昇進できない</u>と感じている女性は今はほとんどいない。
The athlete was <u>prohibited from</u> participating in the running event. (上智大)	その運動選手は競走種目に参加すること<u>を禁止された</u>。
He had a broken leg, but that did not <u>stop</u> him <u>from</u> going out to see her. (熊本大)	彼は片足を骨折していたが、そのために彼が彼女に会いに出かけら<u>れない</u>ということはなかった。
His idea sounds O.K., but it's not easy to <u>put</u> it <u>into practice</u>. (広島経大)	彼のアイデアは良さそうだが、それ<u>を実行する</u>のは簡単ではない。
I'm going to try to <u>talk</u> my father <u>into</u> buying a new car. (摂南大)	新しい車を買う<u>よう</u>父<u>を説得して</u>みるつもりだ。
The new media has <u>transformed</u> the world <u>into</u> a huge global village. (東京外語大)	新しいメディアは世界<u>を</u>1つの巨大な地球村<u>へと変えて</u>きた。

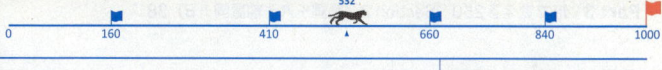

- bar A from B「A が B(するの)を禁止する」
- block A from B「A に B をさせない」
- deter A from B「A を B から防ぐ」
- hinder A from B「A を妨げて B をさせない」
- save A from B「A を B から救う」
- shield A from B「A を B から保護する」

Part 3 形で覚える250 Section 3 〈動詞＋A＋前置詞＋B〉38

□□ 533
congrátulate A **on** B

B のことで A を祝う
▶《米》式では，on の代わりに for も使われる。

□□ 534
impóse A [**on** / **upòn**] B

A を B に課する[押しつける]

I <u>congratulated</u> John <u>on</u> getting a new job. （愛知工大）	私は新しい仕事を得た<u>こと</u><u>で</u>ジョン<u>を祝った</u>。
Many governments have <u>imposed</u> taxes <u>on</u> carbon emissions. （法政大）	多くの政府が炭酸ガス放出<u>に</u>税金<u>を課して</u>きた。

Section 4 〈be動詞＋形容詞＋前置詞〉35

4-1 〈be動詞＋形容詞＋in〉

535 **be absórbed in ~**	~に熱中している
536 **be abúndant in ~**	~が豊富である
537 **be engáged in ~**	~に従事している；忙しく~している ▶ be engaged in ~ は「状態」を表すが, engage in ~ は「~に従事する」と「動作」を表す。 ▶ be engaged to ~ は「~と婚約中である」。
538 **be invólved in ~**	~に関係[関与]している；~に携わっている；~に熱中している
539 **be lácking in ~**	~に欠けている 回 lack ▶ lacking は分詞ではなく形容詞。
540 **be vérsed in ~**	~に精通[熟達]している 回 be expert in [at] ~ ▶ be well versed in ~ の形が多い。

4-2 〈be動詞＋形容詞＋of〉

541 **be gúilty of ~**	~を犯している；~で有罪である

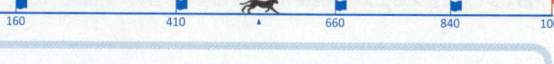

前置詞別に5つに分類した。一般動詞が受動態の形〈be動詞＋過去分詞＋前置詞〉で使われる場合が多いものも含めている。

I was so absorbed in reading that I rode past my station. （旭川医大）	あまりに読書に熱中していたので，降りる駅を乗り過ごしてしまった。
This area is abundant in bamboo and is known for its bamboo work. （芝浦工大）	この地域は竹が豊富で，竹細工で知られている。
At the moment, my brother is engaged in two research projects. （早大）	現在，兄[弟]は2つの研究プロジェクトに従事している。
My brother is now deeply involved in volunteer activities. （龍谷大）	兄[弟]は現在，ボランティア活動に深く携わっている。
She had talent, but was lacking in opportunities in her youth. （山口大）	彼女には才能があったが，若いころは機会がなかった。
He's well versed in the field, so he knows what he's talking about. （明治大）	彼はその分野に十分に精通しているので，彼は自分が何について話しているのかわかっている。
The jury decided that the actor was guilty of using illegal drugs. （学習院大）	陪審員団は，その俳優は違法薬物を使用したかどで有罪であるという判決を下した。

189

□□ 542 *be compósed of* ~	~**から構成されている** ▶ consist of ~ → 43 と異なり，受動態。
□□ 543 *be týpical of* ~	~**に特有である；~に典型的である** 同 *be* characteristic of ~ → 549 ▶ It is typical of *A* to *do* [that 節]「~する[…である]のはいかにも *A* らしい[*A* に特有である]」のような形式主語構文で使われることも多い。
□□ 544 *be cónscious of* ~	~**を意識している；~に気づいている** 同 *be* aware of ~ → 17 ▶「~を意識するようになる」は，become conscious of ~。
□□ 545 *be ígnorant of* ~	~**を知らない**
□□ 546 *be wórthy of* ~	~**に値する；~にふさわしい**
□□ 547 *be ashámed of* ~	~**を恥じている**
□□ 548 *be tólerant of* ~	~**に対して寛大である** ▶ ときに *be* tolerant to [toward] ~ も使われる。
□□ 549 *be characterístic of* ~	~**に特有である；いかにも~らしい** 同 *be* typical of ~ → 543； *be* representative of ~

A comet seems to be composed of gas, dust and ice. (西南学院大)	彗星はガスとちりと氷から構成されているようだ。
Jim once lived in a house which was typical of that area. (岐阜大)	ジムはかつて，その地方における典型的な家に住んでいた。
Very young children are not usually conscious of others' feelings. (阪大)	とても幼い子供たちは普通他人の感情を意識していない。
We were ignorant of the danger hidden in the deep snow. (三重大)	私たちは深い雪に隠された危険を知らなかった。
Any person's opinion is as worthy of attention as any other person's. (千葉工大) *as ~ as any (＋名詞) ➡ 705	どんな人の意見も，ほかの誰の意見とも同じくらい注目に値する。
I was ashamed of not being able to tell a foreigner the way in English. (西南学院大)	私は外国人に英語で道を教えられないことを恥じていた。
Our society is far less tolerant of smoking than it was, say, a decade ago. (日本女大)	私たちの社会は，例えば10年前より，喫煙に対してはるかに寛大でなくなっている。
Strong winds in winter are characteristic of this district. (関西大)	冬の強風はこの地方に特有だ。

4-3 〈be動詞＋形容詞＋ to〉

550 be reláted to ~
~と関係がある；~と姻戚関係がある

551 *be* símilar to ~
~に似ている
反 *be* different from ~ → 16

552 *be* accústomed to ~
~に慣れている
同 *be* used to ~ → 685《こちらが口語的》
▶ to の後には(動)名詞も不定詞も続けられる((動)名詞が一般的)。*be* のほかに become；grow なども意味に応じて使われる。

553 *be* cóntrary to ~
~に反している
▶ 文頭で〈Contrary to *A*, S + V〉の形で使うこともある。

554 *be* sénsitive to ~
~に敏感である
反 *be* insensitive to ~「~に鈍感である」
▶「神経質だ；気にしすぎだ」の意味では、to のほか *be* sensitive about ~ も使う。

555 *be* ópen to ~
~に開かれている
▶「(疑いなど)を受けやすい」「~の余地がある」などの意味にもなる。

556 *be* súbject to ~
~を受けやすい；~に服従している

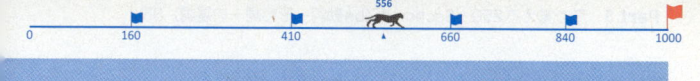

I didn't know that the sense of smell **is related to** memory. (立教大)	嗅覚が記憶と関係があるとは知らなかった。
I think the taste of this wine **is** very **similar to** that of the one we drank last week. (獨協大)	このワインの味は，先週私たちが飲んだワインの味ととても似ている。
It's always hard to leave a house we've **been accustomed to** living in. (九州産業大)	暮らし慣れた家を去るのは常につらい。
The result **was** quite **contrary to** what I'd expected. (早大)	結果は私が思っていたのと全く違っていた。
A leader in any field must **be sensitive to** the feelings of other people. (法政大)	どんな分野における指導者でも他人の感情に敏感でなければならない。
This castle is registered as a World Heritage Site and **is open to** the public. (北大)	この城は世界遺産として登録され，一般に公開されている。
Please note that the prices **are subject to** change without notice. (沖縄国際大)	価格は予告なしに変更されることがあることをご承知おきください。

☐☐ 557 **be supérior to ~**	**~より優れている** ▶ 関連情報 参照。
☐☐ 558 **be oppósed to ~**	**~に反対している**
☐☐ 559 **be gráteful (to A) for B**	**B のことで(A に)感謝している**
☐☐ 560 **be entítled to ~**	**~の[~する]資格がある** ▶ be entitled to A ; be entitled to do の両方に使われる。
☐☐ 561 **be pecúliar to ~**	**~に特有である** 同 be unique to ~ ; be native to ~

4-4 〈be動詞＋形容詞＋with〉

☐☐ 562 **be fáced [with / by] ~**	**(人が)(災害など)に直面している** 同 be confronted with ~
☐☐ 563 **be pópular [with / among] ~**	**~に人気がある**

関連情報　be superior to ~ (557) と類似の表現

superior のような形容詞では，than の代わりに to が使われる。同様の例は次のとおり。
・be inferior to ~「~より劣っている」
・be senior to ~「~より先輩[上位]である」

This machine **is superior to** that one because it works on less energy. (愛知工大)	この機械はより少ないエネルギーで動くので，あの機械より優れている。
Conservative people **are** usually **opposed to** any kind of change. (明治大)	保守的な人々はたいていいかなる変化にも反対する。
I'**m** very **grateful to** you **for** what you've done for me during my stay. (東京外語大)	私の滞在中に私にしてくださったことについて，私はあなたにとても感謝しています。
Needless to say, everyone **is entitled to** their own opinion. (専修大)	言うまでもなく，誰もが自分自身の意見を持つ資格がある。
A fall in newspaper circulation **is** not **peculiar to** the U.S. (九大)	新聞の発行部数の落ち込みはアメリカに特有のものではない。
Many countries today **are faced with** financial difficulties. (明治学院大)	今日，多くの国が財政難に直面している。
Bicycle riding **is** now very **popular with** men and women of all ages. (日本大)	自転車に乗ることは現在，あらゆる年代の男女にとても人気だ。

　＊「年齢」を比較する場合は，*one's* senior や *be* older than 〜のほうが普通。
・*be* junior to 〜「〜より後輩[下位]である」
　＊「年齢」を比較する場合は，*one's* junior や *be* younger than 〜のほうが普通。
・*be* prior to 〜「〜より前である」 ➡ 197
・*be* anterior to 〜「〜より前方[以前]である」
・*be* posterior to 〜「〜より後である」

564
be equipped with ~

~を備えている
▶「教育・才能」などの抽象的なものを「備えている」場合にも使える。

565
be acquainted with ~

~と知り合いである；~に精通している
▶ *be* acquainted with the news のように「人」以外にも使える。
▶「~と知り合いになる」の意味では，*be* の代わりに get；become などを使う。

566
be [**contént** / **conténted**] ***with*** ~

~に満足している
▶ *be* satisfied with ~「~に(完全に)満足している」→ 25 と異なり，こちらは「(自分を意識的に納得させて)満足している」の意味。

4-5 〈be動詞＋形容詞＋その他の前置詞〉

567
be particular [**about** / **òver**] ~

~について気難しい[やかましい]

568
be worried [**about** / **òver**] ~

~のことで心配している
▶ 能動態 worry about [over] ~ もほぼ同じ意味で使われる。

569
be wèll óff

裕福である
同 *be* well-to-do
反 *be* bad(ly) off「お金に困っている；落ちぶれている」(比較級 *be* worse off)
▶ 比較級 *be* better off には「もっと裕福である」のほか，「もっと好都合である」の意味もある。

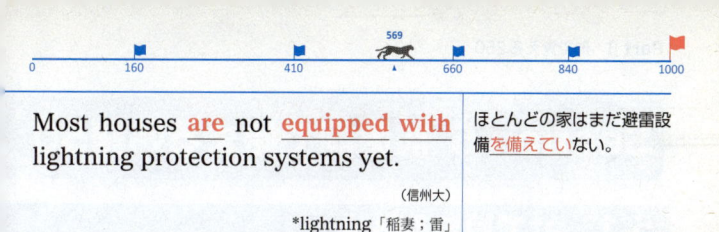

Most houses **are** not **equipped with** lightning protection systems yet. (信州大) *lightning「稲妻；雷」	ほとんどの家はまだ避雷設備を備えていない。
Count on him; he's well **acquainted with** the local customs. (早大)	彼を頼りにしなさい。彼は地元の習慣によく精通しているから。
We can be happy if we learn to **be content with** what we have. (立教大)	自分たちが持っているものに満足するようになれば幸せになれるかもしれない。
My mother **was particular about** what I ate when I was a kid. (杏林大)	私が子供のとき、母は私の食べるものについてうるさかった。
I'**m** a little **worried about** my English not being good enough. (青山学院大)	自分の英語が十分ではないことが少し心配です。
Many people think they **were better off** a decade ago. (中央大)	多くの人が10年前はもっと裕福であったと思っている。

Section 5 前置詞で始まる熟語50

5-1 atで始まる熟語

570 **at a lóss**	途方に暮れて；困って；損をして ≒ at *one's* wit's end → 946
571 **at first síght**	一見したところでは；ひと目で[の] ≒ at a glance → 380
572 ([**clòse** / **near**]) **at hánd**	近くで[に]
573 **at rísk**	危険な状態で ▶ 例文のように後に of 以下を続けることもできる。
574 **at the cóst of ～**	～を犠牲にして ≒ at the expense of ～ → 575
575 **at the expénse of ～**	～を犠牲にして ≒ at the cost of ～ → 574
576 **at the mércy of ～**	～のなすがままになって ▶ at A's mercy の形もある。
577 **at the síght of ～**	～を見て ▶ at the mere sight of ～ なら「～を見ただけで」。

It was such a complex situation that I was **at a loss** for words. (岐阜聖徳学園大)	あまりにも複雑な状況だったので，私は言葉に詰まった。
His was a classic case of falling in love **at first sight**. (長崎大)	彼のはひとめ惚れの典型的な例だった。
He's a reading addict; he always keeps some books **close at hand**. (神戸大)	彼は読書中毒だ。いつも近くに何冊かの本を置いている。
A study reports that men are **at higher risk** of heart attack than women. (埼玉工大)	研究によれば，男性のほうが女性よりも心臓発作の危険が高いことが示されている。
He gained fame as a writer, but only **at the cost of** his health. (慶大)	彼は作家として名声を得たが，ひとえに健康を犠牲にしてのことだった。
The growing importance of English comes **at the expense of** other languages. (兵庫県大)	英語の重要性が高まっているのは，ほかの言語を犠牲にしてのことだ。
The ship drifted **at the mercy of** the storm toward the rocky coast. (上智大)	その船は嵐のなすがままに岩だらけの海岸に向かって漂っていった。
Becky's mouth watered **at the sight of** her favorite cake. (青山学院大)	ベッキーは，大好きなケーキを見てよだれが出てきた。

5-2 in で始まる熟語

578 in a wáy
ある点で；ある意味では
- 同 in a sense → 384
- ▶ in a way (that) ... 「…のように」の構文と混同しないこと。

579 in chárge of ~
~を預かって；~を管理して
- ▶ 「~を預かる；~を管理する」は, take charge of ~。

580 in connéction with ~
~に関連して；~と共同で

581 in dánger (of ~)
危険で；(~の)危険があって

582 in demánd
需要があって；必要とされて
- ▶ on demand は「請求[要求]あり次第」。

583 in exchánge (for ~)
(~と)交換に
- 同 in return (for ~) → 592

584 in fáshion
流行して
- 同 in vogue；(be) all the rage → 788

585 in fávor of ~
~に賛成して；~のほうを選んで
- ▶ in A's favor は「A(人)に有利に」。

What you're saying is true **in a way**, I suppose. (成蹊大)	ある意味ではあなたの言っていることは真実だと思う。
He happened to be **in charge of** making decisions on the matter. (大阪商大)	彼はたまたまその問題に関する決定を任されていた。
The impact of shrinking forests is discussed **in connection with** global warming. (北大)	減少する森林の影響が地球温暖化と関連して論じられる。
The supermarket in my neighborhood is **in danger of** closing. (東京理大)	近所のスーパーは閉店の危機にある。
The country's economy is thriving, and workers are **in** great **demand**. (東京経大)	その国の経済は好調で、労働者が大勢必要とされている。
It's illegal to receive money **in exchange for** our internal organs. (北里大)	内臓と引き換えにお金を受け取ることは違法だ。
My impression is long slacks are back **in fashion** this year. (札幌大)	私の印象では、今年長ズボンがまた流行している。
Most of the girls in the class were **in favor of** the plan. (法政大)	クラスの女子のほとんどはその計画に賛成していた。

□□ 586 **in hármony with ~**	~と調和[一致]して 反 out of harmony with ~ 「~と調和[一致]していない」
□□ 587 **in hónor of ~**	~に敬意を表して；~のために ▶ in *A*'s honor となることもある。
□□ 588 **in néed of ~**	~を必要として
□□ 589 **in pláce of ~**	~の代わりに ▶ in *A*'s place にもなるが、これは「*A* の代わりに」のほかに、「*A*（人）の立場になって」の意味にもなる。
□□ 590 **in pursúit of ~**	~を追求して 同 in search of ~ → 593
□□ 591 **in relátion to ~**	~に関連して(の)；~と比べて
□□ 592 **in retúrn (for ~)**	(~の)お返しに；(~と)引き換えに 同 in exchange (for ~) → 583
□□ 593 **in séarch of ~**	~を探して 同 in pursuit of ~ → 590
□□ 594 **in térms of ~**	~の観点から；~に換算して ▶ 文脈に応じて「~の立場から」「~の言葉で」「~によって」などと訳し分ける。

We have to learn how to live **in harmony with** the environment. (聖心女大)	私たちは環境と調和して暮らす方法を学ばなければならない。
The committee gave Nancy an award **in honor of** her volunteer work. (早大)	その委員会はナンシーに彼女のボランティア活動に敬意を表して賞を贈った。
More and more animal species are **in need of** protection. (北大)	ますます多くの動物種が保護を必要としている。
She has to attend the meeting tomorrow **in place of** her boss. (明海大)	彼女は上司の代わりに明日、会議に出席しなければならない。
My brother says he wants to go abroad **in pursuit of** his dreams. (法政大)	兄[弟]は夢を追い求めて海外に行きたいと言っている。
In relation to the issue you have raised, I would like to make a few comments. (専修大)	あなたが提起した問題に関連して、私は少し意見を申し上げたいと思います。
I received a Lion badge **in return for** my $10 contribution. (藤女大)	10ドルの寄付のお返しに、私はライオンのバッジをもらった。
Some people had to cross the border **in search of** better jobs. (関東学院大)	より良い職を探して国境を越えなければならない人々もいた。
Apples and pineapples are both fruits but differ **in terms of** their place of origin. (センター試験)	リンゴとパイナップルはどちらも果物だが、原産地の点からは異なる。

Part 3 形で覚える250 Section 5 前置詞で始まる熟語50

□□ 595 **in the cóurse of ~**	**~の間[うち]に** ▶ やや格式ばった句で,during 1語でも表せる。
□□ 596 **in (the) fáce of ~**	**~に直面して;~にもかかわらず**
□□ 597 **in (the) líght of ~**	**~から見て;~を考慮して** ▶《米》式では無冠詞。in this light は「この観点から」。
□□ 598 **in the lóng rùn**	**結局は;長い目で見れば** 同 in the long term 反 in the short run「短期的には」
□□ 599 **in the présence of ~**	**~のいる所[面前]で;~を目の前にして** ▶ in A's presence の形になることも多い。
□□ 600 **in víew of ~**	**~を考慮して** ▶「~が見える所に」の意味もある。

5-3 onで始まる熟語

□□ 601 **on a ~ básis**	**~の基準[原則]で** ▶「~」にはいろいろな形容詞が入る。 [例] on a regular basis「規則正しく行うという原則で」, on a first-come, first-served basis「先着順で」
□□ 602 **on a ~ scále**	**(~な)規模で[の]** ▶ on a small scale「小規模で[の]」; on a medium scale「中規模で[の]」; on a large scale「大規模で[の]」

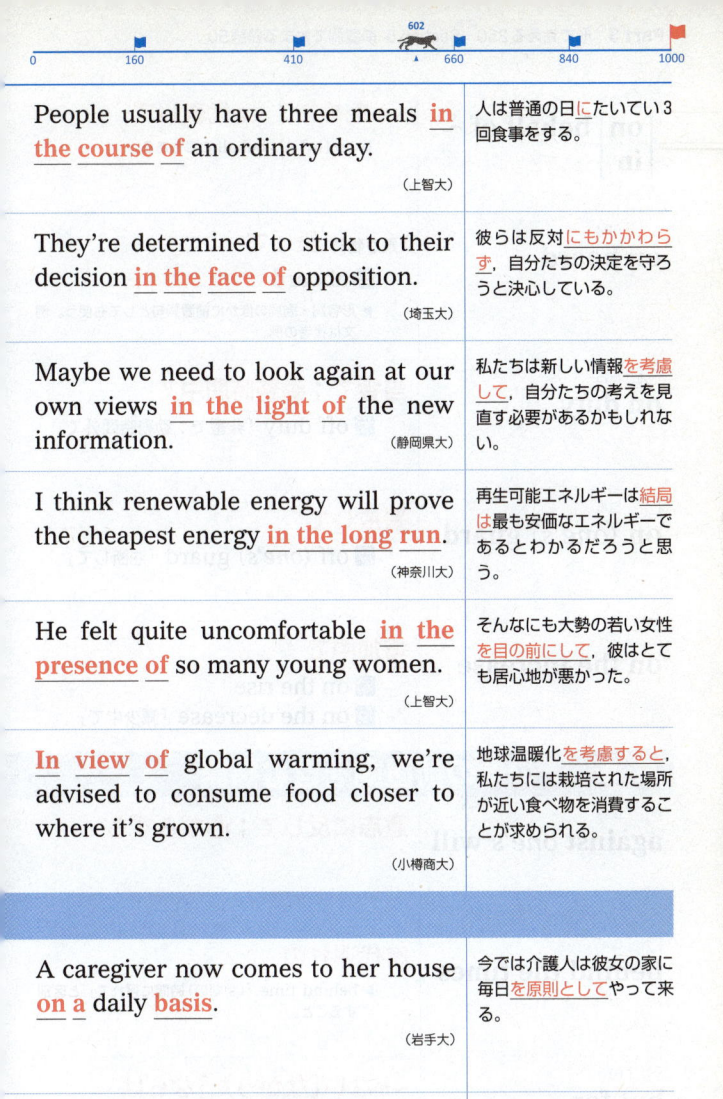

People usually have three meals __in the course of__ an ordinary day. (上智大)	人は普通の日にたいてい3回食事をする。
They're determined to stick to their decision __in the face of__ opposition. (埼玉大)	彼らは反対にもかかわらず，自分たちの決定を守ろうと決心している。
Maybe we need to look again at our own views __in the light of__ the new information. (静岡県大)	私たちは新しい情報を考慮して，自分たちの考えを見直す必要があるかもしれない。
I think renewable energy will prove the cheapest energy __in the long run__. (神奈川大)	再生可能エネルギーは結局は最も安価なエネルギーであるとわかるだろうと思う。
He felt quite uncomfortable __in the presence of__ so many young women. (上智大)	そんなにも大勢の若い女性を目の前にして，彼はとても居心地が悪かった。
__In view of__ global warming, we're advised to consume food closer to where it's grown. (小樽商大)	地球温暖化を考慮すると，私たちには栽培された場所が近い食べ物を消費することが求められる。
A caregiver now comes to her house __on a__ daily __basis__. (岩手大)	今では介護人は彼女の家に毎日を原則としてやって来る。
Governments are trying to combat poverty __on a__ global __scale__. (早大)	各国政府は世界的規模で貧困と闘おうとしている。

205

☐☐ 603 **[on / in] behálf of ~**	**~のために；~を代表して** ▶ on [in] *A*'s behalf の形もある。
☐☐ 604 **on bóard**	**(乗り物)に乗って** 同 aboard ▶ 形容詞・副詞のほかに前置詞句としても使う。例文は後者の例。
☐☐ 605 **on dúty**	**当番で；勤務時間中で** 反 off duty「非番で；勤務時間外で」
☐☐ 606 **on (*one's*) guárd**	**警戒して** 反 off (*one's*) guard「油断して」
☐☐ 607 **on the íncrease**	**増加中で** 同 on the rise 反 on the decrease「減少中で」

5-4 その他の前置詞を含む熟語

☐☐ 608 **agàinst *one's* wíll**	**意志に反して；心ならずも**
☐☐ 609 **behìnd the tímes**	**時代遅れの** ▶ behind time「(定刻の)時間に遅れて」と区別すること。
☐☐ 610 **bùt for ~**	**~がない[なかった]ならば** 同 without ▶ 主節の時制に応じて，if it were not for ~(仮定法過去) ➡ 723 と if it had not been for ~(仮定法過去完了)の両方に書き換えられる。

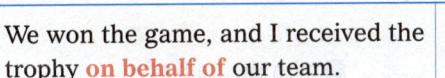

We won the game, and I received the trophy **on behalf of** our team. (高知大)	私たちは試合に勝ち，私がチームを代表してトロフィーを受け取った。
At the next port, many tourists got **on board** the pleasure boat. (名古屋工大)	次の港で，多くの観光客が遊覧船に乗った。
It was while he was **on duty** at the police station that the accident occurred. (駒澤大)	その事故が起きたのは，彼が警察署で勤務中のときだった。
Be **on your guard** against pickpockets around here. (上智大)	この辺りではすりに用心してください。
It is unfortunate that air pollution is **on the increase** again here. (大阪市大)	ここで再び大気汚染が増えてきていることは残念だ。
I was made to sign my name on the document **against my will**. (神奈川大)	私は意志に反してその書類に署名させられた。
Young people tend to think older generations are **behind the times**. (北九州市大)	若者は，年長の世代の人たちは時代遅れだと考えがちだ。
But for your support, I would have been in real trouble. (駒澤大)	あなたの支えがなかったなら，私は本当に困った状態になっていただろう。

☐☐ 611 **by méans of ~**	**~によって；~を用いて** 🔄 with the help of ~ ▶ やや堅い句であるが，かなりの頻度で使われる。
☐☐ 612 **by vírtue of ~**	**~のおかげで；~によって** ▶ これもかなり堅い句。
☐☐ 613 **excépt for ~**	**~を除いて；~以外は；~がない[なかった]ならば** ▶「~がない[なかった]ならば」の意味では＝ but for ~ → 610
☐☐ 614 **for féar of ~**	**~を恐れて** ▶ for fear (that) ... の形もある。この場合 that 節の中では will；would のほか，should；might も使われるが，後の2語を使えば「文語調」になる。
☐☐ 615 **for [lack / wánt] of ~**	**~がないために；~の不足のために** ▶ lack のほうがより一般的。
☐☐ 616 **for the bénefit of ~**	**~のために** 🔄 for the sake of ~ → 617 ▶ for A's benefit の形も多い。
☐☐ 617 **for the sáke of ~**	**~のために** 🔄 for the benefit of ~ → 616 ▶ for A's sake の形も多い。

More electricity is being produced **by means of** wind and solar power. (千葉工大)	より多くの電力が，風力と太陽エネルギーによって生産されている。
It is unfair and unjust to evaluate people simply **by virtue of** their gender or birthplace. (大阪市大)	人を単に性別や出生地によって評価するのは不公平であり不当だ。
All the lights in the house were out, **except for** some in the hall. (明治大)	ホールのいくつかを除いて，家の中のすべての照明が消えていた。
She told her boyfriend almost nothing **for fear of** hurting his feelings. (早大)	彼女はボーイフレンドの気持ちを傷つけるのを恐れて，彼にほとんど何も言わなかった。
The suspect was released **for lack of** evidence. (慶大) *súspect「容疑者」(*cf.*〔動〕では suspéct)	その容疑者は証拠がないために釈放された。
My belief is that the state exists **for the benefit of** the people. (札幌医大)	国家は国民のために存在するというのが私の信念だ。
Let's assume we're living high on a mountain, just **for the sake of** discussion. (千葉大)	ただ議論のために，私たちが高い山の上に住んでいると仮定しよう。

618
to the point

適切な；要を得た

反 beside the point ;
off [wide of] the mark → 955

▶ to は「到着点」を表す。[例] wet to the skin「ずぶぬれの」
▶ to the point of ~ [that ...]「~[...である]という点まで」と混同しないこと。

619
without fail

必ず；間違いなく

▶ 命令形では「高圧的に」響きかねないので多用は慎む。代わりに be sure to do ; don't forget to do などを使う。

What she said about the problem was very much <u>to the point</u>. (関西外語大)	彼女がその問題について述べたことは，実に<u>要を得て</u>いた。
We have to walk our dog every morning and evening <u>without fail</u>. (東京電機大)	私たちは毎朝晩<u>必ず</u>犬を散歩させなければならない。

Section 6 〈動詞＋名詞(＋前置詞)〉32

6-1 〈動詞＋名詞〉

□□ 620	**dò** *one* **góod**	**(人)に利益を与える；(人)のためになる** 反 do *one* harm [damage]「(人)に害を与える」 ▶ (S)VOO の文構造。good は名詞。
□□ 621	**kèep** *one's* [**wórd** / **prómise**]	**約束を守る** ▶「約束」の意味では，word は常に単数形で，*one's* を付ける。
□□ 622	**màke** [**a** / *one's*] **líving**	**生計を立てる** 同 earn a [*one's*] living
□□ 623	**máke it**	**うまくやる；成功する；間に合う；出席する** ▶ 文脈に応じていろいろな意味になる。
□□ 624	**màke** *one's* **wáy (to ～)**	**(～に向かって)進む** ▶ *cf.* find *one's* way to ～ → 634
□□ 625	**màke prógress**	**進歩する** ▶ progress にはいろいろな形容詞が付くが，a は付けない。
□□ 626	**tàke a chánce**	**危険を冒す；思い切ってやってみる；(～に)賭ける(on ～)** 同 take a risk [risks] → 627 ▶ take chances の形も多い。

〈動詞＋名詞〉と〈動詞＋名詞＋前置詞〉の2つのパターンの熟語を中心に集めた。意味が複数あるものもしっかり覚えよう。

Get more exercise; walking 30 minutes a day will <u>do you good</u>. （東北学院大）	もっと運動しなさい。1日30分歩くことが<u>あなたのためになります</u>。
As busy as he was, the politician always tried to <u>keep his word</u>. （東洋大） *As busy as he was = Though he was busy	忙しいにもかかわらず，その政治家はいつも<u>約束を守ろ</u>うとした。
He <u>makes</u> <u>a</u> <u>living</u> traveling around the country as a scenery photographer. （西南学院大）	彼は風景写真家として国中を旅することで<u>生計を立てている</u>。
I'm afraid I can't <u>make it</u> to the party because I have to prepare for a test. （センター試験）	試験の準備をしなければならないので，残念ながらパーティーに<u>出席</u>できません。
We finished our shopping and <u>made our way</u> out of the store. （香川大）	私たちは買い物を終えて，店の外に<u>向かった</u>。
It's unfortunate that we've <u>made</u> little <u>progress</u> in predicting earthquakes. （関西学院大）	地震予知に関してはほとんど<u>進歩して</u>いないのは残念だ。
I think I'll <u>take</u> <u>a</u> <u>chance</u> and buy this new smartphone model. （三重大）	私は<u>思い切って</u>この新型スマートフォンを買おうと思います。

☐☐ 627 **tàke [a rísk / rísks]**	**(あえて)危険を冒す** 🔄 take a chance → 626 ▶「〜という危険を冒す」は, take the risk of 〜。 ▶ run a risk [risks]「危険な目にあう恐れがある」

6-2 〈動詞＋名詞＋前置詞〉

☐☐ 628 **hàve dífficulty (in)** *doing*	**〜するのが困難である；苦労しながら〜する** 🔄 have a hard time (in) *doing*; have trouble (in) *doing* ▶ in は通常付けない。後に名詞が続けば, in は with になる。difficulty には great；no などいろいろな形容詞も付く。
☐☐ 629 **tàke párt in 〜**	**〜に参加する** 🔄 participate in 〜 → 48
☐☐ 630 **tàke príde in 〜**	**〜を誇る；〜を自慢に思う** 🔄 *be* proud of 〜； pride *oneself* on 〜 → 729； boast of [about] 〜 → 846
☐☐ 631 **màke fún of 〜**	**〜をからかう** 🔄 ridicule
☐☐ 632 **màke úse of 〜**	**〜を利用する** ▶ use [juːs] は名詞。use の前には good；the best；little；no などの形容詞が入ることも多い。
☐☐ 633 **tàke advántage of 〜**	**〜を利用する；〜につけ込む** ▶ 後者の意味のように悪い意味もある点に注意。

To be inventors or scientists, we must be willing to **take risks**. (早大)	発明家や科学者になるには，私たちはいつでも危険を冒す気持ちを持っていなければならない。
Naturally, we **had difficulty understanding** each other at first. (宮城教育大)	当然ながら，私たちは初め，互いに理解し合うのが難しかった。
I **take part in** my school's club activities three times a week. (岩手大)	私は週3回学校のクラブ活動に参加している。
Hawaiians **take pride in** their culture, especially aloha shirts. (センター試験)	ハワイの人たちは自分たちの文化，特にアロハシャツを誇りに思っている。
The boys **made fun of** him because he didn't know the word. (明治大)	少年たちは，彼がその単語を知らないので，彼をからかった。
This is a perfect opportunity for you; try to **make** full **use of** it. (明治大)	これはあなたにとって絶好の機会です。十分にそれを利用してみなさい。
I **took advantage of** my stay in America to travel and learn more about the country. (新潟大)	私はアメリカ滞在を利用して，旅をしてその国についてより多くのことを学んだ。

Part 3 形で覚える250 Section 6 〈動詞＋名詞(＋前置詞)〉32

□□ 634 **find one's wáy to ~**	**~まで道を探しながら進む；~へたどり着く** ▶ find one's way だけでも使う。 ▶ 関連情報 参照。
□□ 635 **gìve bírth to ~**	**~を生[産]む；~の原因になる**
□□ 636 **gìve ríse to ~**	**~を引き起こす；~を生む**
□□ 637 **kèep an éye on ~**	**~から目を離さない；~を見張る** ≡ take care of ~ → 114 ▶ eye には close；careful などいろいろな形容詞が付くことも多い。
□□ 638 **plàce émphasis [on / upòn] ~**	**~を強調する** ≡ place stress on [upon] ~ ▶ place のほかに，put；lay などもよく使う。

関連情報　find one's way to ~ (634) と類似の表現

〈特定の他動詞＋one's way〉は「～しながら進む」の意味を表す英語的な表現である。いくつかの例を挙げておく。
・elbow one's way「押し分けて前進する」
・feel [fumble] one's way「手探りで前進する」

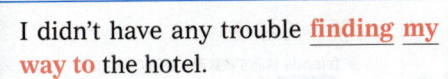

I didn't have any trouble **finding my way to** the hotel. (東京理大)	私は難なくホテルまでたどり着いた。
My sister **gave birth to** a healthy baby girl last month. (東洋英和女学院大)	先月，姉[妹]は元気な女の赤ちゃんを産んだ。
Our present lifestyles **give rise to** various health problems. (専修大)	私たちの現在の生活様式は，さまざまな健康問題を引き起こす。
Would you please **keep an eye on** my suitcase for a minute? (千葉工大)	少しの間，私のスーツケースを見ていていただけますか。
The report **places emphasis on** the importance of broad common sense. (福岡大)	その報告書は幅広い一般常識の重要性を強調している。

- force *one's* way「無理やり進む」
- inch *one's* way「少しずつ慎重に進む」
- pick *one's* way「(水たまりなどのある中で)道を拾いながら前進する」
- push *one's* way「押しながら前進する」
- work *one's* way through college「働きながら大学を出る」

☐☐ 639 **màke fríends with ~**	**~と親しくなる** ▶ friends は必ず複数形。類例については 関連情報 参照。
☐☐ 640 **shàke hánds (with ~)**	**(~と)握手する** ▶ hands は必ず複数形。 関連情報 参照。

6-3 動詞を含むその他の熟語

☐☐ 641 **àsk *one* a fávor**	**(人)に願い事を頼む** 【語順】ask a favor of *one* も。
☐☐ 642 **còme [into/in] cóntact with ~**	**~と接触する；~に会う** ▶ bring *A* into [in] contact with *B* は「*A* を *B* と接触させる」。
☐☐ 643 **còme into [béing/exístence]**	**出現する；生まれ出る** ▶ bring ~ into being [existence] は「~を出現させる」。
☐☐ 644 **fàll in lóve with ~**	**~と恋に落ちる；~が大好きになる**
☐☐ 645 **hàve *A* in cómmon (with *B*)**	**(*B* と)共通に *A* を持っている**

関連情報　make friends with ~ (639) と類似の表現

句の中に含まれる名詞が必ず複数形でなければならないものがある。頻出する主なものを挙げておこう。
・change hands「持ち主が変わる」
・change trains [planes]「電車[飛行機]を乗り換える」
・change [exchange] seats (with ~)「(~と)席を交換する」
・make (both) ends meet「収入内でやりくりする」 ➔ 908

On her first day at school, she made friends with many students. (滋賀大)	初登校の日，彼女は多くの生徒と親しくなった。
When introduced, I stood up and shook hands with the teacher. (上智大)	紹介されると，私は立ち上がり，先生と握手した。
I hate to say this, but can I ask you a favor? (学習院大)	言いにくいのだけど，あなたに頼みがあるの。
Tokyo is a good place to come into contact with dialects from all over Japan. (高知大)	東京は日本中の方言に触れるのに適した場所です。
The science of biology first came into being in ancient Greece. (東大)	生物学という科学は古代ギリシャで最初に出現した。
Bob falls in love with every new girl he meets. (高知大)	ボブは彼が出会うあらゆる新しい少女と恋に落ちる。
If you don't have something in common, the friendship may not last. (立命館大)	共通する何かを持っていなければ，友情は続かないかもしれない。

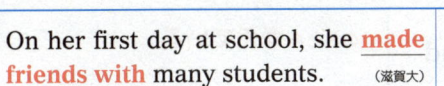

・on ～ terms with A「A と～の関係で」→ 937
・put on airs「気取る」
・read between the lines「行間を読む」→ 881
・see [do] the sights (of ～)「(～の)観光をする」→ 917
・shake hands (with ～)「(～と)握手する」→ 640
・take pains「骨を折る；努力する」→ 922
・take turns「交代する」→ 923

☐☐ 646 háve ~ in mínd	~のことを考えている
☐☐ 647 [kèep / bèar] ~ in mínd	~を心にとどめておく；~を忘れない ▶「~」の部分が節で長い場合には，keep [bear] (it) in mind ~ の語順になる。例文はその一例。
☐☐ 648 [kèep / stày] in tóuch with ~	~と連絡を取り合っている；(最新情報など)に通じている ▶「~と連絡を取る」という行為は，get in touch with ~。
☐☐ 649 lèave ~ alóne	~をそのままにしておく；~に干渉しない ▶ let alone ~ → 292 の解説も参照。
☐☐ 650 [lìve / lèad] a ~ lífe	~の生活をする ▶「~」の部分にはいろいろな形容詞が入る。
☐☐ 651 sèt ~ frée	~を自由の身にする 🔲 set ~ at liberty

What he said was entirely different from what I **had in mind**. (松山大)	彼が言ったことは私が考えていたことと全く違っていた。
Keep in mind that we have to go out by four at the latest. (大阪経大)	私たちは遅くとも4時までには出かけなければならないことを忘れないでください。
Mobile phones are now the commonest way for us to **keep in touch with** each other. (北大)	携帯電話は，今では私たちがお互いと連絡を取り合う最も一般的な手段だ。
Keiko said, "**Leave** me **alone** when I'm concentrating on my homework." (安田女大)	ケイコは「宿題に集中しているときは，私に構わないで」と言った。
In those days, we Japanese **lived a** simple but very happy **life**. (福岡女大)	その当時，私たち日本人は簡素だがとても幸せな生活を送っていた。
The zoologists **set** the bird **free** after its wing had healed. (新潟大)	動物学者たちは，その鳥の羽が治癒した後，それを自由にしてやった。

221

Section 7 形で覚えるその他の熟語9

652 a bit of ~
少量の〜；一片の〜
- ▶ 不可算名詞の前に置く。
- ▶ a bit を副詞として使うことも多い。

653 a hándful of ~
一握りの〜；少数[量]の〜

654 a hóst of ~
多数の〜
- 同 hosts of ~; a large number of ~
- ▶ 発音は [houst] である点に注意。

655 a varíety of ~
① (同一種類のもので)いろいろな〜；さまざまな〜
- ▶ of の後には複数名詞か集合名詞が来る。

② 〜の一種類[型]
- ▶ of の後には単数名詞・複数名詞が来て,いずれも無冠詞。「2種類」となれば当然two varieties of 〜となる。

656 ahéad of ~
〜の先に；〜より進んで；(時間的に)〜より先に

657 asíde from ~
〜を除いては；〜のほかに
- 同 apart from ~ → 155①②

658 òut of contról
制御できない
- 反 in control「制御[管理]して」；under control「制御されて；順調で」

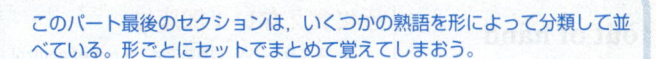

このパート最後のセクションは，いくつかの熟語を形によって分類して並べている。形ごとにセットでまとめて覚えてしまおう。

That night, I was looking for a bit of excitement as well. (宮城教育大)	その晩，私はちょっとした刺激も求めていた。
Close friendship is possible only with a handful of individuals. (一橋大)	親密な友情は，一握りの人たちの間でのみ可能だ。
I admire Hideo, a friend of mine, for a host of talents I don't have. (佐賀大)	私は，友人のヒデオの，私にはない多数の才能をすばらしいと思う。
① The rich soil here enables us to produce a variety of crops. (慶大)	①ここの肥沃な土壌のおかげで，私たちはいろいろな作物を生産できる。
② This is a variety of rice which grows well even in cold climates. (追手門学院大)	②これは寒冷地であってもよく育つ米の一種だ。
She finished the race way ahead of the other runners. (成蹊大) *way〔副〕「ずっと；はるかに」	彼女はほかの走者よりずっと先にレースを終えた。
Aside from tourism, the city's main industry is fish farming. (青山学院大)	観光業のほかに，その市の主要産業は魚類養殖である。
By that time, the relationship between them was completely out of control. (慶大)	そのころまでに，彼らの関係は完全に手に負えなくなっていた。

☐☐ 659 òut of hánd	**手に負えない；即座に** ▶「手に負えない」の意味では, = out of control → 658。
☐☐ 660 òut of the quéstion	**不可能で；あり得ない** 🔄 impossible

In most cases, wars are fought because of anger getting <u>out of hand</u>. (明治大)	ほとんどの場合，戦争は怒りが<u>手に負えなく</u>なるせいで行われる。
I know that, in these hard times, a pay raise is <u>out of the question</u>. (中央大)	この厳しい時代に，昇給は<u>不可能だ</u>ということはわかっている。

コラム③ COME vs. BRING 〈in＋名詞〉vs.〈out of＋名詞〉

（カッコ内の番号は，見出し熟語の番号を表す）

come（自動詞）
「〜がある状態になる」

come about (163)
「起こる」

come home to *one*
「しみじみ(人)の胸にこたえる」

come into [in] contact with 〜 (642)
「〜と接触する；〜に会う」

come into being [existence] (643)
「出現する；生まれ出る」

come out (464)
「現れる；ばれる；出版される」

come to (*oneself***)** (347③)
「意識を回復する；正気に戻る」

come to an end [a close] (860)
「終わる」

come to light (861)
「明るみに出る；現れる」

come to a stop [halt]
「止まる」

bring（他動詞）
「〜をある状態にする」

bring about 〜 / bring 〜 about (77)
「〜を引き起こす」

bring 〜 home to *one* (895)
「〜を(人)に痛感させる」

bring 〜 into [in] contact with ...
「〜を…と接触させる」

bring 〜 into being [existence]
「〜を出現させる」

bring out 〜 / bring 〜 out (467)
「〜を出す；〜を明らかにする」

bring 〜 to (*oneself***)**
「〜を正気に戻す」

bring 〜 to an end [a close]
「〜を終わらせる」

bring 〜 to light
「〜を明るみに出す」

bring 〜 to a stop [halt]
「〜を止める」

〈in＋名詞〉

in control
「制御して」

in danger (of 〜) (581)
「危険で；(〜の)危険があって」

in fashion (584)
「流行して」

in hand
「制御して」

in order (308)
「整頓されて；順調で」

in [within] sight (316)
「見えて；視界に入って」

〈out of＋名詞〉

out of control (658)
「制御できない」

out of danger
「危険を逃れて」

out of fashion
「流行遅れの」

out of hand (659)
「手に負えない；即座に」

out of order (309)
「故障して；順序が狂って」

out of sight (317)
「見えなくて；視界から消えて」

Part 4

文法・構文で覚える 180

このPartは純然たる熟語というより、いわゆる〈文法〉・〈構文〉と呼ばれているものを中心に、〈会話表現〉も集めている。覚えやすさを考慮しているのでしっかり暗記しよう。

Section 1 文法 69 228
Section 2 構文 57 250
Section 3 会話表現 54 266

Section 1 文法69

1-1 不定詞

661 be fórced to do
やむなく〜する
同 be compelled to do ; be obliged to do

662 be relúctant to do
〜したがらない
同 be unwilling to do
反 be willing to do → 19

663 be suppósed to do
〜することになっている；(世間で)〜と考えられている
▶ 約束・慣習・法律などが前提で「〜することになっている」の意味で使うことが多い。was [were] supposed to do や be supposed to have done は実行されなかったことを表すのが一般的。

664 fáil to do
〜し損なう；〜できない
▶ not [never] fail to do「必ず〜する」〔命令形〕では高圧的に聞こえるので，普通は don't forget to do ; be sure to do などを使う。

665 háppen to do
偶然〜する
同 do (〜) by chance (→ 283)
▶ It happens [happened] that ... の形に書き換えることができる。
▶ Do you happen to know 〜?「(ひょっとして)〜をご存知ですか」は Do you know 〜? より丁寧な表現。

666 mánage to do
なんとか〜する[やり遂げる]

文法で整理すると覚えやすいものを項目ごとにまとめた。読解でも英作文でも役立つものばかりなので、集中して覚えよう。

As more people moved away, the store **was forced to** close its doors. (広島大)	より多くの人が引っ越したので、その店はやむなく閉店した。
He **was reluctant to** talk about why he was late for school today. (東洋大)	彼は今日なぜ学校に遅刻したのか話したがらなかった。
Don't forget we**'re supposed to** get together at 8 tomorrow morning. (兵庫県大)	明朝8時に集まることになっているのを忘れないで。
Grace was angry with me because I **failed to** respond to her sooner. (津田塾大)	私がもっと早く返事をしなかったので、グレースは私に怒っていた。
I **happened to** be staying in the town when they had a big festival there. (同志社大)	そこで大きな祭りがあったとき、私は偶然その町に滞在していた。
Kie **managed to** learn to drive after a lot of problems. (名城大)	キエは多くの問題を乗り越えてなんとか運転できるようになった。

☐☐ 667 remémber to *do*	**忘れずに～する** ▶ remember doing → 688 と混同しないこと。
☐☐ 668 ténd to *do*	**～しがちである；～する傾向がある** 同 *be* apt to *do* → 270； *be* inclined to *do* → 271
☐☐ 669 [in òrder] to *do* [sò as]	**～するために** ▶ 肯定文では to *do* のみでもよいが, 否定を含む目的を表す「～しないように」では in order や so as を省略せず, in order [so as] not to *do* の語順で用いる。
☐☐ 670 nèedless to sáy	**言うまでもなく** 同 It goes without saying that ... → 736 ▶ 関連情報 参照。
☐☐ 671 sò+形容詞[副詞]+ as to *do*	**①〈程度〉～するほど…である** **②〈結果〉非常に…なので～する** ▶ ①は〈形容詞[副詞]+ enough to *do*〉, ②は〈so +形容詞[副詞]+ that S + V〉の形で書き換えられる。
☐☐ 672 sò to spéak	**いわば** 同 so to say；as it were → 722

関連情報 needless to say (670) 独立不定詞の表現

文中の主語・述語動詞, 時制などに関係なく使われる, いわゆる独立不定詞の代表例を挙げる。
so to speak [say] → 672; to be sure → 673; to begin [start] with → 674;

<u>Remember to</u> call me at home when you reach your destination. （九州国際大）	目的地に着いたら<u>忘れずに</u>私の家に電話<u>してください</u>。
Plants that don't get enough sunlight <u>tend to</u> bloom poorly. （松山大）	十分な日光に当たっていない植物は貧弱にしか花が咲かない<u>傾向がある</u>。
I'm trying hard to improve my English <u>in order to</u> carry out my duties more effectively. （センター試験）	自分の職務をもっと効率的に遂行する<u>ために</u>，私は英語が上達するよう一生懸命努力している。
<u>Needless to say</u>, I was very surprised to find a stranger seated in my room. （桃山学院大）	<u>言うまでもなく</u>，私は自分の部屋に見知らぬ人が座っているのを見てとても驚いた。
① None of us is <u>so</u> foolish <u>as to</u> believe he is telling the truth. （東邦大） ② They were <u>so</u> indifferent <u>as to</u> cut down all the trees on the island. （埼玉大）	①私たちの中には，彼が本当のことを話していると信じる<u>ほど</u>愚かな者はいない。 ②彼らは<u>あまりに</u>無頓着だったので，その島のすべての木を切り倒してしまった。
He's now leader of the group, the captain of the ship, <u>so to speak</u>. （阪大）	彼は今やグループのリーダー，<u>いわば</u>船長だ。

to make matters [things] worse ➡ 675; to say nothing of ～ ➡ 676; to be frank (with you)「率直に言えば」; to tell (you) the truth「実を言えば」; to be honest (with you)「正直なところ」; to sum up「要約すれば」; to say the least (of it)「控えめに言っても」; to do ～ justice [to do justice to ～]「～を公平に見れば」

673 **to be súre**	**確かに** ≡ surely ▶「確かに〜だが…」の文脈で使うのが普通だが,「確かに〜だ」と断定の場合もある。
674 **to [begín / stárt] with**	**まず第一に;最初に[は]** ≡ first of all → 14 ; 　in the first place → 379
675 **to màke mátters wórse**	**さらに悪いことに** ≡ what is worse ▶ to make things worse とも言う。
676 **to sày nóthing of ～**	**〜は言うまでもなく** ≡ not to mention ～ → 293

1-2　分詞

677 **as oppósed to ～**	**〜とは対照的に;〜ではなく** ▶ 全体で前置詞句を成す。
678 **cátch** *one* **doing**	**(人)が〜しているところを見つける[捕らえる]**
679 **compáred [with / to] ～**	**〜と比べると** ≡ in comparison with [to] ～ 　→ 985 ▶ as compared with [to] ～ となることもあり, ≡ の表現もこちらの表現も前置詞句を成す。

He's a good player, to be sure, but I don't like his manners very much. (早大)	彼は確かに優れた選手だが，私は彼の礼儀作法はあまり好きではない。
To begin with, I would like to thank all of you for your support. (大阪経大)	まず第一に，すべての皆さんのご支援に対し御礼申し上げます。
She was late, and to make matters worse, she'd left her cellphone at home. (津田塾大)	彼女は遅れていて，さらに悪いことに，家に携帯電話を置いてきてしまっていた。
I have to write a geography report, to say nothing of a biology report. (京都産業大)	私は，生物のレポートは言うまでもなく，地理のレポートも書かなければならない。
I want to wear a red shirt for a change, as opposed to the yellow one I usually wear. (北海学園大) *for a change「いつもと違って」	私はふだん着ている黄色いシャツではなく，気分を変えて赤いのを着たい。
I caught Tom, my younger brother, smoking again in his room. (関西学院大)	私は弟のトムが彼の部屋でまたたばこを吸っているところを見つけた。
Compared with the previous year, the company's earnings are up 35%. (甲南大)	昨年と比べると，会社の収益は35%増だ。

Part 4 文法・構文で覚える180 Section 1 文法69

680 génerally spéaking — 一般的に言えば
▶ 独立分詞構文。682, 684 のほか, strictly speaking「厳密に言えば」, frankly speaking「率直に言えば」, roughly speaking「大ざっぱに言えば」などがある。

681 gò ón doing — 〜し続ける
≡ keep doing → 683
▶ 名詞が続く場合には, go on with 〜 となる。go on to do は「引き続いて〜する」の意味。

682 júdging [from / by] 〜 — 〜から判断すると

683 kéep doing — 〜し続ける
≡ kèep ón doing ; go on doing → 681

684 [spéaking / tálking] of 〜 — 〜と言えば

1-3 動名詞

685 be úsed to doing — 〜することに慣れている
≡ be accustomed to 〜 → 552
▶ to は前置詞なので, 後には名詞も続く。「慣れてくる」は, be の代わりに become ; get ; grow などを用いる。

686 be wórth doing — 〜する価値がある

Generally speaking, babies start talking at around eighteen months. (早大)	一般的に言えば，赤ん坊は生後18か月くらいで話し始める。
Eventually you'll know more about the matter if you **go on** study**ing** it. (学習院大)	それについてもっと勉強し続ければ，いずれはその問題についてもっとわかるようになるだろう。
Judging from the state of his clothes, he slept in them last night. (中央大)	彼の服の状態から判断すると，彼は昨晩それを着て寝たようだ。
When I asked Jane for a date, she **kept** putt**ing** me off with excuses. (大阪経大)	私がジェーンをデートに誘うと，彼女は言い訳をして私との約束を遅らせ続けた。
Speaking of enjoying life, I am having two friends over for dinner tonight. (大東文化大)	人生を楽しむと言えば，私は今夜夕食に2人の友人を呼んでいる。
I expect the local food to be different from what I **am used to** eat**ing**. (摂南大)	その地元の食べ物が，私が食べ慣れているものと違うだろうと思っている。
I think the old cathedral **is worth** visit**ing** while you are in the city. (センター試験)	その古い大聖堂は，あなたがその市にいる間に訪れる価値があると思います。

☐☐ 687 **féel líke** *doing*	**〜したい気がする** 🔁 be inclined to *do* → 271 ▶ feel like it「そうしたい」や，feel like a movie「映画を見たい気がする」のように(代)名詞も続く。「〜のような気がする」の意味もある。〔例〕It feels like rain.（どうやら雨らしい）（rain は名詞）
☐☐ 688 **remémber** *doing*	**〜したのを覚えている** ▶ remember to *do* → 667 と区別すること。
☐☐ 689 **whèn it cómes to** *doing*	**〜する問題になると** ▶ to は前置詞なので，後には名詞も続く。
☐☐ 690 **with a víew to** *doing*	**〜する目的で** 🔁 with the intention of *doing* ▶ やや格式ばった表現。

1-4　助動詞

☐☐ 691 **be to dó**	① (予定・運命) **〜することになっている** ② (義務) **〜すべきである** ③ (可能) **〜できる** ▶ ほかに if 節の中で用いて「意図・目的」を表す用法「もし〜するつもりであるなら」もある。

I rarely **feel like** scold**ing** other people's children, but it was different this time. (岩手大)	私は他人の子供をしかろうと思ったことはめったにないが,今回は違った。
I may have met him somewhere, but I don't **remember** do**ing** so. (京都産業大)	彼とどこかで会ったかもしれないが,私は彼と会ったことを覚えていない。
We know how important talent is **when it comes to** writ**ing** a novel. (旭川医大)	小説を書くことになると,才能がいかに重要であるかを私たちは知っている。
The company invested heavily in the project **with a view to** increas**ing** its earnings. (慶大)	その会社は収益を増やす目的で,そのプロジェクトに大々的に投資した。
① The building where our interview **was to** take place was near a park. (亜細亜大)	①私たちの面接が行われる予定である建物は公園の近くにあった。
② It is not easy to find answers to how we **are to** live. (京大)	②私たちがどう生きるべきであるかに対する答えを見つけるのは容易ではない。
③ We went out looking for our cat, but it **was** not **to** be found anywhere. (愛知教育大)	③私たちは外に私たちの猫を探しに行ったが,どこにも見つけられなかった。

☐☐ 692 **cánnot ~ tóo (...)**	いくら~してもしすぎることはない 🔄 cannot ~ (...) enough ▶ 例文は, You cannot be careful enough when you climb a mountain in winter. となる。
☐☐ 693 **cànnot hélp bùt** *dó*	~せざるを得ない；~せずにはいられない 🔄 cannot help *doing* → 694
☐☐ 694 **cànnot hélp** *dóing*	~せざるを得ない；~せずにはいられない 🔄 cannot help but *do* → 693 ▶ cannot but *do* は文語で, 現代ではほとんど使われない。 ▶ cannot help it は「それをどうしようもない；仕方ない」の意味。It cannot be helped. の受動形でも使う。
☐☐ 695 **mày wéll** *dó*	おそらく~するだろう；~しても不思議ではない ▶ well には very が付くことも多い。
☐☐ 696 **mìght (jùst) as wéll** *dó*	(気は進まないがどうせなら)~するほうがいい；~してもよい；~するのも同じだ ▶ 関連情報 参照。

関連情報　might (just) as well *do* (696)

● might (just) as well *do* ~ as ... の形になり, 「...するのは~するのと同じようだ」から「...するくらいなら~するほうがましだ」の意味を表すことも

You <u>cannot</u> be <u>too</u> careful when you climb a mountain in winter. (岩手医大)	冬に山登りするときは<u>いくら用心してもしすぎることはない</u>。
I <u>couldn't</u> <u>help</u> <u>but</u> wonder when we would reach our destination. (三重大)	私たちはいつ目的地に着くのだろうかと私はあれこれ考え<u>ずにはいられなかった</u>。
I <u>couldn't</u> <u>help</u> think<u>ing</u> about her even after I parted from her. (岡山理大)	彼女と別れた後でさえ、私は彼女のことを考え<u>ずにはいられなかった</u>。
If she is not in the office, she <u>may</u> <u>well</u> have gone home. (下関市大)	事務所にいなければ、<u>おそらく彼女は帰宅したのだろう</u>。
Everything is out in the open now, so I <u>might</u> <u>as</u> <u>well</u> tell you the whole truth. (愛知教育大)	今や何もかも公になっているので、あなたにはその真相全体を話し<u>てもいいでしょう</u>。

ある。
●might の代わりに may が使われることもあるが、その場合には as ... は続けない。

697 would ráther ~ (than ...)	(…するより)むしろ~したい
	🔁 would (just) as soon ~ (as ...)
	▶ rather や soon の後に節を続けることもできる。その場合, 節の中は仮定法過去(過去時制では仮定法過去完了)を使う。[例] I'd rather you didn't go alone.((できれば)君一人では行ってもらいたくない)

698 ~ will dó	~は役に立つ；~は用が足りる
	▶ Both will do. は「両方ともいい」, Neither will do. は「どちらもだめ」。

1-5　関係詞と疑問詞

699 as is (óften) the cáse (with ~)	(~に関して)よくあることだが
	▶ often, as is the case (for ~) といった語順になることもある。

700 nò mátter [whàt / hòw / whèn, etc.] ~	何が[どんなに／いつ]~でも
	🔁 whatever [however / whenever, etc]
	▶ no matter の後に疑問詞でなく名詞を続ける用法もある。[例] no matter the time [size]「その時間[大きさ]にかかわらず」

701 whàt A ís	現在の A
	▶ A は「人, 物, 人柄, 本来の姿」など, 文脈に応じた意味を表す。is は A の時制に合わせて変化する。

702 whàt is móre	さらに；それに
	🔁 besides ; in addition → 149

703 whàt we cáll ~	いわゆる~
	🔁 what is called ~
	▶ 主語・時制は意味に応じていろいろに変化する。[例] what you might call ~「君が言うところの~」, what they used to call ~「彼らが昔言っていた~」

I would rather remain here than go home. (神奈川大)	私は家に帰るよりもむしろここにとどまりたい。
As for me, any hotel will do so long as it's not too expensive. (龍谷大)	私に関して言えば、高すぎなければどんなホテルでも構わない。
As is often the case with him, he went on a trip without any plan. (専修大)	彼にはよくあることだが、彼は何の計画も立てずに旅行に行った。
No matter how much we try to resist it, sleep conquers us in the end. (三重大)	どんなに抵抗しようとも、結局は睡眠が私たちに打ち勝つ。
Her appearance is different from what it was ten years ago. (東京経大)	彼女の外見は10年前のそれとは違っている。
Sue came late, and what is more, she forgot to bring the document. (中央大)	スーは遅れて来た上に、書類を持ってくるのを忘れた。
What we call "music therapy" today dates back to ancient Greece. (桜美林大)	今日のいわゆる「音楽療法」は古代ギリシャにさかのぼる。

1-6 比較

704 àll the + 比較級 (+ for ~)
(~のため)ますます… ; (~のため)それだけいっそう…
▶ for や because などで「理由」が続き、それを受けて「そのためいっそう」となる。〈that much + 比較級〉という形もある。

705 as ~ as ány (+名詞)
誰[どれ]にも劣らず~な

706 as ~ as éver
相変わらず~な
▶「~」には形容詞・副詞が入る。

707 as góod as ~
~も同然 ; ほとんど~
◉ almost
▶「~と同じくらい良い[上手]」の意味でも使う。

708 as [múch / mány] as ~
~もの数の ; ~と同数の
▶ 量(much)や数(many)が多い驚きを表す。
▶ much [many] のほかに, little, thick ... などいろいろな形容詞[副詞]について、〈as + 形容詞[副詞] + as〉で「驚き」を表せる。2番目の as の後に「数詞」が来るのが普通。[例] as hot as 300°C「セ氏300度もの熱さ」

709 at *one's* bést
最も良い状態で[の]

710 by fár
はるかに ; ずっと
▶ 比較級・最上級を強める。

711 knòw bétter (than to *do*)
(~するほど)ばかなことはしない ; (~しないだけの)分別がある

Some women seem to love their men **all the better for** their faults. (杏林大)	欠点がある<u>からこそよりいっそう</u>夫が好きだという女性もいるようだ。
Taro was born prematurely, but he's **as** healthy **as any** boy now. (信州大)	タロウは未熟児で生まれたが、今では<u>どんな</u>少年<u>にも劣らず</u>健康だ。
Two years later, he realized that his feelings toward her were just **as** strong **as ever**. (桃山学院大)	2年後、彼は彼女に対する自分の思いが全く<u>以前と変わらず</u>強いということに気づいた。
Chris, the eldest of their three children, is **as good as** grown up now. (東京女大)	3人の子供の中で最年長のクリスは、今では大人<u>も同然</u>だ。
If all the ice on land melted, the sea level could rise **as much as** 80 meters globally. (学習院大)	陸上の氷がすべて溶けたら、海水面は地球規模で80メートル<u>も</u>上昇するかもしれない。
The cherry blossoms at Kochi Castle are **at their best** now. (高知大)	高知城の桜は今<u>満開だ</u>。
We've come to realize he is **by far** the most important client of all. (明海大)	私たちは彼が全顧客の中で<u>何と言っても</u>最も重要な顧客であると認識するようになった。
Tom **knew better than to** argue with her about this matter. (青山学院大)	この問題について、トムには彼女と議論し<u>ないだけの分別があった</u>。

☐☐ 712 **mòre óften than nót**	**普通は；たいてい** 同 usually ▶ as often as not とも言う。理屈では，more often ... は「10回のうち5回を超えて」の意味で as often ... より回数が多い。
☐☐ 713 **mòre or léss**	**ほぼ；いくぶん；多かれ少なかれ**
☐☐ 714 **[mùch] léss ~** **[stìll]**	**(否定文中で) まして~はいっそうない** ▶ 肯定文中で「まして~はいっそうそうだ」は，much [still] more ~ と言うが，こちらはあまり使われない。
☐☐ 715 **nò less A than B**	**B に劣らず A；B 同様に A** ▶ 数量・程度が大きいことを表す (B は「大きい」という前提があり，「A はその B に少しも劣らず」の意味)。
☐☐ 716 **nò léss than ~**	**~も；~と同様に** 同 as much [many] as ~ → 708 ▶ これも 708, 715 同様に数・量の大きさを強調する。
☐☐ 717 **nò móre A than B**	**B と同様に A でない** ▶ not A any more than B と変形することもある。例文は，A shark is not a mammal any more than a salmon is. となる。 ▶ 数量・程度が小さいことを表す (B = 0 (ゼロ) という前提がある)。
☐☐ 718 **nò móre than ~**	**わずか~だけ；~にすぎない** 同 only

More often than not, people wanting to purchase a house will buy it if they like the kitchen. (日本女大)	家を買いたがっている人々は，台所を気に入れば，たいていその家を買うものだ。
Whether we go by bus or boat, it'll take **more or less** the same amount of time. (旭川医大)	バスで行こうと船で行こうと，ほぼ同じ時間がかかるだろう。
I know very little about chemistry, **much less** physics. (長崎大)	私は化学についてはほとんどわからない，まして物理学はいっそうわからない。
In him, the urge to run away from danger was **no less** powerful **than** the urge to seek it. (一橋大)	彼の中では，危険から逃れたいという衝動はその危険を求めたいという衝動に劣らず強かった。
She speaks **no less than** five languages, including Russian. (千葉工大)	彼女はロシア語を含む5つもの言語を話す。
A shark is **no more** a mammal **than** a salmon is. (福島大)	サメはサケと同様に哺乳類ではない。
It's **no more than** 100 meters from where you are now to the station. (追手門学院大)	あなたが今いる所からその駅まではわずか100メートルだ。

☐☐ 719 **nò sòoner** *A* **than** *B*	**A するやいなや B する** 🔄 as soon as ... ▶ 例文のように no sooner が文頭に出れば、その後は倒置形になる。
☐☐ 720 **nót ~ (in) the léast**	**全く〜ない** 🔄 not ~ at all(→ 102①) ; not ~ in the slightest
☐☐ 721 **the＋比較級〜,** 　　**the＋比較級 ...**	**〜であればあるほど，いっそう …である** ▶ The sooner, the better.（早ければ早いほどよい）のように，〈S + V〉の省略もある。

1-7 仮定法

☐☐ 722 **as it wére**	**いわば** 🔄 so to speak → 672
☐☐ 723 **if it were nót for ~**	**もし〜がなければ** 🔄 but for ~ → 610 ; except for ~ 　 → 613 ; without ▶「過去」についての仮定は，if it had not been for ~。 ▶ やや文語調の形として，それぞれ，were it not for ~; had it not been for ~もある。
☐☐ 724 **It is ([about]) tíme (that) ...** 　　　　[high]	**(ほぼ[とっくに])…してよいころである** ▶ that 節の中は仮定法過去形（be 動詞では was）を使うのが一般的。It is (about [high]) time for *A* to *do* の形も使われる。

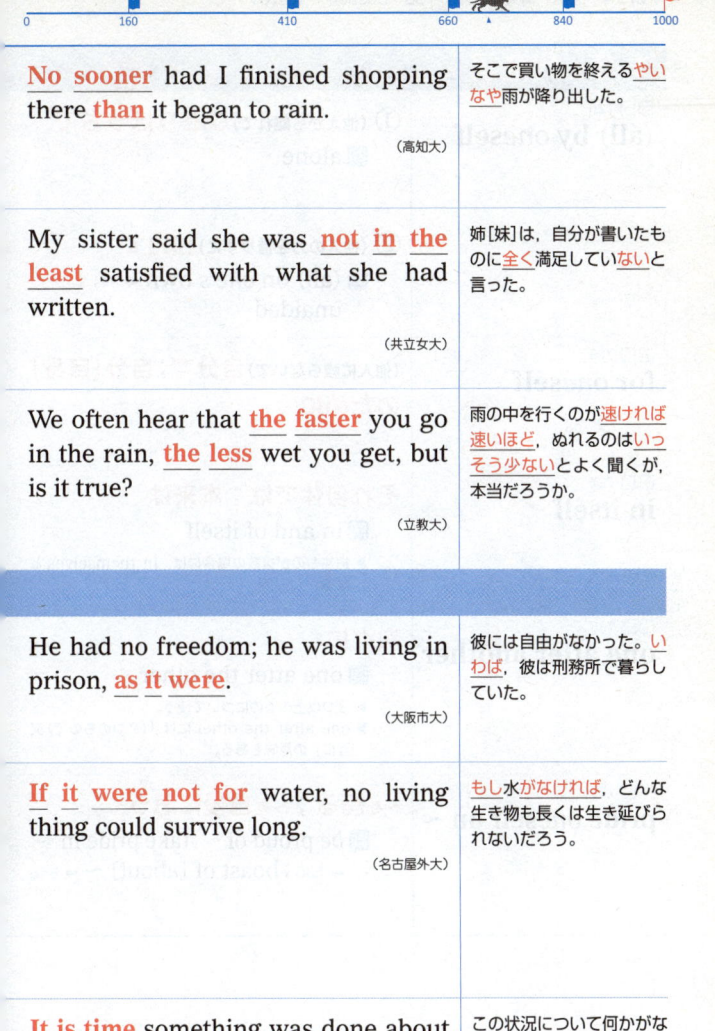

No sooner had I finished shopping there **than** it began to rain. (高知大)	そこで買い物を終える<u>やいなや</u>雨が降り出した。
My sister said she was **not in the least** satisfied with what she had written. (共立女大)	姉[妹]は，自分が書いたものに<u>全く</u>満足してい<u>ない</u>と言った。
We often hear that **the faster** you go in the rain, **the less** wet you get, but is it true? (立教大)	雨の中を行くのが<u>速ければ速いほど</u>，ぬれるのは<u>いっそう少ない</u>とよく聞くが，本当だろうか。
He had no freedom; he was living in prison, **as it were**. (大阪市大)	彼には自由がなかった。<u>いわば</u>，彼は刑務所で暮らしていた。
If it were not for water, no living thing could survive long. (名古屋外大)	<u>もし水がなければ</u>，どんな生き物も長くは生き延びられないだろう。
It is time something was done about the situation. (日本大)	この状況について何かがなされて<u>もよいころだ</u>。

1-8 代名詞

725 (áll) by onesélf

① (他人から離れて)**ひとりぼっちで**
≡ alone

② (他人の力を借りずに)**独力で**
≡ (all) on *one's* own → 941 ; unaided

726 for onesélf

(他人に頼らないで)**自分で；自分(自身)のために**

727 in itsélf

それ自体では；本来は
≡ in and of itself
▶ 指すものが複数の場合には，in themselves となる。

728 óne àfter anóther

次々に
≡ one after the other
▶ 3つ以上のものについて使う。
▶ one after the other には「(2つのもので)交互に」の意味もある。

729 príde onesèlf on ~

~を誇る；~を自慢に思う
≡ be proud of ~ ; take pride in ~ → 630 ; boast of [about] ~ → 846

① Those two young girls wanted to travel overseas **by themselves**. （津田塾大）	①その2人の少女は自分たちだけで海外旅行をしたがっていた。
② Do you think Yoshio has written this report all **by himself**? （広島修道大）	②あなたはヨシオがこのレポートをすべて独力で書いたと思いますか。
The idea of cooking just **for oneself** seems rather unattractive to me. （日本女大）	自分のためにだけ料理するという考えは，私にはあまり魅力がないように思える。
Our desire is, **in itself**, neutral, neither good nor bad. （県立広島大）	私たちの欲望は，それ自体は中間で，良くも悪くもない。
Many new students visited the teacher's office **one after another**. （神戸学院大）	多くの新入生たちが次々にその教員の研究室を訪れた。
My grandfather always **prides himself on** having been a good runner. （南山大）	祖父は優秀なランナーであったことをいつも誇りに思っている。

Section 2 構文57

2-1 典型的構文

730 All *one* has to do is (to) *do*
ただ〜すればよい
≒ only have to *do* [《英》have only to *do*]
▶ この場合の All は,The only thing の意味。

731 (Just) As 〜, so ...
(ちょうど)〜であるように, ...
▶ 文語調。so は省略されることも多い。just があれば文語調は薄まる。

732 by the time S+V
S が〜するまでに(は)
▶ by the time 全体が接続詞的に働く。未来のことに言及するときでも V は現在形。

733 either *A* or *B*
A か *B* かどちらか
▶ 全体が主語の場合,受ける動詞は *B* に合わせるのが原則。

734 hardly 〜 [when / before] ...
〜するかしないうちに…
≒ as soon as ... ;
no sooner *A* than *B* → 719
▶ hardly のほかに,scarcely;barely も使われる。
▶ hardly [scarcely / barely] が文頭に出れば,その後の語順は必ず倒置形。

735 It follows (that) ...
当然…ということになる
▶「結論」を述べるときによく使われる。It は形式主語。

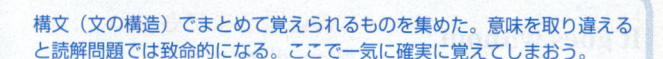

構文（文の構造）でまとめて覚えられるものを集めた。意味を取り違えると読解問題では致命的になる。ここで一気に確実に覚えてしまおう。

To operate this machine, <u>all you have to do is</u> press this button. （松山大）	この機械を操作するには，<u>ただ</u>このボタンを押<u>せばよい</u>。
<u>Just as</u> you spend your money on buying DVDs, <u>so</u> I spend mine on buying books. （兵庫県大）	<u>ちょうど</u>あなたが自分のお金を DVD を買うのに使う<u>のと同じように</u>，私は自分のお金を本を買うのに使う。
The important meeting will have finished <u>by the time</u> she arrives. （センター試験）	その重要な会議は，彼女が到着する<u>までには</u>終わっているだろう。
<u>Either</u> you <u>or</u> Bill is supposed to attend the meeting. （杏林大）	あなた<u>か</u>ビル<u>のどちらか</u>が，その会議に出席することになっている。
I had <u>hardly</u> gotten into the bathtub <u>when</u> there came a knock at the door. （九州産業大）	私が湯船に入る<u>か</u>入ら<u>ないかのうちに</u>，ドアをノックする音がした。
<u>It follows</u> from this line of thinking <u>that</u> most of our desires are rational. （一橋大）	この一連の考えからすれば，<u>当然</u>私たちの欲望のほとんどは理にかなっている<u>ことになる</u>。

☐☐ 736 **It goes without saying that ...**	**…なのは言うまでもない** ≒ needless to say → 670 ▶ It は形式主語。
☐☐ 737 **(It is) No wonder (that) ...**	**…なのは当然だ**
☐☐ 738 **(It is) True ~, but ...**	《譲歩構文》**確かに~であるが，…だ** ▶ (It is) True ~ の代わりに，Indeed ~ となることもある。
☐☐ 739 **It is no use *doing***	**~しても無駄である** ≒ There is no use (in) *doing* ▶ It is no use to *do* もあるが，少ない。
☐☐ 740 **It is not until ~ that ...**	**~して初めて…する** ▶ not until ~を強調する強調構文の1つ。
☐☐ 741 **never ~ without ...**	**~すれば必ず…する** ▶ 二重否定で，肯定の意味を強調する。never の代わりに not や cannot なども用いられる。
☐☐ 742 **now that ...**	**今はもう…なので；…である以上** ▶ 口語では that が省略されることもある。
☐☐ 743 **one ~, the other ...**	(2つのうちで)**一方は~，もう一方は…** ▶ 3つ[3人]以上の定数の場合では，one ~, the others。不特定多数は，one ~, others。

It goes without saying that health is more important than anything else. (青山学院大)	健康はほかの何よりも重要である<u>ことは言うまでもない</u>。
Oh, you had another argument? **No wonder** she looked so sad. (関西大)	おや，また君は口げんかをしたのかい？彼女が悲しそうだった<u>のも当然だ</u>。
It is true that we humans do have differences, **but** we have a lot more in common. (慶大)	<u>確かに</u>私たち人間には相違点がある<u>が</u>，共通点はもっと多くある。
I know **it's no use** try**ing** to persuade her to join our team. (東邦大)	私たちのチームに加わるよう彼女を説得しようと<u>しても無駄である</u>ことはわかっている。
It was not until the next day **that** I realized how serious the situation was. (高知大)	翌日<u>になって初めて</u>私はその状況がいかに深刻であるかがわかった。
I **never** watch that video **without** laughing. (東京経大)	私はあのビデオを見る<u>と必ず</u>笑ってしまう。
Now that her children are grown up, she wants to start working again. (和歌山大)	<u>今はもう</u>彼女の子供たちは大きくなった<u>ので</u>，彼女は再び働き始めたいと思っている。
He held a small ball in **one** hand and a long object in **the other**. (関西大)	彼は<u>片方の</u>手には小さなボールを，<u>もう一方の</u>手には長い物を持っていた。

☐☐ 744 **sée (to it) thàt ...**	**…するように取り計らう[気をつける]** ▶ that 節の中は、未来に関する話題でも現在時制を用いるのが普通。
☐☐ 745 **sò that A $\begin{bmatrix} \text{will} \\ \text{can} \end{bmatrix}$ do**	**(目的を表して) A が〜する[できる]ように** ▶ that はよく省略される。that 節内の助動詞は will や can が多く使われ、may は現代文ではあまり使われない。 ▶ 否定では will not, cannot となるが、「〜しないように；〜するといけないので」の意味で lest A (should) do も使われる。
☐☐ 746 **〜, só (that) ...**	**(結果を表して) 〜だ，その結果…だ** ▶ 口語では that は省略されることが多い。
☐☐ 747 **spénd *time* (in) *doing***	**〜して(時間・期間)を過ごす** ▶ time の箇所には例文のような具体的時間・期間も使われる。 ▶ in は省略されるのが普通。「〜に時間を費やす」のニュアンスでは、on も使われる。
☐☐ 748 **(The) Chánces àre (that) ...**	**ひょっとしたら…だろう；たぶん…だろう** 🔲 The odds are (that) ... ▶ that を省略した場合には、be 動詞の後にコンマ(,)を付けることもある。749, 750 についても同様。
☐☐ 749 **(The) Fáct is (that) ...**	**実は…である** ▶ (The) Trouble is (that) ... ; (The) Problem is (that) ... などについても、The や that を省略できるが、その場合は口語的。
☐☐ 750 **(The) Póint is (that) ...**	**大事な点は…だ；要するに…**

We will <u>see</u> <u>to</u> <u>it</u> <u>that</u> this kind of mistake does not happen again. (佛教大)	この種の間違いが二度と起こらない<u>よう注意いたします</u>。
We attached the cupboard to the wall <u>so that</u> it <u>would</u>n't fall over. (青山学院大)	私たちは戸棚<u>が</u>倒れない<u>ように</u>それを壁に取り付けた。
Her pronunciation was very clear, <u>so that</u> everyone was able to understand her. (青山学院大)	彼女の発音はとてもはっきりしていた<u>ので</u>, 誰もが彼女が話していることを理解できた。
We humans <u>spend</u> almost a third of our lifetime sleep<u>ing</u>. (立教大)	私たち人間は人生のほぼ3分の1<u>を</u>眠っ<u>て</u>過ごす。
In a tourist city, <u>chances</u> <u>are</u> you'll run into the same tourists again and again. (琉球大)	観光都市では、<u>ひょっとしたら</u>同じ観光客に何度も出くわす<u>だろう</u>。
<u>The fact is</u>, we all carry biases, which influence the choices we make. (東京工大)	<u>実は</u>, 私たちは皆, 先入観を持っており, それは私たちが行う選択に影響を与えている。
<u>The point is that</u> we need to spend less on food this month. (千葉工大)	<u>大事な点は</u>, 今月は食料にあまりお金をかけないようにしなければならない<u>ということだ</u>。

☐☐ 751 **There is nó dòing**	**〜することはできない** 同 It is impossible to *do* ; We cannot *do*
☐☐ 752 **Á is to B́ what Ć is to D́**	**A の B に対する関係は C の D に対する関係に等しい** ▶ what の代わりに as を使うことも可能。

2-2 be動詞・動詞・助動詞を用いた構文

☐☐ 753 ***be* to bláme (for 〜)**	**(〜に対して)責めを負うべきである[責任がある]**
☐☐ 754 **bring *oneself* to dó**	**〜する気持ちになる** ▶ 否定文・疑問文の中で使うのが普通。
☐☐ 755 **can affórd to dó**	**(経済的・時間的に)〜する余裕がある** ▶ 否定文・疑問文の中で使われることが多い。
☐☐ 756 **còme [clóse / néar] to dóing**	**もう少しで〜しそうになる** 同 almost *do* ; nearly *do* ▶ come の代わりに be ; get ; go も使われる。
☐☐ 757 **gó so fàr as to dó**	**〜しさえする** ▶ go so far as doing に加えて, go as far as to *do* [doing] の形もある。
☐☐ 758 **hàve nò (òther) chóice but to dó**	**〜するよりほかに仕方がない** 同 There is nothing for it but to *do* ▶ choice の代わりに alternative も使われる。

There is no doubt**ing** the value this tourist spot brought to the city. (成蹊大)	この観光名所がその市にもたらした価値を疑うことはできない。
They say that books **are to** the mind **what** food **is to** the body. (明海大)	心にとっての本は，身体に対する食べ物に相当すると言われている。
It's chiefly cars that **are to blame for** the greenhouse effect. (亜細亜大)	温室効果に対する責めを負うべきであるのは，主に車である。
He couldn't **bring himself to** leave his family, so he decided not to apply for the job. (長崎大)	彼は自分の家族を残していく気持ちにはなれなかったので，その仕事に応募しないことにした。
On my salary, I just **can**'t **afford to** save much money every month. (近畿大)	私の給料では，毎月多くのお金を貯金する余裕は全くない。
We **came** very **close to** winn**ing** but were beaten at the last minute. (立命館大)	私たちは本当にもう少しで勝てそうだったが，土壇場で負けてしまった。
He **went so far as to** say that my plan was impossible to carry out and just a waste of time. (東京医歯大)	私の計画は実行するのが不可能で単に時間の無駄だとさえ彼は言った。
We **have no choice but to** stay here until the rain stops. (高知大)	私たちは雨がやむまでここにとどまるよりほかに仕方がない。

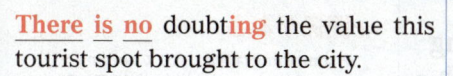

☐☐ 759 **hàve sómething to dó with ~**	**～と関係がある** ▶ something は意味に応じて nothing；anything；much；little などに変わる。have to do with ~ も広く使われる。
☐☐ 760 **lèave nóthing to be desíred**	**申し分ない** ▶ やや格式ばった表現だが，入試に頻出している。 ▶ nothing は意味に応じて，little；a lot などになる。much は肯定文では古風。
☐☐ 761 **remáin to be séen**	**(結果などは)未定である** ▶ remain to be *done* が一般形。「〜しないで残っている」が元の意味。[例] A lot remains to be done. (やるべきことがたくさん残っている)
☐☐ 762 **stánd to réason**	**もっともである；理屈に合う** ▶ It stands to reason that ... の形で使われることが多い(It は形式主語)。
☐☐ 763 **tàke ~ for gránted**	**～を当然のことと思う** ▶「～」が長い場合には，take (it) for granted that ... のように that 節で後置する。
☐☐ 764 **tàke ~ sériously**	**～を真剣に受け止める**
☐☐ 765 **tàke the tróuble to** *do*	**労を惜しまず～する；わざわざ～する**
2-3 その他の構文	
☐☐ 766 **and yét**	**それにもかかわらず** ≡ nevertheless

What he said <u>had nothing to do with</u> the point in question. (南山大) *in question「問題の」	彼が言ったことは，問題となっている点<u>とは何の関係もなかった</u>。
Your reply <u>leaves nothing to be desired</u> as far as content is concerned. (西南学院大)	内容に関する限り，あなたのお返事は<u>申し分ありません</u>。
How the government will tackle this problem <u>remains to be seen</u>. (立命館大)	政府がこの問題にどう取り組むかは<u>未定である</u>。
We agreed to his proposal since we thought what he said <u>stood to reason</u>. (早大)	彼の言うことは<u>もっともだ</u>と思ったので，私たちは彼の提案に同意した。
People today <u>take</u> the Internet <u>for granted</u>, but it must have seemed like magic when it first appeared. (成城大)	今日，人々はインターネットを<u>当然のものと思っている</u>が，それが最初に登場したときは魔法のように思えたにちがいない。
I'm not an optimistic person, and I tend to <u>take</u> things very <u>seriously</u>. (センター試験)	私は楽天家ではなく，物事を<u>とても真剣に受け止める</u>傾向がある。
He <u>took the trouble to</u> inform me of the result as soon as it was announced. (関西学院大)	彼は結果が発表されるとすぐに<u>わざわざ</u>私にそれを知らせて<u>くれた</u>。
I know mountain climbing is risky, <u>and yet</u> I can't give it up. (関西大)	登山は危険だということはわかっているが，<u>それにもかかわらず</u>，私はそれを断念することはできない。

Part 4 文法・構文で覚える180 Section 2 構文57

767 as fár as ...

① 《距離》…まで(も)
▶ これも後に数詞を付けて、「〜もの距離」となることもある(→ 708 参照)。[例] as far as ten miles「10マイルも」

② 《範囲》…する限り(では)
▶ 否定文では so far as ... も使う。

768 [as / so] fár as 〜 *be* concérned

〜に関する限り
⊟ as for 〜 → 289

769 [as / so] lóng as ...

《時間的限度》…である限り[間]は；《条件》…でありさえすれば
▶ (for) as long as 〜 は「〜もの長い間」の意味もある (as much [many] as 〜 → 708 参照)。[例] for as long as ten years「10年もの間」

770 as it ís

① 《通常，仮定法的な表現の直後で》実際のところは
▶ 「後に続く状況があるので」のニュアンス。

② 《事物が》あるがままの[に]
▶ 主語と時制より、it is は自在に変化する。[例] as it was; as they are [were]; as it should be

771 [èvery / èach] tíme ...

《接続詞的に》…するたびに
⊟ whenever ...
▶ 単に副詞として「毎回」の意味でも使う。

772 if ány

もしあれば；もしあるとしても
▶ 〈few [little], if any,〉は、「あるにしてもごく少数[少量]しかない」のニュアンス。

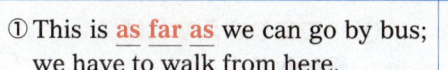

① This is <u>as far as</u> we can go by bus; we have to walk from here. (滋賀大)	①バスで行けるのはここ<u>まで</u>です。ここからは歩かなければいけません。
② <u>As far as</u> I know, there's no country that has conquered the problem of poverty. (中部大)	②私の知る<u>限りでは</u>, 貧困の問題を克服した国は1つもない。
<u>As far as</u> <u>I'm concerned</u>, it makes little difference whether he'll come or not. (旭川医大)	私<u>に関する限り</u>, 彼が来ようと来まいと, ほとんどどうでもよい。
Dad said that he didn't care about the result at all <u>as long as</u> I did my best. (東邦大)	私がベストを尽くし<u>さえすれば</u>, 父は結果については気にしないと言った。
① I'd hoped to finish this job by today, but <u>as it is</u>, I'm only halfway through. (慶大)	①この仕事を今日までに終えたいと思っていたのですが, <u>実際のところは</u>まだ半分を終えたところです。
② The film I saw tonight showed Japan <u>as it was</u> in the Meiji era. (川崎医大)	②今夜見た映画は, 明治時代の<u>あるがままの</u>日本を描いていた。
<u>Every time</u> I see her, she's wearing a different pair of glasses. (センター試験)	彼女に会う<u>たびに</u>, 彼女は違うメガネをかけている。
I suspect there's little, <u>if any</u>, hope of the world economy recovering soon. (沖縄国際大)	世界経済が間もなく回復するという希望は, <u>もしあるとしても</u>ほんのわずかではないかと思う。

773 **if ónly ...**

① **…でありさえすれば**
≒ only if ...

② **《現在・未来の願望を表して》…でさえあればなあ**
≒ I wish ...
▶ if only の節だけで独立して用いることが多い。節の中は仮定法の動詞を用いる。

774 **(in) the wáy S+V**

S が〜するやり方で
▶ way の直後に関係副詞 that や in which (関係代名詞) を入れても構わないが、通常は省かれる。the way how という形はない。

775 **ìn that ...**

…のゆえに；…の点で
≒ because ; since
▶ at that (通常 ..., and 〜 at that の形で) は「おまけに；しかもその上」の意味。[例] He did the job beautifully, and quickly at that. (彼はその仕事を見事に終えた、しかも素早くに)

776 **móre of a *Á* than *B́***

B* というより *A
▶ 人の性向などの評価によく使われる。
▶ *B* には、ときに I thought などの節も入る。

777 **nót sò mùch *Á* as *B́***

A* というより *B
≒ *B* rather than *A*
【語順】 not *A* so much as *B* も。
▶ not so much *A* but *B* もよく使われる。
▶ not so much as *do* は「〜さえしない」(≒ do not even *do*)。

778 **Nóthing is mòre *Á* than *B́***

《最上級》*B* ほど *A* なものはない
≒ There is nothing more *A* than *B* ;
Nothing is so [as] *A* as *B*

① This is a task that could be done <u>if only</u> there were ten more people like us. (京大)	①これは、私たちのような人があと10人い<u>さえすれば</u>終えられる仕事だ。
② <u>If only</u> I could run as fast as you! (関西学院大)	②私があなたと同じくらい速く走れ<u>ればなぁ</u>。
Can you figure out why the painter drew this picture <u>the way</u> he did? (立命館大)	その画家がなぜ彼<u>のやり方で</u>この絵を描いたのかわかりますか。
She was fortunate <u>in that</u> she had a lot of friends to help her. (明治大)	彼女を助けてくれる友人がたくさんいた<u>という点で</u>彼女は幸運だった。
These days he seems to be <u>more of a</u> TV actor <u>than</u> a professor. (獨協大)	このごろ、彼は教授<u>というより</u>テレビ俳優のようだ。
He is <u>not so much</u> a scholar <u>as</u> a journalist. (広島経大)	彼は学者<u>というより</u>ジャーナリストだ。
<u>Nothing is more</u> beautiful <u>than</u> the love of a mother for her child. (藤女大)	母親の子供に対する愛情<u>ほど</u>美しい<u>ものはない</u>。

263

☐☐ 779 **on (the) condítion (that) ...**	**…という条件で；…ならば** ▶ that 節の中の動詞は，直説法・仮定法現在のどちらでもよい。したがって，例文の that 以下は，that she stay ... とも言える。
☐☐ 780 **on the gróunds that ...**	**…という根拠[理由]で** 🔵 because of ~ → 145 ; 　on account of ~ → 294 ; 　owing [due] to ~ → 295
☐☐ 781 **províded (that) ...**	**もし…ならば** 🔵 if ▶ providing (that)... とも言う。
☐☐ 782 **thàt is (to sáy)**	**つまり；すなわち** 🔵 namely ; in other words → 87 ; i.e. ▶ that is だけのときは，thàt ís。 ▶ i.e. は that is の意味のラテン語。[ài í:] または [ðǽtíz] と発音する。
☐☐ 783 ***A* is óne thìng; *B* is anóther**	***A* と *B* とは別のものである** ▶ 2つの事柄が全く異なることを明言するときによく使われる構文。
☐☐ 784 **the fórmer ~, the látter ...**	**前者は～で，後者は…**
☐☐ 785 **the lást ... to *do***	**最も～しそうでない…** ▶ to *do* の代わりに who 節や that 節なども続けられる。
☐☐ 786 **the ⎡móment⎤ ... ⎣mínute⎦**	**《接続詞的に》…するとすぐに** 🔵 as soon as ... ▶ 後に that(関係副詞)が付くこともある。

They let her leave early **on condition that** she would stay longer the next day. （獨協医大）	翌日はより長くいてもらうという条件で，彼らは彼女を早く帰らせた。
The toys were recalled **on the grounds that** they were a danger to children. （甲南大）	子供たちに危険であるという理由でそのおもちゃは回収された。
I'll go **provided that** you go with me. （電気通信大）	もしあなたが私と一緒に行くなら私は行きます。
Yoshida's is a two-income family — **that is**, both he and his wife are employed by companies. （東洋大）	吉田家は収入が2つある家庭だ。つまり，彼と彼の妻の両方が会社に雇われているということだ。
To know **is one thing**, and to teach **is another**. （札幌大）	知っていることと教えることとは別のものである。
"Water" is not the same as "mizu" because, unlike **the latter**, **the former** can refer to hot or cold water. （センター試験）	"water" と「水」は同じものではない。なぜなら，後者と違い，前者は熱湯にも冷水にも言えるからだ。
I'd be **the last** person **to** discourage children from playing sports. （大阪医大）	私は，子供たちにスポーツをする気を失わせる人物では最もないだろう。
The moment you enter the castle, you feel you're in another world. （九州国際大）	その城に入るとすぐに，あなたは別の世界にいるように感じますよ。

Section 3 会話表現54

☐☐ 787 *be* **àll éars**	一心に耳を傾けている ▶「一心に見ている；目を皿にする」は，*be* all eyes。
☐☐ 788 *be* (**àll**) **the ráge**	(大)流行[ブーム]になっている
☐☐ 789 *be* **crázy abòut ~**	~に夢中である；~が大好きである 🔁 *be* mad about ~
☐☐ 790 *be* **cùt óut for ~**	~に向いて[生まれついて]いる ▶ *be* cut out to be の形もある。 ▶ 通常，否定文・疑問文で使われる。
☐☐ 791 *be* **fèd úp with ~**	~にうんざりしている 🔁 *be* tired of ~ → 224 ; *be* bored (to death → 830) ▶ be は get；become などになることもある。
☐☐ 792 **càll báck (~)**	~を呼び戻す；(~に)折り返し電話する；(後で)(~に)電話をかけ直す 【語順】他動詞では call ~ back も。
☐☐ 793 **cáll it a dáy**	その日の仕事を終える ▶ 発展して「退職する」の意味もある。
☐☐ 794 **càlm dówn (~)**	落ち着く；~を落ち着かせる；静まる；~を静める 【語順】他動詞では calm ~ down も。

会話問題やリスニング問題にも出題される重要な会話表現をまとめた。同意表現も含めて覚えておこう。

The boys were all ears when their grandfather started to tell them a story. (甲南大)	彼らの祖父が物語を語り始めると、少年たちは一心に耳を傾けていた。
How long ago was it that the Harry Potter novels were all the rage? (横浜国大)	ハリー・ポッターの小説が大流行していたのはどのくらい前ですか。
Most Japanese are just crazy about baseball. (神戸学院大)	ほとんどの日本人はまさに野球が大好きである。
My sister often seems to wonder if she is cut out for teaching. (慶大)	姉[妹]は自分が教職に向いているのだろうかとよく自問しているようだ。
In the end, I just got fed up with his constant complaining. (日本大)	最後には、私は彼が絶えず不平を言うことに本当にうんざりした。
I'm tied up for the moment, so let me call you back in half an hour. (神戸市外語大)	今は忙しいので、30分後にこちらから折り返しお電話をさせてください。
It's almost six. Let's call it a day, shall we? (学習院大)	もうすぐ6時です。今日の仕事は終わりにしましょう。
Come on, calm down! Take a deep breath and relax. (早大)	さあさあ、落ち着いて。深呼吸してリラックスしなさい。

267

☐☐ 795 **chèck óut ~**	① **~を調査[点検]する** ② **(図書館などから)~を借り出す** 【語順】①② check ~ out も。 ▶ ほかに「(ホテルなどを)チェックアウトする(of ~)」(自動詞)の意味もある。
☐☐ 796 **Cóuldn't be bétter.**	**これ以上の良さはあり得ない。；最高です。** ▶ 主語(天候を表す It や 1 人称の I など)が省略された形。 ▶ 関連情報 参照。
☐☐ 797 **dróp** *one* **a líne**	**(人)に短い手紙を書く；(人)に一筆書く** ▶ SVOO の文構造。
☐☐ 798 **(enòugh ~ to) gò aróund**	**(物が)(出席者などの)全員に行き渡る** ▶《英》式では，(enough ~ to) go round。
☐☐ 799 **for a ràiny dáy**	**(将来の)まさかの時[緊急時]に備えて** ▶ かつては against a rainy day とも言った。
☐☐ 800 **for frée**	**無料で；ただで** 同 for nothing → 982①

関連情報　Couldn't be better. (796)

〈(仮定法＋)否定＋比較級〉で最上級を表す(→ 778)。動詞は be 動詞に限られ

① My watch isn't running, so I must get it <u>checked out</u>. (立教大)	①腕時計が動いていないので，それ<u>を点検して</u>もらわなければならない。
② I <u>checked out</u> this book two weeks ago, so I have to return it today. (中京大)	②私は2週間前にこの本<u>を借り出した</u>ので，それを今日返却しなければならない。
"It's a nice day today, isn't it?" "Sure is. <u>Couldn't be better</u>." (秋田大)	「今日はいい天気ですね」「確かに。<u>最高です</u>」
My sister will <u>drop</u> <u>me</u> <u>a</u> <u>line</u> after she arrives in London. (安田女大)	姉[妹]はロンドンに到着したら<u>私に一筆書く</u>だろう。
There won't be <u>enough</u> pizza <u>to go around</u> if you take two slices. (青山学院大)	あなたがピザを2切れ取ったら，<u>全員に行き渡る</u>だけのピザはありませんよ。
I think we should save some money <u>for a rainy day</u>. (日本大)	<u>まさかの時のために</u>いくらか貯金すべきだと思う。
These are just samples; you can take one <u>for free</u>. (早大)	これらは単なるサンプル品です。1つ<u>無料で</u>持っていっていいですよ。

るわけではない。
[例] (I) Couldn't [Can't] agree with you more.（全くあなたと同意見です）
（「これ以上の賛成はできないほどです」が元の意味。）

☐☐ 801 **for [súre / cértain]**	**確かに(は)** 同 surely ; certainly ▶ That's for sure [certain]. は「それは確かだ」の意味の決まった表現（この場合の for sure [certain] は形容詞句）。
☐☐ 802 **gèt éven with ~**	**(人)に仕返しをする；(人)に恨みを晴らす** ▶ even はここでは形容詞。
☐☐ 803 **gìve *one* a hánd**	**(人)に手を貸す** ▶ lend *one* a hand とも言う。
☐☐ 804 **gìve *one's* regárds to ~**	**(人)によろしくとのあいさつを伝える** ▶ この意味では regards は常に複数形（関連情報 参照）。regards の前に best ; warm(est) ; kind(est) などの形容詞も入れられる。 ▶ 簡略形は，Say hello to *A* (for me). ; Remember me to *A*.
☐☐ 805 **gò ahéad**	**先に行く；進む** ▶ go ahead with ~なら「~を(どんどん)続ける[進める]」。

関連情報 give *one's* regards to ~ (804) と類似の表現

「あいさつ」の意味で常に複数形で使われる単語がいくつかある。その主なものを挙げておこう。
《伝言》Give [Send] my best regards [wishes] to your brother.
「お兄さん[弟さん]によろしく」

None of us knew <u>for sure</u> what was happening to us then. （中央大）	その時自分たちに何が起こっているかを私たちの誰も<u>確かには</u>知らなかった。
Jiro wants to <u>get even with</u> Akira for bullying him. （成蹊大）	ジロウは自分をいじめたことでアキラ<u>に仕返しをし</u>たがっている。
Would you <u>give me a hand</u> with this table, please, Ken? （広島修道大）	ケン，このテーブルを動かすのに<u>私に手を貸して</u>くれませんか。
Please don't forget to <u>give my best regards to</u> your father. （関西学院大）	どうぞ忘れずにあなたのお父さん<u>に</u>くれぐれも<u>よろしくお伝え</u>ください。
<u>Go ahead</u> with your schedule as planned and leave the rest to me. （成蹊大）	あなたの予定を計画どおりに<u>進めて</u>，残りは私に任せなさい。

《祝い》 My hearty <u>congratulations</u> on your graduation!
「ご卒業本当におめでとうございます」
《季節のあいさつ》 Send my <u>greetings</u> to your mother.
　　　　　　　　「お母さまに季節のごあいさつをお伝えください」
《哀悼》 Please accept my deepest <u>condolences</u>.
「心からお悔やみ申し上げます」

☐☐ 806 **hàng ón**	**持ちこたえる；電話を切らずにおく；しがみつく** 🔁 hold on → 333①②③ ▶ ほかに，hang on ~ で「~に依存する」の意味もある。 🔁 depend on [upon] ~ → 28； rely on [upon] ~ → 38 ▶ hang on to ~は「~につかまる」(🔁 hold on to ~ → 333③)。
☐☐ 807 **hàve a [gòod/grèat] tíme**	**楽しい時を過ごす** 🔁 enjoy *oneself* → 131； have fun
☐☐ 808 **[hàve/tàke] a lóok (at ~)**	**(~を)見る** ▶ look の前にはいろいろな形容詞を入れることができる。〔例〕Have a good [quick] look at it.(それをよく[ちょっと]見て)
☐☐ 809 **hàve a swèet tóoth**	**甘いものが好きだ；甘党だ**
☐☐ 810 **hàve an éye for ~**	**~に対する眼識[鑑識力]がある** ▶「~を聞き分ける能力がある」は，have an ear for ~。
☐☐ 811 **hàve nó idéa**	**見当がつかない** ▶ Do you have any idea? は，「あなたは見当がつきますか」。
☐☐ 812 **hàving sáid [thàt/sò]**	**そうは言ったものの** 🔁 that said ▶ すでに話した内容について若干の修正を加える前に使う常套表現。
☐☐ 813 **hélp *oneself* to ~**	**~を自由に取る**

Hang on a minute, please. I'll see if he's in. (明治大)	少しの間電話を切らずにいてください。彼がいるかどうか見てみます。
George and I **had a great time** at the party last night. (上智大)	ジョージと私は昨晩パーティーで楽しい時を過ごした。
Before getting into that question, let's **take a look at** socialism. (早大)	その問題に取りかかる前に、社会主義について見てみよう。
Little Kyoko **has a sweet tooth** and has some decayed teeth. (尾道大)	幼いキョウコは甘いものが好きで、虫歯が何本かある。
I'm always amazed that Chiyo **has an eye for** paintings. (玉川大)	チヨが絵画に対する眼識があることに私はいつも驚かされている。
I know the store opens at 10:00, but I **have no idea** what time it closes. (摂南大)	その店が10時に開くのは知っているが、何時に閉まるのかは見当がつかない。
He's a bit obstinate. **Having said that**, all in all, he's a good, kind person. (明治大)	彼はちょっと頑固だ。そうは言ったものの、全体として見れば、彼は善良で親切な人だ。
Please **help yourself to** anything on the table. (芝浦工大)	テーブルの上のものは何でも自由に召し上がってください。

☐☐ 814 **Hére we áre.**	《目的地などに着いたとき》**さあ着いたぞ。** ▶ ほかに，探し物が見つかったときなど，「ほら，ここにあった」の意味でも使う（= Here it is.）。 ▶ 関連情報 参照。
☐☐ 815 **hóld** *one's* **bréath**	**息を止める**；《通常否定文で》《期待して）**息をひそめる**
☐☐ 816 **hóld the líne**	**電話を切らずにそのまま待つ** = hold on → 333②; hang on → 806 ▶ ほかに，反対などに対して「現状を維持する」の意味もある。
☐☐ 817 **Hów abòut ～?**	**～はいかがですか。** ▶ 提案・勧誘・控えめな助言などをするときの表現。質問として「～についてはどうですか」と尋ねるときにも使われる。What about ～? も同じ意味で使える。
☐☐ 818 **Hòw cóme（～）?**	**どうして（～）。** = Why (...)? ▶ 驚きを表すことが多い。後ろに節が続く場合は，〈How come S + V?〉となる。
☐☐ 819 **in nó tìme**	**瞬く間に；あっという間に** = soon; quickly; immediately

---

関連情報　Here we are.（814）と類似の表現

Here で始まる会話表現で頻度度の高いものをいくつか挙げておこう。
・Here you are. ①「はいどうぞ」（物を手渡しながら。= Here you go.; Here it is. ②）；②「ここにいたのね」（探していた人を見つけて）
・Here we go. 「さあ始めるぞ」

Here we are at the station, Hiroshi! Go and buy the tickets while I pay for the taxi. (立命館大)	さあ，駅に着いたぞ，ヒロシ！　私がタクシーの料金を払っている間に，切符を買ってきて。
Breathe in deeply and **hold your breath** for as long as you can. (早大)	息を深く吸って，できる限り長い間息を止めてください。
Please **hold the line**. He's on another line just now. (鹿児島大)	電話を切らずにそのままお待ちください。彼は今ちょうど別の電話に出ています。
How about taking a trip to the lake this weekend? (成蹊大)	今週末，湖に旅行に行きませんか。
How come you didn't come here yesterday? (駒澤大)	あなたはどうして昨日ここに来なかったのですか。
I was so hungry that I ate up two large bowls of rice **in no time**. (明海大)	私はあまりにもお腹がすいていたので，大きなどんぶりでご飯を2杯瞬く間に平らげた。

- Here we go again.「またかよ」（自分たちの仲間が同じことを始めて，うんざりしている表現。相手に言う場合には，There you go again.)
- Here it is. ①「ここにあった」（探し物を見つけて）；② = Here you are. ①
- Here comes our bus.「バスが来たよ」（代名詞の場合の語順は，Here it comes.)

820 **(jùst) aróund the córner**	(距離・時間的に)**すぐ近くに** ▶「角を曲がった所に」という元の意味でも使われる。
821 **màke** *oneself* **understóod**	**自分の言うことを相手にわからせる**
822 **Mỳ pléasure.**	《お礼の言葉に対して》**どういたしまして。** 🔁 You're (very [most]) welcome. ▶ The pleasure is (all) mine.; It's my [a] pleasure. などはさらに丁寧な応答。 ▶ With pleasure. は「快諾」を表す「喜んで;かしこまりました」の意味。
823 **púll** *A's* **lég**	***A***(人)**をかつぐ；*A*(人)をからかう** ▶「いじめる」などの悪意はない。
824 **sèe ~ óff**	**(人)を見送る** ▶ 反対に「~を出迎える」は meet。
825 **Sómething is wróng with ~.**	**~はどこか調子がおかしい[故障している]。** 🔁 There's something wrong with ~.; Something is the matter with ~. ▶ Nothing is wrong [the matter] with ~. であれば「~はどこもおかしくない」。
826 **spèak [óut / úp]**	**はっきり[思い切って]話す** ▶「(聞こえるように)大きな声で言う」の意味にもなる。

Summer vacation is **just around the corner**. (札幌大)	夏休みは<u>もうすぐだ</u>。
I could manage to **make myself understood** in English the other day. (愛知大)	先日，私はなんとか英語で<u>自分の言うことを伝える</u>ことができた。
"Thank you once again for coming to our program, Mr. Reneau." "**My pleasure**." (神戸市外語大)	「ルノーさん，番組へのご出演に再度お礼を申し上げます」「<u>どういたしまして</u>」
"Are you **pulling my leg**, Kate?" "Oh, no. I'm serious." (慶大)	「僕<u>をからかっている</u>の，ケイト？」「いいえ，本気よ」
Thanks a lot for coming down to the airport to **see** me **off**. (佛教大)	私<u>を見送り</u>に空港まで来てくれてどうもありがとう。
I knew from the beginning that **something was wrong with** him. (近畿大)	私は彼<u>がどこかおかしい</u>ことが最初からわかっていた。
I didn't have enough courage to **speak out** against the plan. (獨協大)	私には，その計画に反対だと<u>はっきり言う</u>勇気が十分になかった。

827 such as it is
これだけの[つまらない]ものですが
▶「低価値」であることを表明する表現。複数の場合には，such as they are。

828 take it easy
のんびりと構える
🔄 take things easy
▶ Take it easy.「気をつけて」という意味の別れのあいさつとしても使う。

829 take *one's* time
時間をかけてゆっくりやる；自分のペースでやる

830 ～ to death
死ぬまで～；ひどく～
▶ starve to death「餓死する」, freeze to death「凍死する」, burn to death「焼死する」は本当に死ぬことを意味するが，*be* bored to death は「死ぬほど退屈している」。

831 ～ to go
あと～；残りの～；持ち帰り用の～

832 watch *one's* step
足元に注意する；慎重に行動する
▶ watch *one's* mouth は「言葉に気をつける」, watch *one's* head は「頭に気をつける」, watch *one's* manners は「礼儀に気をつける」。

833 What a shame!
なんて残念な[気の毒な]。
🔄 What a pity!
▶「同情・残念」を表す表現で，「恥」とは無関係。

You are welcome to use my dictionary, <u>such as it is</u>.　　　（青山学院大）	大したものではありませんが，私の辞書をご自由にお使いください。
<u>Take it easy</u> for a while. Recently you've been working too hard.　（金沢工大）	しばらくの間のんびり構えてなさい。最近あなたは働きすぎですよ。
<u>Take your time</u>, or you might find yourself in the hospital again.　（玉川大）	自分のペースでやりなさいね，さもないと，また入院することになりかねないですよ。
It's a sad fact that millions of people starve <u>to death</u> every year.　（北里大）	毎年，何百万人もの人が餓死しているというのは悲しい事実だ。
I have only three days <u>to go</u> before the entrance examination.　（九州産業大）	入学試験まであと3日しかない。
<u>Watch your step</u>, everybody. The path ahead is quite slippery.　（中央大）	皆さん，足元に注意してください。前方の小道はかなり滑りやすいです。
Our team lost again? Oh, <u>what a shame</u>!　（青山学院大）	私たちのチームはまた負けたの？ああ，なんて残念な！

☐☐ 834 **What do you sáy to *do*ing?**	**〜するのはどうですか。** ▶ How about 〜? → 817 と同様に提案・勧誘を表す表現。 ▶ to *doing* の代わりに〈S + V〉を続けることもある。 ▶ do の代わりに would を使えば,「丁寧で控えめな」感じになる。
☐☐ 835 **What ... fòr?**	**どうして…。；何の目的で…。** ▶ 単に What for? が使われることも多い。
☐☐ 836 **What if ...?**	**もし…ならどうするか。** ▶「…しましょうか」の提案の意味や,「…しても構うものか」の意味にもなる。
☐☐ 837 **What 〜 lìke?**	**〜はどんなものか。** ▶ 様相を尋ねる表現。動詞には, be；look；sound；taste；feel などがよく使われる。
☐☐ 838 **What's úp?**	**何かあったのですか。；どうしたのですか。** ▶ くだけたあいさつで「最近どうしてる?」の意味でも使われる。
☐☐ 839 **Whỳ nót?**	**《誘いに対する承諾の返事として》それいいね。；ぜひそうしよう。** ▶ ほかに, 否定文に対する聞き返しの表現として,「どうしてなの?」の用法もある。
☐☐ 840 **You're kídding (me).**	**冗談でしょう。；まさか。** ⊜ You must be kidding.；Are you kidding?；No kidding. ▶ 信じられない事実を聞いたときなどによく使われる慣用的表現。

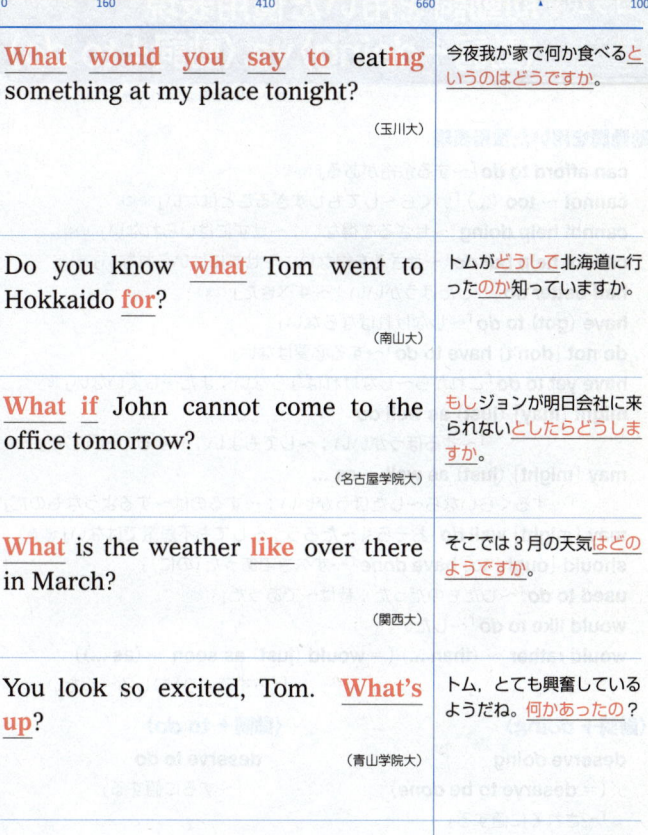

<u>What</u> <u>would</u> <u>you</u> <u>say</u> <u>to</u> eat**ing** something at my place tonight? (玉川大)	今夜我が家で何か食べる<u>というのはどうですか</u>。
Do you know <u>what</u> Tom went to Hokkaido <u>for</u>? (南山大)	トムが<u>どうして</u>北海道に行った<u>のか</u>知っていますか。
<u>What</u> <u>if</u> John cannot come to the office tomorrow? (名古屋学院大)	<u>もし</u>ジョンが明日会社に来られない<u>としたらどうしますか</u>。
<u>What</u> is the weather <u>like</u> over there in March? (関西大)	そこでは3月の天気<u>はどのようですか</u>。
You look so excited, Tom. <u>What's up</u>? (青山学院大)	トム，とても興奮しているようだね。<u>何かあったの</u>？
"How about going out for lunch now?" "Sure. <u>Why not</u>?" (川崎医大)	「今から昼食を食べに出かけない？」「いいよ。<u>ぜひそうしよう</u>」
"Oh no! I forgot to bring the box." "<u>You're kidding</u>. We don't have time to go back home to get it." (京都産業大)	「ああいけない。あの箱を持ってくるの、忘れた」「<u>冗談でしょう</u>。家にそれを取りに戻る時間はないよ」

コラム④ 助動詞を用いた慣用表現〈動詞＋*do*ing〉vs.〈動詞＋to *do*〉

(カッコ内の番号は，見出し熟語の番号を表す)

助動詞を用いた慣用表現

can afford to *do* 「～する余裕がある」(755)

cannot ～ too (...) 「いくら～してもしすぎることはない」(692)

cannot help *do*ing 「～ざるを得ない；～せずにはいられない」(694)

cannot help but *do* 「～ざるを得ない；～せずにはいられない」(693)

had better *do* 「～したほうがいい；～すべきだ」(130)

have (got) to *do* 「～しなければならない」

do not [don't] have to *do* 「～する必要はない」

have yet to *do* 「これから～しなければならない；まだ～していない」(870)

might [may] (just) as well *do*
「～するほうがいい；～してもよい；～するのも同じだ」(696)

may [might] (just) as well ～ as ...
「…するくらいなら～したほうがいい；…するのは～するようなものだ」

may [might] well *do* 「おそらく～だろう；～しても不思議ではない」(695)

should [ought to] have *done* 「～すべきであった（のに）」

used to *do* 「～したものだった；昔は～であった」(129)

would like to *do* 「～したい」

would rather ～ (than ...) (= would (just) as soon ～ (as ...))
「(…するより) むしろ～したい」(697)

〈動詞＋*do*ing〉

deserve *do*ing
(= **deserve to be *done***)
「～されるに値する」

forget *do*ing
「～したのを忘れる」

need *do*ing (= **need to be *done***)
「～される必要がある」

regret *do*ing
(= **regret having *done***)
「～したことを後悔する」

remember *do*ing (688)
「～したのを覚えている」

try *do*ing
「試しに～してみる」

〈動詞＋to *do*〉

deserve to *do*
「～するに値する」

forget to *do*
「～するのを忘れる」

need to *do*
「～する必要がある」

regret to *do*
「残念ながら～する」

remember to *do* (667)
「忘れずに～する」

try to *do*
「～しようと努める」

Part 5

ここで差がつく難熟語

160

ここに集めた160の熟語の中には頻度を度外視してでもぜひ知っておいてほしいものも入れてある。つまり、このPartはPart 4までのデータ中心とは少し異なり、筆者の独断と偏見がちょっぴり出ている。しかしそれは必ずや諸君のプラスになることを信じて疑わない。

Section 1	動詞句〈動詞＋前置詞〉17	284
Section 2	動詞句〈動詞＋副詞(句)ほか〉35	290
Section 3	動詞句(〈動詞＋(代)名詞〉ほか)31	300
Section 4	be動詞句・前置詞句17	308
Section 5	形容詞的・副詞的表現27	312
Section 6	純然たる副詞句33	320

Section 1 動詞句〈動詞＋前置詞〉17

841 abíde by ~

(法・約束など)に従う[を守る]
≒ stick to ~ → 244 ; stand by ~ → 320② ; adhere to ~ → 438 ; comply with ~ → 847

842 accóunt for ~

① ~の理由を説明する ; ~の説明となる

② (割合など)を占める

843 allów for ~

~を考慮に入れる ; ~を見込む
≒ make allowance(s) for ~
▶「(計画時に不測の事態のための)余裕を考慮しておく」の意味。

844 aspíre to ~

(大きな目標の達成など[~すること])を熱望する
▶ to 以降には、①名詞(その場合の to は前置詞)、②不定詞 to *do* の両方を続けることが可能。例文は②の例。

845 atténd to ~

~に注意を払う ; ~の世話をする ; ~を処理する
≒ take care of ~ → 114 ;
pay attention to ~ → 119

〈動詞＋前置詞〉の2語からなる熟語を集めた。初めて目にするものもあると思うが、ぜひ覚えておこう。

To learn to <u>abide by</u> the rules is essential to becoming a responsible person. (青山学院大)	ルール<u>を守る</u>ことができるようになることは、責任感のある人になることにとって不可欠である。
① A number of theories have been developed to <u>account for</u> global warming. (関西外語大)	①地球温暖化<u>の理由を説明する</u>ために数多くの理論が展開されてきている。
② The foodstuffs we Japanese import annually <u>account for</u> 60% of our food supply. (中京大)	②私たち日本人が毎年輸入する食料は、私たちの食糧供給の60%<u>を占める</u>。
When you make a travel plan, <u>allow for</u> some delays. (県立広島大)	旅行計画を立てるときは、いくらかの遅れ<u>を考慮に入れて</u>おきなさい。
My sister changes her mind quite often and now says she <u>aspires to</u> be a doctor. (早大)	姉[妹]は頻繁に気が変わり、今は医者になること<u>を熱望</u>している。
I still have a lot of work to <u>attend to</u>, so go on home without me. (同志社大)	<u>処理し</u>なければならない仕事がまだたくさんあるので、私抜きで帰ってください。

285

□□ 846 **boast [of / abòut] ~**	**~を自慢する；~を誇らしげに話す** ≡ *be* proud of ~； 　take pride in ~ → 630； 　pride *one*self on ~ → 729 ▶ boast (that) ... 「…であることを自慢する」のように that 節を続けることもできる。
□□ 847 **complý with ~**	**(規則・命令など)に従う；~に応じる** ≡ abide by ~ → 841；follow； 　obey
□□ 848 **cópe with ~**	**~に対処する；~をうまく処理する**
□□ 849 **déal in ~**	**(商品)を商う；(仕事など)に従事する** ▶ deal with ~ → 34 と区別すること。
□□ 850 **dispénse with ~**	**~なしで済ます** ≡ do without ~ → 453； 　go without ~
□□ 851 **dwéll [on / upòn] ~**	① **~を詳しく論じる[述べる；書く]** ② **~にこだわる；~をくよくよ[つくづく]考える**
□□ 852 **embárk [on / upòn] ~**	**(事業・計画など)に乗り出す；~を始める** ≡ begin；start；undertake ▶「遠大な事業・計画」に乗り出すニュアンス。

Jim **boasted about** how smart he was, and his friends called him a "show-off." (早大)	ジムは自分がいかに賢いかを自慢しており，彼の友人たちは彼を「自慢屋」と呼んでいた。
We must change our customs to **comply with** international standards. (追手門学院大)	私たちは国際基準に従うよう私たちの習慣を変えなければならない。
How do you **cope with** living in such a noisy neighborhood? (学習院大)	そのような騒々しい近辺での生活にどのように対処しているのですか。
Supermarkets today **deal in** almost all the goods we need. (名古屋外大)	今日のスーパーマーケットは私たちが必要とするほぼすべての品物を商っている。
Most of us cannot **dispense with** water for more than a few days. (中央大)	ほとんどの人は2，3日以上水なしで済ますことはできない。
① I'd like to **dwell on** this point further because it's so important. (東京理大)	①とても重要なので，私はこの点をさらに詳しくお話ししたいと思います。
② It's time we stopped **dwelling on** the damage we've suffered and moved on. (愛知教育大)	②私たちは被った被害についてくよくよ考えることはやめて，先に進む時期だ。
The government **embarked on** a campaign to raise awareness about discrimination. (鳥取大)	政府は差別についての意識を高める運動を始めた。

☐☐ 853 **indúlge in ~**	(快楽など)にふける；思う存分~する ▶ indulge *oneself* in ~ の形もあるが、その場合の indulge は他動詞。
☐☐ 854 **persíst in ~**	~に固執する；~を主張する ▶ 名詞が続く場合には in が with になることもある。
☐☐ 855 **séttle for ~**	(不十分ながら)~で我慢する ▶ settle for second best「次善のもので我慢する」
☐☐ 856 **téll [on / upòn] ~**	~に(悪く)影響する；~にこたえる ▶ ほかに「(特に子供が)~のことを告げ口する」の意味もある。[例] Promise not to tell on me for this. (このことで告げ口しないと約束してよ)
☐☐ 857 **yéarn for ~**	~にあこがれる；~を恋しがる ▶ yearn after ~；yearn to *do* も同じ意味だが、文学的な表現。

I'm afraid he's **indulging in** things that are bad for his health. (京都工繊大)	残念ながら、彼は健康に悪いことにふけっているようだ。
We won't be able to reach a consensus if he **persists in** his demand. (東北大)	彼が自分の要求に固執するなら、私たちは意見の一致に至れないだろう。
I don't want you to **settle for** second best when you can achieve the best. (京大)	1番を達成できるのに、あなたに2番目で我慢してほしくありません。
The succession of late nights was beginning to **tell on** his health. (青山学院大)	連日の夜更かしは彼の健康に影響を与え始めていた。
The child **yearned for** his mother, whom he hadn't seen for a year. (山口大)	その子供は母親を恋しがった。彼は母親に1年間会っていなかったのだ。

Section 2 動詞句〈動詞＋副詞〈句〉ほか〉35

858 **còme dówn with ~**	(病気)にかかる
859 **còme of áge**	(法律的に)成人に達する
860 **còme to [an énd / a clóse]**	終わる ▶ 他動詞的に「~を終わらせる」は，bring ~ to an end [a close]。 ▶ 「(動いているものが)止まる」は，come to a stop [halt]，「~を止める」は，bring ~ to a stop [halt]。
861 **còme to líght**	明るみに出る；現れる ▶ 他動詞的に「~を明るみに出す」は，bring ~ to light。
862 **còme to térms with ~**	~と折り合いがつく；(あきらめて)~を受け入れる ▶ terms は常に複数形。
863 **fàll báck [on / upòn] ~**	(最後の手段として)~に頼る
864 **fàll shórt of ~**	~に達しない ▶ fall の代わりに come；go；run も使う。 ▶ be short of ~ は「~に達していない」という「状態」を表す。
865 **gèt dówn to ~**	(仕事・問題など)に本気で取り掛かる

動詞句の熟語で注意を要するものを中心に集めた。熟語だけを見て日本語の意味を推測するのが難しいものもあるので，しっかり暗記しよう。

Because he came down with the flu, he was forced to stay at home. （センター試験）	インフルエンザにかかったので，彼はやむなく家にいた。
My father's generation came of age in the mid- to late 1960s. （青山学院大）	私の父の世代は1960年代半ばから後半に成人に達した。
World War II came to an end in August, 1945. （東大）	第二次世界大戦は1945年の8月に終わった。
A new fact came to light when the author e-mailed the publishers. （青山学院大）	その著者が出版社にEメールを送ったとき，新たな事実が明るみに出た。
It took years for Jim to come to terms with his mother's death. （中央大）	ジムが彼の母親の死を受け入れるのには数年かかった。
My family never had any savings to fall back on in time of need. （早大）	私の家族は困った時に頼る蓄えがあったことは一度もなかった。
The professor's lecture fell far short of the students' expectations. （中央大）	その教授の講義は学生たちの期待にはるかに及ばなかった。
I think it's high time to get down to writing that biology report. （関西学院大）	もうあの生物学のレポートを書くのに本気で取り掛かるときだと思う。

291

☐☐ 866 **gèt on** *A*'s **nérves**	**A の神経にさわる**
☐☐ 867 **gò a lòng wáy (toward(s) ~)**	**(~に)大いに役立つ** ▶ toward(s) の代わりに，to；in；to *do* も用いられる。
☐☐ 868 **gò òut of** *one*'s **wáy to** *do*	**わざわざ[故意に]~する**
☐☐ 869 **hànd óver ~**	**~を引き渡す；~を手渡す** 【語順】hand ~ over も。
☐☐ 870 **have yèt to** *dó*	**これから~しなければならない；まだ~していない** 同 have still to *do*
☐☐ 871 **hòld trúe**	**当てはまる；有効である** 同 hold good ▶ hold は remain の意味で，(S)VC の文構造。
☐☐ 872 **lèt dówn ~**	**~を失望させる** ▶ let ~ down の語順が圧倒的に多い。 ▶「~を降ろす」という元の意味でも使う。
☐☐ 873 **lèt gó (of ~)**	**(~を)手放す；(~を)捨てる** 同 release
☐☐ 874 **live úp to ~**	**(期待など)に添う；~に恥じない行動をする；(義務など)を果たす**

Loud sounds from the TV sometimes <u>get on my nerves</u>. (上智大)	テレビの大きな音はときどき<u>私の神経にさわる</u>ことがある。
A broad smile <u>goes a long way towards</u> creating a friendly atmosphere. (電気通信大)	満面の笑みは打ち解けた雰囲気を作り出すの<u>に大いに役立つ</u>。
The boy kindly <u>went out of his way to</u> take me to the station. (山形大)	その少年は親切にも、<u>わざわざ</u>私を駅まで連れて行っ<u>てくれた</u>。
After I finished shopping, I <u>handed over</u> a ten-dollar bill to the salesclerk. (法政大)	買い物を終えた後、私は店員に10ドル札<u>を手渡した</u>。
I want to buy that machine, but I <u>have yet to</u> save enough money. (慶大)	私はあの機械を買いたいが、<u>まだ</u>十分なお金をためて<u>いない</u>。
What you promised us last year still <u>holds true</u> today, doesn't it, Dad? (関西外語大)	昨年私たちに約束したことは今日でもまだ<u>有効だ</u>よね、お父さん。
We all knew we'd <u>let down</u> Coach Graham; he looked so sad. (東邦大)	私たちは皆、コーチのグラハム氏<u>を失望させた</u>ことをわかっていた。彼はとても悲しそうだった。
Don't <u>let go of</u> this rope until I tell you to. (法政大)	私が言うまでこのロープ<u>から手を放して</u>はいけないよ。
I think everyone should try hard to <u>live up to</u> their own goals. (慶大)	自分自身の目標<u>を果たす</u>ために、誰もが一生懸命やってみるべきだと思う。

□□ 875 **màke belíeve (that ...)**	**(…という)ふりをする** ≒ pretend ▶ that 節のほかに to do も用いられる。
□□ 876 **màke dó (with ~)**	**(代用品などで)間に合わせる** ▶「~なしで済ます」なら，make do without ~（≒ do without ~ → 453）; dispense with ~ → 850。
□□ 877 **màke góod (~)**	**① 成功する** ≒ succeed **② (約束など)を果たす；(損害など)を償う** ▶「(約束など)を果たす」の意味では，《米》式では，make good on ~ の形も多い。
□□ 878 **mìss óut on ~**	**(好機など)を逃す；~を取り逃がす**
□□ 879 **pàss óut**	**気絶する；酔いつぶれる** ▶ ほかに，他動詞で「~を配る」の意味もある。その場合は，pass ~ out も。〔例〕He strongly denied writing or passing out those handouts.（彼はそれらのビラを書いたり配ったりしたことを強く否定した）
□□ 880 **ránge from A to B**	**A から B に及ぶ**
□□ 881 **réad betwèen the línes**	**行間を読む；暗黙のうちに理解する** ▶ lines は必ず複数形。関連情報 (p.218)参照。

Mary used to **make believe that** she was married to a rich man. (青山学院大)	メアリーは，金持ちの男性と結婚しているふりをしていた。
Since we didn't have a bucket, we had to **make do with** a plastic bag. (滋賀大)	バケツがなかったので，私たちはビニール袋で間に合わせなければならなかった。
① I'm sure he'll **make good** in his new job. (東大)	①きっと彼は新しい仕事で成功するだろう。
② I'd be ashamed of myself if I didn't **make good on** my promise. (福島県医大)	②約束を果たさなかったら，私は自分を恥じるだろう。
Apply immediately, Ken, or you'll **miss out on** a good opportunity. (東京電機大)	ケン，直ちに申し込みなさい。さもないと，好機を逃しますよ。
Father **passed out** last night and was rushed to the hospital by ambulance. (広島大)	父は昨晩意識を失い，救急車で病院に急いで搬送された。
The participants **ranged** in age **from** early teens **to** late eighties. (和歌山大)	参加者の年齢は10代前半から80代後半に及んだ。
To understand the content of any book thoroughly, we need to try to **read between the lines**. (明治学院大)	どんな本の内容でも完全に理解するには，行間を読もうとすることが必要である。

□□ 882 [ríse / gét] to *one's* féet	**立ち上がる** 同 stand up ▶「さっと立ち上がる」は jump [spring] to *one's* feet。
□□ 883 rùle óut ~	**(可能性など)を排除する；~を認めない** [語順] rule ~ out も。
□□ 884 sìngle óut ~	**~を選び出す** 同 select ; choose [語順] single ~ out も。
□□ 885 spèak íll of ~	**~の悪口を言う** 反 speak well [highly] of ~ ▶ ill のほかに，badly；evil なども使われる。 ▶ 受動態 be ill [well] spoken of ~ (of を落とさないこと)。
□□ 886 tèar dówn ~	**(建物)を取り壊す；~を打ち砕く** [語順] tear ~ down も。
□□ 887 thìnk bétter of ~	**~を見直す；~を考え直してやめる** ▶ think better of it の形が多い。
□□ 888 thìnk [múch / híghly] of ~	**~を尊敬[尊重]する；~を高く評価する** 同 respect ; think a lot of ~ ; 　　think the world of ~ 反 think little [poorly] of ~ ▶ much は主に否定文で使われる。

The moment Miyo heard her name announced, she **rose to her feet**. (川崎医大)	ミヨは自分の名前が発表されるのが聞こえたとたん、立ち上がった。
The politician **ruled out** the possibility of an early election. (埼玉工大)	その政治家は早期の選挙の可能性を認めなかった。
I can't understand why my son is always **singled out** for criticism. (東京医大)	息子がなぜいつも批判のやり玉に上げられるのか、私には理解できない。
Don't **speak ill of** others behind their backs. (駒澤大)	影で人の悪口を言ってはいけない。
The buildings which were used in the world fair were **torn down**. (白百合女大)	世界博覧会で使われた建物が取り壊された。
I thought I'd ask him for advice, but then I **thought better of** it. (神戸大)	彼に助言を求めようと思ったが、その後考え直してやめた。
The film director was **highly thought of** by most critics. (東北大)	その映画監督はほとんどの批評家に尊敬されていた。

☐☐ 889 **think twice**	**よく考える；考え直す** ▶「考え直す」の意味では, think again とも言う。
☐☐ 890 **throw úp (〜)**	**① 〜を投げ(上げ)る；〜をさっと上げる** 【語順】throw 〜 up も。 **② (食べた物を)吐く** 【語順】他動詞では throw 〜 up も。
☐☐ 891 **watch óut (for 〜)**	**(〜に)気をつける** **同** look out (for 〜) → 339①
☐☐ 892 **work óut (〜)**	**① 〜を作り出す；〜を解決する；〜の答えを出す；(計画が)うまくいく** 【語順】他動詞では work 〜 out も。 **② 運動する**

If I were you, I'd **think twice** about investing in that project. (東洋大)	もし私があなただったら、あのプロジェクトに投資することについて考え直すだろう。
① She **threw up** her hands before jumping into the river below. (島根大)	①彼女は両手をさっと上げて、下の川に飛び込んだ。
② On the boat he began to feel seasick and felt like **throwing up**. (横浜市大)	②船上で彼は船酔いになってきて、吐きたくなった。
Watch out for pickpockets when you go to a crowded place like that. (関西大)	あのような混雑した場所に行くときは、すりに気をつけて。
① Oh, this is too difficult. I may not be able to **work** it **out** by myself. (早大)	①ああ、これは難しすぎる。自分一人でそれの答えを出すことはできないかもしれない。
② Ted's two hobbies are fishing and **working out** in the gym. (佛教大)	②テッドの2つの趣味は、魚釣りとジムで運動することだ。

Section 3 動詞句(〈動詞+(代)名詞〉ほか)31

893
ascribe A to B

A を B のせいにする
同 attribute A to B → 518

894
bréak the íce

(会合などの初めの)**緊張をほぐす；話の口火を切る**

895
bring A hòme to B

A(ある事柄)**を B**(人)**に痛感させる**
▶ home は副詞で「徹底的に」の意味。A が長い場合には、例文のように bring home to B A の語順にもなる。
▶ 自動詞 come を使えば、A comes home to B の形になる。

896
dò ~ jústice

~を正当に評価する；(写真などが)**~を実物どおりに表す**
▶ do justice to ~ の形になることもある。

897
find *oneself*

(気がついてみると)**(人が)~にいる；~である；~とわかる**
▶ find oneself=be 動詞に置き換えると理解しやすい。
▶ find oneself doing は be doing で「進行形」, find oneself done は be done で「受動態」のニュアンス。

898
fòllow súit

先例に従う；人のまねをする

899
[gèt / hàve] **the bétter of ~**

~に勝つ；~を出し抜く
同 defeat ; overcome

ここでは、〈動詞＋名詞〉の組み合わせの熟語が中心となるが、名詞は複数形、単数形、〈a(n)＋単数形〉などあるので、注意しながら覚えよう。

He **ascribed** his poverty **to** disease and bad luck. (阪大)	彼は自分の貧しさを病気と不運のせいにした。
At a gathering, it takes some courage to **break the ice** with a joke or two. (東京工大)	集まりでは、1つ2つのジョークで場をなごませるにはいくらか勇気がいる。
The scenes on TV **brought home to** me the horror of the war. (高崎経大)	テレビのいくつかの場面が、私に戦争の恐怖を痛感させた。
I don't think this photo **does justice to** her at all. (都留文科大)	この写真は全く彼女を実物どおりに写していないと思う。
After having walked around for some time, I **found myself** completely lost. (津田塾大)	しばらく歩き回った後、気がつくと私はすっかり道に迷っていた。
Taro jumped into the river, and the rest of the boys **followed suit**. (同志社大)	タロウは川に飛び込み、残りの少年たちが後に続いた。
No one can **get the better of** her in an argument. (青山学院大)	誰も議論で彼女に勝つことはできない。

301

☐☐ 900 **gìve** *A* **crédit for** *B*	**A (人)を B (事柄)のことで称賛する [認める]** ▶ credit はここでは「称賛；名誉」の意味(不可算名詞)。
☐☐ 901 **kéep ~ cómpany**	**~と一緒にいる；~に付き合う**
☐☐ 902 **kéep ~ in chéck**	**~を抑える；~を食い止める** 同 hold ~ in check
☐☐ 903 **kéep ~ to** *onesélf*	**~を人に話さないでおく；~を占有する**
☐☐ 904 **kèep tráck of ~**	**~の跡をたどる；(記録するなどして) ~を忘れないようにする** 反 lose track of ~
☐☐ 905 **know ~ by sight**	**(人)の顔は見て知っている** ▶ know ~ only by name なら、「~の名前だけは(聞いて)知っている」。by については ➡ 977 参照。
☐☐ 906 **lóok ~ in the [éye(s) / fáce]**	**~の目 [顔] を正視する** ▶ look at ~ in ... としない。 ▶ look ~ straight in the eye(s) [face] とすることも多い。
☐☐ 907 **lóse** *one's* **témper**	**冷静さを失う；腹を立てる** 反 keep *one's* temper
☐☐ 908 **màke (bòth) énds méet**	**収入内でやりくりする** ▶ both は現在では省略が普通。ends は必ず複数形。関連情報 (p.218) 参照。

I **give** you **credit for** solving all those problems in such a short time, Hideo. （東京理大）	そんなに短時間でそれらすべての問題を解けた君を大いに評価するよ，ヒデオ。
Tim, our cat, loves to **keep** us **company** all the time. （摂南大）	飼い猫のティムは，いつも私たちと一緒にいるのが大好きだ。
I think this is the time when we should learn to **keep** our greed **in check**. （鳥取大）	私たちは今こそ自分たちの貪欲さを抑えられるようにならなければいけない時だと思う。
Don't **keep** all your worries **to yourself** — share them with your close friends. （追手門学院大）	心配事をすべて自分で抱え込んではいけません。あなたの親友たちと分かち合いなさい。
I'm going to **keep track of** all the money we spend during this trip. （茨城大）	私はこの旅の間，私たちが使うすべてのお金を記録するつもりだ。
The woman I am to meet today does not **know** me **by sight**. （成城大）	私が今日会う予定の女性は，私の顔を知らない。
During a job interview, be sure to **look** the interviewer **in the eye**. （亜細亜大）	就職の面接試験の間は，必ず面接官の目をまっすぐ見ること。
My father **lost his temper** on finding out that I had lied. （西南学院大）	私がうそをついたことがわかったとたん，父は腹を立てた。
More people are finding it hard to **make ends meet** these days. （札幌大）	近ごろ，ますます多くの人が収入内でやりくりするのが難しいと思うようになってきている。

☐☐ 909 **màke a fóol of ~**	**~を笑いものにする** ▶ make a fool of *oneself* は「ばかなまねをして笑いものになる」。
☐☐ 910 **màke múch of ~**	**~を重要視する；(否定文で)~を理解する** ▶「重要視する」から発展して「~をちやほやする」の意味にもなる。 ▶ 意味に応じて，much の代わりに，nothing；little；anything；light などが使われる。
☐☐ 911 **pày a vísit (to ~)**	**(~を)訪問する** ▶ pay ~ a visit の形も多い。
☐☐ 912 **plày a tríck (on *one*)**	**(人に)(悪意のない)いたずらをする** ▶ play a (practical) joke (on *one*) とも言う。
☐☐ 913 **presént *oneself***	**現れる；出頭する**
☐☐ 914 **pùt an énd to ~**	**~を終わらせる** 🔵 put a stop to ~；bring an end to ~
☐☐ 915 **pút ~ to úse**	**~を利用する** ▶ use は名詞であるから，[ju:s] と発音する。use には good などの形容詞も付く。
☐☐ 916 **sée múch of ~**	**(人)にたびたび会う** 🔵 see a lot [a great deal] of ~ ▶ much は意味に応じて，more；a lot；something；little；nothing などに変化する。[例] see nothing of him「彼に全然会わない」 ▶ 肯定文では，much よりも a lot；a great deal などを使うほうが普通。

Don't **make a fool of yourself** in front of all these girls, Tom. (早大)	トム，これらの少女たち全員の前でばかなまねをして笑いものになってはいけません。
I think the news media are **making** too **much of** the results of the latest health study. (関西学院大)	マスコミは最新の健康調査の結果を重要視しすぎていると思う。
It is a Japanese custom to **pay a visit to** a shrine on New Year's Day. (大阪学院大)	元日に神社にお参りするのは日本の習慣です。
I still remember some **tricks** we **played on our teachers** a long time ago. (南山大)	ずっと昔に私たちが先生たちにしたいくつかのいたずらを私はまだ覚えている。
In a few years, a new opportunity **presented itself**, and she took advantage of it. (筑波大)	数年後，新しい機会が到来し，彼女はそれを利用した。
Sadly, it's very difficult to **put an end to** conflicts caused by racism. (上智大)	悲しいことに，人種差別によって引き起こされた争いを終わらせることはとても難しい。
When abroad, **put** what you've learned in English class **to** good **use**. (名古屋外大)	外国にいるときは，英語の授業で習ったことをうまく利用しなさい。
I don't **see much of** him now, but we used to see a lot of each other. (芝浦工大)	今では彼にあまり会わないが，かつてはたびたび会っていたものだ。

305

□□ 917 [sée / dó] the síghts (of ~)	**(~の)観光をする** ▶ do は主に《米》式。sights は必ず複数形。 **関連情報** (p.218)参照。
□□ 918 táke ~ by surprise	**~を驚かす；~の不意を打つ** ▶ *be* taken by surprise の受動形もよく使われる。
□□ 919 tàke hóld of ~	**~をつかむ；~を捕まえる** ▶ take の代わりに，catch；get；grab；lay；seize なども使うが，take が最も一般的。
□□ 920 táke ~ into accóunt	**~を考慮に入れる** 🔲 take account of ~ ； 　 take ~ into consideration ▶ 「~」が長い場合には，take into account [consideration] ~ の語順にもなる。
□□ 921 tàke nótice of ~	**~に注意[注目]する；~に気づく** 🔲 pay attention to ~ → 119； 　 become aware of ~
□□ 922 tàke páins	**骨を折る；努力する** 🔲 go to (great) pains； 　 try hard；make efforts ▶ pains は必ず複数形。**関連情報** (p.218)参照。 ▶ painstaking は形容詞で「労を惜しまない」の意味。
□□ 923 tàke túrns	**交代する** ▶ turns は必ず複数形。**関連情報** (p.218)参照。take turns の後には，*doing*(一般的)；at [in] *doing*；to *do* のいずれも続けることが可能。

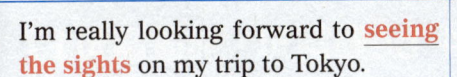

I'm really looking forward to <u>seeing</u> <u>the sights</u> on my trip to Tokyo. (早大)	私は東京への旅行で観光をすることをとても楽しみにしている。
I was totally <u>taken</u> <u>by</u> <u>surprise</u> when she began to find fault with me. (国学院大)	彼女が私にけちをつけ始めたとき、私はとても驚いた。
Henry abruptly <u>took hold of</u> my arm and signaled me to be quiet. (常葉学園大)	ヘンリーは突然私の腕をつかみ、静かにするよう私に合図した。
If you plan an overseas trip, you should <u>take</u> your personal safety <u>into account</u>. (大阪学院大)	海外旅行を計画するなら、自分の身の安全を考慮に入れるべきだ。
Ted <u>took</u> no <u>notice of</u> the wet paint and got his shirt dirty. (北海学園大)	テッドは塗りたてのペンキに気づかず、シャツを汚してしまった。
All of us in the class <u>took</u> great <u>pains</u> to solve that math problem. (西南学院大)	私たちクラスの全員があの数学の問題を解くのに大変苦労した。
My sister and I <u>take</u> <u>turns</u> helping Mother with the cooking. (関東学院大)	姉[妹]と私は母が料理するのを交代して手伝う。

Section 4 be動詞句・前置詞句 17

924
be besíde onesèlf (with ~)
(~で)我を忘れる；(~に)夢中である

925
be crúcial to ~
~にとって重要である

926
be indífferent to ~
~に無関心[平気]である

927
be intént [on / upòn] ~
~に懸命である；~に熱心である
≒ *be* keen on ~ → 928

928
be kéen on ~
~に熱心である；~が大好きである
≒ *be* crazy about ~ → 789 ;
be enthusiastic about ~ ;
be intent on [upon] ~ → 927

929
be líable to ~
~しがちである；~にかかりやすい
▶ 好ましくない状況に用いられる。
▶ 後には不定詞も名詞(句)も来る。

930
be sécond to nóne
誰[何物]にも劣らない；最高である

931
be suscéptible to ~
~の影響を受けやすい；~に感染しやすい
▶ be の代わりに、「…やすくなる」なら become を使う。

前半に be 動詞句，後半に前置詞句を中心に集めた。最後の 940 は後ろに節が来るので，接続詞的な表現となっている。

He was beside himself with joy when he passed the examination. (中央大)	彼はその試験に合格すると喜びで我を忘れた。
Fish farming is crucial to the development of our city. (慶大)	魚の養殖は私たちの市の発展にとって重要だ。
It's a shame that so many people are indifferent to the environment. (慶大) *It's a shame that ... 「…は残念[遺憾]である」	非常に多くの人が環境に無関心であることは残念だ。
Mozart had a father who was intent on improving his son's skills. (都留文科大)	モーツァルトには，息子の技能を高めることに熱心な父親がいた。
I'm not so keen on going out tonight; I'd rather stay home. (山口大)	今夜はそれほど出かけたくはない。むしろ家にいたい。
In a globalized economy, even the largest businesses are liable to go bankrupt. (青山学院大)	グローバル化経済では，最も大きな企業でさえ破産しがちである。
In her class, she is second to none in English. (関西外語大)	彼女のクラスでは，彼女は英語で誰にも劣らない。
Starving people become susceptible to many diseases. (鹿児島大)	飢えている人々は多くの病気に感染しやすくなる。

Part 5 ここで差がつく難熟語160　Section 4 be動詞句・前置詞句17

☐☐ 932 **as of ~**	**～現在で；～の時点で**
☐☐ 933 **beyond the reach of ~**	**～の(手が)届かない所に** 同 beyond [out of] *one's* reach 反 within the reach of ~ ; within *one's* reach
☐☐ 934 **in accordance with ~**	**～に従って；～に応じて** 同 according to ~ → 144② ▶ according to ~ のほうが一般的。
☐☐ 935 **in proportion to ~**	**～に比例して** ▶「～のわりには」の意味になることもある。
☐☐ 936 **in store (for ~)**	**(～のために)用意して；(～の身に)降りかかろうとして**
☐☐ 937 **on ~ terms with** *A*	***A* と～の関係で** ▶「～」の部分には形容詞が入る。good；friendly は「親しい間柄」，speaking は「会えば言葉を交わす間柄」など。terms は常に複数形。関連情報 (p.218)参照。
☐☐ 938 **on the verge of ~**	**～の瀬戸際で；～しそうで** 同 on the brink of ~
☐☐ 939 **so much for ~**	**～はこれでおしまい；～はそんなところ**
☐☐ 940 **to the effect that ...**	**…という趣旨の[で]**

As of October 2011, the world's population was over 7 billion. (関西学院大)	2011年10月の時点で，世界人口は70億人を超えていた。
In just a few minutes, the boys were **beyond the reach of** our voices. (県立広島大)	ほんの数分後には，少年たちは私たちの声の届かない所にいた。
We are expected to do things **in accordance with** the law. (成蹊大)	私たちは法に従って物事を行うことを求められている。
Generally speaking, the price goes up **in proportion to** the size of the product. (東京慈恵会医大)	一般的に言って，価格は商品のサイズに比例して高くなる。
None of us knows what fate has **in store for** us. (東大)	自分たちの身にどのような運命が降りかかろうとしているか私たちの誰も知らない。
We've been **on** friendly **terms with** our neighbors for many years. (青山学院大)	私たちは長年，隣人たちと良い関係にある。
After she'd seen the drama, Satomi appeared to be **on the verge of** tears. (和歌山県医大)	そのドラマを見た後，サトミは今にも泣き出しそうだった。
So much for today, class! I'll see you all on Tuesday. (東大)	クラスの皆さん，今日はこれでおしまいです。火曜日にお会いしましょう。
He sent a note **to the effect that** he'd be absent from the meeting. (兵庫県大)	彼は会議に欠席するという趣旨のメモを送った。

311

Section 5 形容詞的・副詞的表現27

941 (áll) on *one's* ówn
(すべて)自分１人で；(すべて)独力で
同 (all) by *oneself* → 725②

942 as fóllows
次のとおり
▶ 後にコロン(:)を付けるのが普通。

943 as súch
そういうものとして；それ自体

944 at *A's* dispósal
A の自由になって；*A* が自由に使えて

945 at íssue
論争中の[で]；問題の

946 at *one's* wìt's énd
途方に暮れて
同 at a loss → 570
▶ wits' ともつづる。

947 at stáke
危うくなった[なって]；賭けられた[られて]

ここでは，形容詞的な表現と副詞的な表現を集めた。より理解を深めるために，例文中で使い方を確認しながら，最後までがんばろう。

Now that my brother is in college in Tokyo, he's living **on his own**. (上智大)	兄[弟]は現在東京の大学に在籍しているので，彼は自分1人で暮らしている。
In short, what he wanted to say was **as follows**: "Never say die!" (関東学院大) *Never say die!「弱音を吐くな」〔ことわざ〕	要するに，彼が言いたかったことは次のようなことだった。「弱音を吐くな！」
Now that she is a student, she should behave **as such**. (尾道大)	彼女はもう学生なのだから，そのように行動しなければならない。
The car we've left in the hotel parking lot is **at your disposal**. (神戸大)	ホテルの駐車場に置いてきた車は，あなたの自由に使ってください。
What's **at issue** is not when we go but whether any of us should go at all. (青山学院大)	問題になっているのは，私たちがいつ行くのかではなく，そもそも私たちのうちの誰かが行くべきかどうかである。
I can't decide whether I should go or stay; I'm really **at my wit's end**. (明治大)	行くべきかとどまるべきか決められない。私は本当に途方に暮れている。
We cannot afford to fail because our company's reputation is **at stake**. (中央大)	私たちには失敗する余裕はありません。なぜなら我が社の評判がかかっているからです。

313

☐☐ 948 **beyònd descríption**	言葉では表現できないほどの[に] ▶「〜を超えている」を表す beyond を含む例として，beyond recognition「見分けがつかないほど」, beyond doubt [question]「疑いもなく」などもある。
☐☐ 949 **èvery óther 〜**	① 1つ[1日；1週；…]おきの[に]〜 同 every second 〜 ② 残りのすべての〜
☐☐ 950 **in éarnest**	熱心に；本格的に ▶ earnest には real；good などの形容詞も付く。
☐☐ 951 **in gòod shápe**	調子が良くて 反 in bad shape；(be) out of shape ▶ shape は無冠詞。
☐☐ 952 **in the wórks**	準備中で；計画[開発]中で 同 in the pipeline
☐☐ 953 **nóthing shórt of 〜**	まさしく〜(の) ▶「〜に達しないものは何もない」→「〜に十分に達する」からこの意味になる。
☐☐ 954 **〜 of *one's* ówn**	自分自身の〜 ▶ 名詞(句)の直後に置かれる。

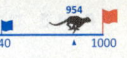

The beauty of the scenery on the island was **beyond description**. (佛教大)	島の景色の美しさは言葉では表現できないほどであった。
① Dr. Brown keeps himself fit by swimming **every other day**. (関東学院大)	①ブラウン博士は1日おきに泳ぐことで健康を維持している。
② We should remember that each of us has responsibilities for **every other** human being. (一橋大)	②私たちは，誰もがほかのすべての人間に対して責任があるということを忘れてはならない。
It started to rain **in earnest** soon after I left the office. (日本女大)	私が会社を出た後すぐに，本格的に雨が降り出した。
My grandfather seemed to be **in good shape** when I saw him last. (東北学院大)	祖父は私が前回会ったときは体調が良さそうだった。
This tax bill has been **in the works** for at least three years now. (東京外大)	この課税法案はもう少なくとも3年は（議会提出のための）準備がなされてきた。
I never expected he would win; to me, this is **nothing short of** a miracle. (上智大)	彼が勝つとは全く思わなかった。私にとってこれはまさしく奇跡である。
Each of us brothers wants to have a room **of our own**. (関西学院大)	私たち兄弟のそれぞれが自分自身の部屋を持ちたがっている。

Part 5 ここで差がつく難熟語160 Section 5 形容詞的・副詞的表現27

955
off the márk / wide of the márk

(発言などが)**的はずれの[で]**
- 同 beside the point
- 反 to the point → 618 ; on the mark

956
on a díet

ダイエット中の[で]
- ▶ go on a diet は「ダイエットを始める」。逆は, go [come] off a diet「ダイエットをやめる」。

957
on the ~ síde

~気味で[の]
- ▶ 「~」の部分には普通,「性質」を表す形容詞が入る。

958
on the típ of *one's* tóngue

(名前などが)**のどまで出かかっているが思い出せない**
- ▶ 「(批判などが口から出かかったが) 思いとどまる」の意味でも使われる。

959
out of bréath

息切れして
- 同 short of breath

960
out of wórk

失業中で

961
quite a féw ~

かなりの数の~
- 同 a fairly large number of ~

316

I'm afraid what you said about the matter was entirely off the mark. (早大)	残念ながら, その問題についてあなたが言ったことは全く的はずれだったと思う。
I'm forever on a diet, since I put on weight easily. (成蹊大)	私は体重が増えやすいので, ずっとダイエット中だ。
Her husband is a nice-looking man who is a little on the lean side. (お茶の水女大)	彼女の夫はやややせ型のハンサムな人である。
His name is on the tip of my tongue, but I can't recall it for the life of me. (中央大) *not ~ for the life of *one*「どうしても〜ない」	彼の名前はのどまで出かかっているのだが, どうしても思い出せない。
By the time we reached the top, we were completely out of breath. (龍谷大)	頂上に着くころまでには, 私たちはすっかり息切れしていた。
Many people have been out of work during this recession. (大阪電通大)	この不況の中, 多くの人が失業している。
Unfortunately, there are quite a few problems yet to be solved. (山梨大)	残念なことに, まだ解決されていない問題がかなりある。

Part 5 ここで差がつく難熟語160　Section 5 形容詞的・副詞的表現27

☐☐ 962 **ríght as ráin**	**すっかり健康になって** ▶ 関連情報 参照。
☐☐ 963 **scóres of ～**	**多数の～** 同 a lot of ～ ▶ score は「20」の意味。「数詞」に続くときには、複数形にならない。[例] three score (of) people「60人」（大げさで古風な言い方）
☐☐ 964 **sómething of a ～**	**ちょっとした～；ある程度の～** ▶「大した～でない」は not much of a ～。「～どころではない」は，nothing of a ～。
☐☐ 965 **to À's advántage**	**A に有利な[に]**
☐☐ 966 **ùnder constrúction**	**建築中で；工事中で** ▶ under repair は「修繕中で」。
☐☐ 967 **ùnder wáy**	**(計画などが)進行中で** ▶ underway と1語につづることも増えている。

関連情報　right as rain (962) と類似の表現

- as right as rain が元の形。
- as ～ as の形で昔から使われてきた慣用表現は多い。すべて very に置き換えて考えればよいが，いくつかの例を挙げておく。
- (as) busy as a bee「大忙しの」(≒very busy)

Erina is <u>right as rain</u> now; in fact, she's already started taking some dance classes. (センター試験)	エリナは今では<u>すっかり健康になっている</u>。実際，彼女はすでにいくつかのダンスの授業を受け始めている。
<u>Scores of</u> workers were hurt in an accident that occurred in a tunnel. (成蹊大)	トンネル内で起こった事故で<u>多数の</u>労働者がけがをした。
Tom was <u>something of a</u> bully as a boy and often did some mean things to me. (静岡大)	トムは少年のころ<u>ちょっとした</u>いじめっ子で，私によく意地悪なことをした。
It's clearly <u>to your advantage</u> to have a good command of English. (神戸大)	英語が堪能であることは明らかに<u>あなたに有利</u>である。
We had to make a detour because the bridge was still <u>under construction</u>. (明治大)	その橋がまだ<u>工事中</u>だったので，私たちは回り道をしなければならなかった。
The construction of the tower is well <u>under way</u> now. (東北学院大)	その塔の建設はもうかなり<u>進行して</u>いる。

- (as) like as two peas (in a pod)「瓜二つの」〔like は形容詞〕（≒very much alike）
- (as) quick as lightning [thought]「電光石火のごとく」（≒very quick）
- (as) cunning as a fox「非常にずる賢い」（≒very cunning）
- (as) cool as a cucumber「冷静沈着な」（≒very cool）
- (as) poor as a church mouse「とても貧しい」（≒very poor）

Part 5 ここで差がつく難熟語160

Section 6 純然たる副詞句33

968 àll alóng
最初からずっと
▶ 副詞句。all along the coast「海岸に沿ってずっと」などの用法と混同しないこと。

969 áll tòo
とても；非常に
同 only too → 995①②
▶「残念ながら」のニュアンスを持つこともある。

970 at *A*'s convénience
A の都合の良いときに

971 (at) fírst hánd
直接に；じかに
▶ firsthand と1語でも表せる。

972 at héart
心の底では；根は；本当は

973 [at / on] shòrt nótice
急に；即座に
▶ at [on] a moment's notice とも言う。
at [on] two weeks' notice なら,「2週間の予告で」。

974 at wíll
思いのままに；随意に

975 behìnd *A*'s báck
A のいない所で

320

at, in, on など，基本的な前置詞で始まるものを中心に集めた。(977) は，解説にある前置詞の意味も把握して，同形の関連表現も覚えよう。

I knew **all along** that the child was up to some kind of mischief. (上智大)	私は最初からずっと，その子供が何らかのいたずらをしようとしていたことを知っていた。
It's unfortunate that Japan **all too** often hesitates to speak up on the global stage. (上智大)	日本が国際舞台ではっきりと主張するのをあまりにも頻繁に躊躇するのは残念だ。
How about getting together to talk about this **at your convenience**? (桜美林大)	あなたの都合のよいときに，これについて話し合うために集まるのはどうでしょう。
This is the news I heard **first hand** from a reliable source. (早大)	これは信頼できる情報源から私が直接聞いたニュースだ。
My grandfather, who is in his 80s, says he still feels young **at heart**. (岩手大)	祖父は，80代であるが，気持ちはまだ若いと言う。
I'm grateful to Professor Yoshida for seeing me **on short notice**. (青山学院大)	即座に私に会ってくださったことで吉田教授に感謝しています。
How wonderful it would be if we could control our feelings **at will**! (同志社大)	自分の感情を思いのままに制御できたらどんなにすばらしいだろう。
I make it a rule not to speak ill of my friends **behind their backs**. (九州国際大)	私は本人のいない所で友人の悪口を言わないことにしている。

Part 5 ここで差がつく難熟語160　Section 6 純然たる副詞句33

□□ 976 **bý and lárge**	**概して** 同 all in all → 276 ; 　on the whole → 277 ; 　generally speaking → 680
□□ 977 **by náture**	**生まれつき；元来** ▶ by は「関係」を表す。[例] by name「名前は」, by birth「生まれは」, by sight「顔は」(*cf.* → 905), by profession「職業は」
□□ 978 **dòwn the róad**	**(口語) やがては；将来は** 同 in the future → 83 ▶「その道を行った先で」の文字どおりの意味でも使われる。
□□ 979 **èarly ón**	**早い時期に；早くから** 反 later on → 400 ▶ earlier on は「より早い時期に」。
□□ 980 **éven as ...**	**まさに…している[していた]ときに** ▶ even as ... の節は、主節の動作と同時進行を表す。
□□ 981 **for áll I knów**	**よくは知らないが、たぶん** ▶ for all I care も「どうでもいいけど…」といった無関心を表す表現。
□□ 982 **for nóthing**	① **無料で** 同 for free → 800 ; free of charge ② **無駄に** 同 in vain ▶ good for nothing は「何の役にも立たない；ろくでなしの」。

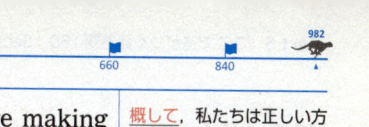

By and large, I think we're making progress in the right direction. (静岡県大)	概して，私たちは正しい方向に進展していると思う。
By nature, humans are vulnerable to fear and insecurity. (慶大)	元来，人間は恐怖と不安に弱い。
Ken is a hard worker, so I'm sure he'll be a successful person **down the road**. (明治大)	ケンは努力家なので，将来はきっと成功すると思う。
The good results we'd expected **early on** did not materialize. (慶大)	私たちが早い時期に期待していた良い結果は実現しなかった。
Even as I decided to ask my brother to help, he began to leave the house. (埼玉大)	私が兄[弟]にまさに助けを求めようとしたときに，彼は家を出ようとしていた。
I might lose my job; **for all I know**, I might be cooking hamburgers this time next year. (学習院大)	私は職を失うかもしれない。たぶん来年の今ごろはハンバーガーを調理しているかもしれない。
① We usually want something **for nothing**, or at least at a good price. (成城大)	①私たちはたいてい，無料でか少なくとも手ごろな価格でものを欲しがる。
② I failed after I'd worked so hard — all my effort was **for nothing**. (お茶の水女大)	②私はとても一生懸命やったが失敗した。つまり，私の努力はすべて無駄であった。

☐☐ 983 **if ánything**	**どちらかと言えば；もしあるとしても** ▶ 最初の意味は、「A ではない。どちらかと言えば B だ」の文脈の中で多く使われる。
☐☐ 984 **in a rów**	**連続して** 同 on end → 368①；in succession ▶ 文字どおり「一列をなして」の意味でも使う。
☐☐ 985 **in compárison ([with/to] ~)**	**(~と)比較すれば** 同 compared with [to] ~ → 679 ▶ by comparison (with [to] ~)の形もある。
☐☐ 986 **in dùe [cóurse/tíme]**	**やがて；そのうち** 同 in time → 94② ▶ 「しかるべき時に」の感じでやや格式ばった句。
☐☐ 987 **in pérson**	**(代理人でなく)本人が；自ら**
☐☐ 988 **of láte**	**近ごろ；最近** 同 lately；recently ▶ やや格式ばった表現。普通、現在完了の文で使う。
☐☐ 989 **on occásion**	**ときどき** 同 occasionally；sometimes；every now and then [again] → 188；(every) once in a while → 189；from time to time → 191

Very little, <u>**if anything**</u>, is known about the origin of this festival. (立教大)	この祭りの起源については，<u>もしあるとしても</u>ほとんど知られていない。
Tokyo's temperature has already exceeded 35°C six days <u>**in a row**</u>. (摂南大) *35°C は，thirty-five degrees Celsius とも読む。	東京の気温はすでに6日<u>連続で</u>セ氏35度を超えている。
<u>**In comparison with**</u> most people then, the priest lived a long life — 96 years. (大阪学院大)	当時の大半の人<u>と比較すれば</u>，その聖職者は長生きで，96歳まで生きた。
<u>**In due course**</u>, she found a job as a curator of a public museum. (東京電機大)	<u>やがて</u>，彼女は公立美術館の学芸員としての仕事を見つけた。
I'm looking forward to meeting you <u>**in person**</u> soon. (一橋大)	あなたに間もなく<u>直接</u>会えることを楽しみにしています。
I haven't seen or heard anything from Charlie <u>**of late**</u>. (電気通信大)	<u>近ごろ</u>，チャーリーに会ったり，彼から連絡をもらったりしていない。
My uncle drops in on us <u>**on occasion**</u> to say hello to his mother. (九大)	おじは，自分の母親にあいさつするために<u>ときどき</u>私たちを訪れる。

Part 5 ここで差がつく難熟語160 Section 6 純然たる副詞句33

☐☐ 990 **on sècond thóught**	考え直してみて ▶ thoughts のように s を付けるのは《英》式。have second thoughts about ~ ; give ~ a second thought は「~について再考する」。
☐☐ 991 **on the dót**	(口語) 時間ちょうどに；きっかりに
☐☐ 992 **on the fáce of it**	見たところは；表面上は
☐☐ 993 **ónce (and) for áll**	きっぱりと；これを最後に 🔵 definitely ; finally
☐☐ 994 **óne of thèse dáys**	そのうちに 🔵 someday ; one day ▶ one day は過去・未来の両方に, one of these days や someday [some day] は未来にのみ使う。
☐☐ 995 **ònly tóo**	① (glad ; happy ; pleased などの前で) とても；大いに ② 遺憾[残念]ながら…だ 🔵 ①② all too → 969
☐☐ 996 **the óther wày [aróund / róund]**	あべこべに；逆に ▶ the other way about とも言う。

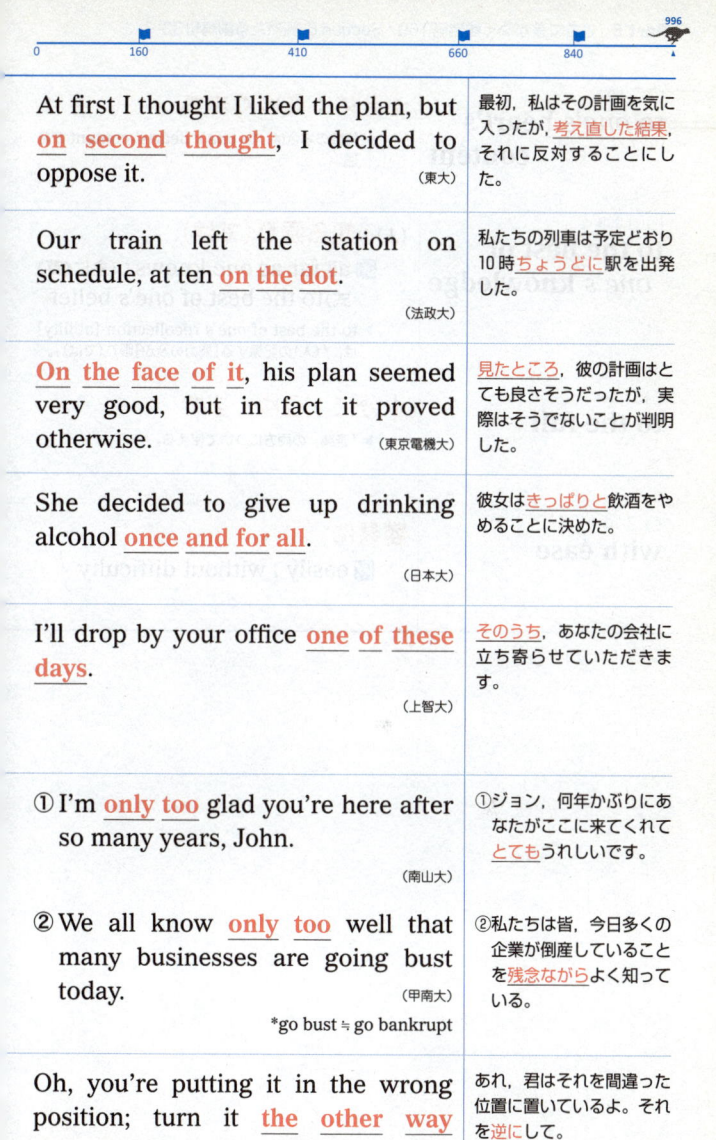

At first I thought I liked the plan, but **on second thought**, I decided to oppose it. （東大）	最初，私はその計画を気に入ったが，考え直した結果，それに反対することにした。
Our train left the station on schedule, at ten **on the dot**. （法政大）	私たちの列車は予定どおり10時ちょうどに駅を出発した。
On the face of it, his plan seemed very good, but in fact it proved otherwise. （東京電機大）	見たところ，彼の計画はとても良さそうだったが，実際はそうでないことが判明した。
She decided to give up drinking alcohol **once and for all**. （日本大）	彼女はきっぱりと飲酒をやめることに決めた。
I'll drop by your office **one of these days**. （上智大）	そのうち，あなたの会社に立ち寄らせていただきます。
① I'm **only too** glad you're here after so many years, John. （南山大）	①ジョン，何年かぶりにあなたがここに来てくれてとてもうれしいです。
② We all know **only too** well that many businesses are going bust today. （甲南大） *go bust ≒ go bankrupt	②私たちは皆，今日多くの企業が倒産していることを残念ながらよく知っている。
Oh, you're putting it in the wrong position; turn it **the other way around**. （東京医歯大）	あれ，君はそれを間違った位置に置いているよ。それを逆にして。

327

□□ 997 **to *one's* hèart's contént**	**十分に；心ゆくまで** ▶ 複数の場合は, to *one's* hearts' content が普通。
□□ 998 **to the bést of *one's* knówledge**	**(人)の知る限り(では)** 🔵 as far as *one* knows；(主に《英》式)to the best of *one's* belief ▶ to the best of *one's* recollection [ability] は,「(人)の記憶する[能力の及ぶ]限り(では)」。
□□ 999 **to the fúll**	**十分に；心ゆくまで** ▶「苦楽」の両方について使える。
□□ 1000 **with éase**	**容易に** 🔵 easily；without difficulty

We enjoyed the Italian cuisine **to our hearts' content** at the restaurant. (高知大)	私たちはそのレストランでイタリア料理を心ゆくまで楽しんだ。
To the best of my knowledge, this film got an Academy Award in 1985. (東京理大)	私の知る限り，この映画は1985年にアカデミー賞を取った。
I enjoyed every minute of my stay with you **to the full**. (甲南大)	私はあなたのお宅での滞在中ずっと十分に楽しみました。
On an electric bicycle you can cycle up steep hills **with ease**. (南山大)	電動自転車では，急な坂を容易に登ることができる。

Unit 1 英➡日 ファイナルチェック

Part 1 (Section 1–4) ID

#		英語	日本語	ID
1	☑	take off (~)	①~を脱ぐ；~を取りはずす ②離陸する；(流行・売り上げなどが)急増[急伸]する	78
2	☑	leave ~ behind	~を置いていく；~を置き忘れる	79
3	☑	*be* likely to *do*	~しそうである	15
4	☑	concentrate on ~	~に集中する	49
5	☑	care for ~	①~の世話をする ②~を好む；~を望む	42
6	☑	so far	今までのところ	11
7	☑	consist of ~	~から成り立っている	43
8	☑	bring about ~	~を引き起こす	77
9	☑	succeed in ~	~に成功する	54
10	☑	lead to ~	~へ通じる；~を引き起こす	26
11	☑	hear from ~	~から便り[電話・伝言]がある	59
12	☑	bring up ~	①~を育てる ②(問題・話題など)を持ち出す	66
13	☑	*be* about to *do*	今にも~しようとしている	21
14	☑	wake up (~)	目が覚める；(人)の目を覚まさせる	65
15	☑	carry out ~	~を実行する	71
16	☑	all the time	いつも；常に	13
17	☑	put on ~	~を(身に)付ける；(電気器具・ガスなど)をつける	72
18	☑	come from ~	~の出身である；~から生じる；~に由来する	27
19	☑	*be* satisfied with ~	~に満足している	25
20	☑	focus on ~	~に焦点を合わせる；~に集中する	33
21	☑	depend on [upon] ~	~に頼る；~次第である	28
22	☑	these days	近ごろは；このごろは	8

#			
23 ☐	get to ~	① ~に到着する ② (get to doで)~するようになる；~できる	39
24 ☐	work on (~)	① 働き続ける　② ~を製作する；~に取り組む； ~に影響を与える	41
25 ☐	rely on [upon] ~	~に頼る	38
26 ☐	find out ~	(調査などの結果)を見つけ出す；(真相)を知る	68
27 ☐	figure out ~	~を理解する；~を計算する；~を解く	70
28 ☐	call for ~	① ~を必要とする；~を求める　② (人)を誘い[迎え]に行く；(物)を取りに行く	55
29 ☐	go through ~	① ~を通過する　② (苦しみなど)を経験する	45
30 ☐	close to ~	~のすぐ近くに；ほぼ~	7
31 ☐	hear of ~	~のこと[噂(うわさ)・消息]を聞く	51
32 ☐	a number of ~	いくつもの~；かなり多くの~	1
33 ☐	deal with ~	~を扱う；~を処理する	34
34 ☐	complain about [of] ~	~について不平を言う；(苦痛など)を訴える	53
35 ☐	suffer from ~	(病気など)に悩む；~で苦しむ	40
36 ☐	*be* made of ~	~で成り立っている	24
37 ☐	a piece of ~	1つ[1個；1本；1枚；…]の~	2
38 ☐	all over (~)	① (~の)至る所に[で]　② 一面に	10
39 ☐	think of ~	① ~のことを考える；~しようかなと思う ② ~を思いつく　③ ~を思い出す	29
40 ☐	and so on [forth]	~など	9

正解数： /40 /40

Unit 2 英➡日 ファイナルチェック

		ID
1 ☑ refer to ~	① ~に言及する ② ~を参照する；~に問い合わせる	30
2 ☑ *be* responsible for ~	~に責任がある	18
3 ☑ *be* based on [upon] ~	~に基づいている	23
4 ☑ result in ~	~に終わる	37
5 ☑ result from ~	~から起こる	60
6 ☑ ask for ~	~を求める	44
7 ☑ get along	① 暮らす；(なんとか)やっていく ② (~と)仲良くやっていく(with ~)；(~が)進む(with ~)	57
8 ☑ contribute to ~	~に貢献する；~に寄付[寄稿]する	35
9 ☑ far from ~	~どころではない；~からほど遠い	12
10 ☑ believe in ~	~を信用する；~の良さ[存在]を信じる	52
11 ☑ look after ~	~の世話をする	56
12 ☑ dozens of ~	何ダースもの~；数十もの~	6
13 ☑ differ from ~	~と異なる	58
14 ☑ break up (~)	① (~を)解散[散会・解体]させる[する] ② (関係などが)終わる；(人が)別れる；~を終わらせる	67
15 ☑ participate in ~	~に参加する	48
16 ☑ care about ~	~を気にかける；~に関心を持つ	50
17 ☑ turn out (~)	① ~であることがわかる；(結果的に)~になる ② ~を産出する ③ (催しなどに)繰り出す	46
18 ☑ first of all	まず第一に	14
19 ☑ fill out ~	(書類など)に書き込む	36
20 ☑ look for ~	~を探す	31

#			ID
21 ☐	point out ~	~を指摘する	69
22 ☐	get on (~)	① (公共の乗り物などに)乗る ② (なんとか)やっていく；(~と)仲良くやっていく(with ~)	73
23 ☐	*be* different from ~	~とは違っている	16
24 ☐	*be* willing to *do*	~してもかまわない	19
25 ☐	plenty of ~	たくさんの~	5
26 ☐	cut down [back] (on) ~	~の(消費)量を減らす；~を切り詰める	75
27 ☐	set up ~	~を立[建]てる；~を創設する；~を始める	64
28 ☐	pick up ~	~を拾う；~を(車などに)乗せる	62
29 ☐	*be* capable of ~	~ができる；~の可能性がある	22
30 ☐	carry on ~	~を続ける	74
31 ☐	grow up	大人になる；(事態などが)生じる	32
32 ☐	a couple of ~	① 2つの~；2人の~ ② 2, 3の~	3
33 ☐	try on ~	~を試着する	61
34 ☐	search for ~	~を捜[探]す	47
35 ☐	*be* aware of ~	~に気がついている；~を知っている	17
36 ☐	*be* afraid of ~	~を恐れる[怖がる]；~を心配している	20
37 ☐	a great [good] deal (of ~)	かなりたくさん(の~)	4
38 ☐	break down (~)	① ~を破壊する；~を取り壊す；~を分解する ② 故障する；取り乱す；肉体的[精神的]に参る	76
39 ☐	give up ~	~をあきらめる；~を捨てる[やめる]	63
Part 1 (Section 5–8)			**ID**
40 ☐	used to *do* [be]	~したものだった；昔は~であった	129

正解数： /40   /40

Unit 3 英→日 ファイナルチェック

			ID
1	for the first time	初めて	89
2	change *one's* mind	気[考え]が変わる	125
3	not *A* but *B*	*A*ではなく*B*	159
4	in other words	言い換えれば；つまり	87
5	take care of ~	~の世話をする；~に気をつける	114
6	for a while	しばらくの間	93
7	at best	よくても；せいぜい	108
8	pay attention to ~	~に注意を払う	119
9	in case ...	① もし…ならば ② …するといけないから；…に備えて	157
10	because of ~	~のために	145
11	make a difference	違いが生じる；重要である	120
12	associate *A* with *B*	*A*を*B*と結びつけて考える	142
13	come up with ~	(解決策など)を思いつく；(案など)を提出する	122
14	have an influence [effect] on ~	~に影響を与える	121
15	on earth	① 一体全体　② 世界中で	105
16	thanks to ~	~のおかげで	151
17	on the other hand	これに反して；他方では	86
18	apart from ~	① ~のほかに　② ~を除いては	155
19	instead of ~	~の代わりに；~しないで	146

20	make sure (〜)	(〜を)確かめる；確実に〜する	117
21	had better *do*	〜したほうがいい；〜すべきだ	130
22	prevent *A* from *B*	*A*を*B*から防ぐ；*A*を妨げて*B*をさせない	134
23	in general	① 一般に　② 一般の	88
24	as if [though] ...	まるで…のように	156
25	no longer 〜	もはや〜ない	109
26	take place	起こる；催される	115
27	at times	ときどき	103
28	in spite of 〜	〜にもかかわらず	154
29	in front of 〜	〜の前に[で]	147
30	turn *A* into *B*	*A*を*B*に(質的に)変える	140
31	on time	時間どおりに[で]	98
32	regard *A* as *B*	*A*を*B*と見なす	139
33	as a whole	全体として(の)	100
34	spend *A* on *B*	*A*を*B*に使う	135
35	regardless of 〜	〜に関係なく；〜に(も)かかわらず	152
36	at (the) most	多くても；せいぜい	112
37	at once	① すぐに　② 同時に	96
38	in part	一部には；いくぶん(かは)	99
39	get lost	道に迷う	128
40	do *one's* best	最善を尽くす	124

正解数： /40　　/40

Unit 4 英➡日 ファイナルチェック

		ID
1 ☐ as a result (of ~)	(~の)結果として	148
2 ☐ at home	① 在宅して；家庭で　② くつろいで ③ (~に)精通して (in ~；on ~；with ~)	82
3 ☐ at work	① 仕事中で[の]；職場で ② 運転[作動]中で[の]；作用して	97
4 ☐ as ~ as possible [*one* can]	できる限り~	111
5 ☐ think of *A* as *B*	*A*を*B*と見なす	138
6 ☐ in addition (to ~)	(~に)加えて；さらに	149
7 ☐ in the end	ついには；結局は	95
8 ☐ make sense	意味をなす；道理にかなう	118
9 ☐ as usual	いつものように	107
10 ☐ in fact	① 実際に　② (ところが)実際は	81
11 ☐ help *A* with *B*	*A*を*B*で助ける	137
12 ☐ provide *A* with *B*	*A*に*B*を供給する	133
13 ☐ in short	つまり；短く言えば	104
14 ☐ see *A* as *B*	*A*を*B*と見なす	132
15 ☐ according to ~	① ~によれば　② ~に従って；~に応じて	144
16 ☐ in turn	順々に；(立ち代わって)次に[は]	90
17 ☐ in the future	将来は；今後は	83
18 ☐ *B* as well as *A*	*A*だけではなく*B*も	158
19 ☐ enjoy *oneself*	楽しい時を過ごす	131
20 ☐ at all	① 全く　② 一体；そもそも ③ せっかく；とにかく	102
21 ☐ look forward to ~	~を楽しみに待つ	113

#	表現	意味	頁
22	make an effort [efforts]	努力する	126
23	describe A as B	AをBと述べる；AをBに分類する	141
24	play a role [part] (in ~)	(~で)役割を演じる[果たす]	116
25	not always ~	必ずしも~ではない	110
26	by the way	ところで	91
27	devote A to B	AをBにささげる	143
28	in contrast (to [with]) ~	(~と)対照して；(~と)著しく違って	153
29	for example [instance]	例えば	80
30	make a mistake	間違いをする	123
31	at a time	1度に	101
32	at least	少なくとも	106
33	not only A but (also) B	AだけではなくBも	160
34	in time	① (~に)間に合って(for ~) ② やがて；そのうちに	94
35	after all	結局(は)；やっぱり	84
36	along with ~	~と一緒に；~に加えて	150
37	in particular	特に	92
38	share A with B	AをBと分け合う[共有する]	136
39	at first	最初は	85
40	come true	(夢・予言などが)実現する	127

正解数： /40 /40

Unit 5 英➡日 ファイナルチェック

Part 2 (Section 1-2)

			ID
1	(every) once in a while	ときどき；ときおり =sometimes；occasionally	189
2	put off ~	~を延期する =postpone	176
3	look into ~	~を調べる =investigate	171
4	every now and then [again]	ときどき；ときおり =sometimes；occasionally	188
5	do away with ~	~を廃止する；~を取り除く =abolish；eliminate	165
6	from time to time	ときどき；ときおり =sometimes；occasionally	191
7	set about ~	~を始める =begin；start	178
8	in all	全部で =altogether	193
9	anything but ~	全然~ではない；~どころではない	227
10	nothing but ~	ただ~だけ；~にすぎない	228
11	be sure of [about] ~	~を確信している	221
12	be sure [certain] to do	きっと~する	222
13	make up one's mind	決心する =decide；determine	173
14	put up with ~	~を我慢する =tolerate；endure；stand	177
15	correspond to ~	~に相当する；~に該当する	203
16	correspond with ~	~と文通する	204
17	hit on [upon] ~	~を思いつく；~に出くわす	205
18	occur to one	ふと(人)の心に浮かぶ	206
19	for one's (own) part	~としては；~に関する限りは	231
20	on one's part	~の側での；~のほうでは	232

#	語句	意味	ページ
21	as a matter of course	当然[もちろん]のこととして	229
22	as a matter of fact	実際は；実を言うと	230
23	apply for ~	(仕事・許可など)を申し込む；~を志願[申請]する	201
24	apply to ~	① ~に当てはまる ② (人・場所・組織)に申し込む	202
25	in the air	空中で[の]；(雰囲気などが)感じられて	235
26	on the air	放送中の	236
27	*be* familiar to ~	(人)によく知られている	217
28	*be* familiar with ~	(物事)をよく知っている	218
29	get over ~	(病気など)から回復する；~を克服する =overcome	167
30	take after ~	~に似ている =resemble	181
31	get rid of ~	(やっかいな物)を取り除く =eliminate；remove	168
32	before long	間もなく =soon	185
33	for good	永久に =forever；permanently	190
34	come about	起こる =happen；occur	163
35	on purpose	わざと；故意に =intentionally；purposely	195
36	agree to ~	~に同意する	199
37	agree with ~	(人が人・考えなど)に同意する；(気候・食物などが)~に合う；~に一致[適合]する	200
38	on and on	どんどん；延々と	241
39	on and off	断続的に	242
40	pick out ~	~を選ぶ =choose；select	175

正解数： /40   /40

Unit 6 英→日 ファイナルチェック

			ID
1 ☑ *be* true of ~	~に当てはまる		225
2 ☑ *be* true to ~	~に忠実である		226
3 ☑ at a distance	ある距離を置いて		233
4 ☑ in the distance	遠方に；遠くで		234
5 ☑ *be* bound for ~	~行きである		213
6 ☑ *be* bound to *do*	きっと~する		214
7 ☑ in advance	前もって	=beforehand	192
8 ☑ prior to ~	~より前で	=before	197
9 ☑ call off ~	~を中止する；~を取り消す	=cancel	161
10 ☑ come by ~	~を手に入れる	=get；obtain	164
11 ☑ over and over (again)	何度も繰り返し	=repeatedly	196
12 ☑ set in	(主に気候・病気などが)始まる	=begin；start	179
13 ☑ think over ~	~をよく考える	=consider	182
14 ☑ *be* anxious about ~	~を心配している		211
15 ☑ *be* anxious to *do*	~したがる		212
16 ☑ *be* tired from [with] ~	~で疲れる		223
17 ☑ *be* tired of ~	~に飽きる；~にうんざりしている		224
18 ☑ pass away	死ぬ	=die	174
19 ☑ by degrees	徐々に	=gradually	186
20 ☑ of importance	重要な；重要性のある	=important	194
21 ☑ catch up with [to] ~	~に追いつく	=reach	162

22 ☐ on the contrary	それどころか；それに反して		239
23 ☐ to the contrary	それと反対の[に]		240
24 ☐ all of a sudden	突然に；不意に	=suddenly	184
25 ☐ in the way (of ~)	(~の)邪魔になって		237
26 ☐ on the way (to ~)	(~への)途中で		238
27 ☐ learn ~ by heart	~を暗記する	=memorize	170
28 ☐ find fault with ~	~にけちをつける；~を非難する	=criticize	166
29 ☐ by no means	全然~ない	=never	187
30 ☐ *be* free from [of] ~	~がない		219
31 ☐ *be* free to *do*	自由に~する		220
32 ☐ right away	直ちに；今すぐ	=immediately	198
33 ☐ *be* concerned about [for] ~	~を心配している		215
34 ☐ *be* concerned with [in] ~	~に関係している		216
35 ☐ make the best of ~	~を最大限に利用する		209
36 ☐ make the most of ~	~を最大限に利用する		210
37 ☐ lay off ~	~を一時解雇する		207
38 ☐ lay out ~	~を設計する；~を並べる		208
39 ☐ turn in ~	~を提出する；~を引き渡す[返却する] =submit		183
40 ☐ hand in ~	(手渡しで)~を提出する	=submit	169

正解数： /40 /40

Unit 7 英→日 ファイナルチェック

		ID
1 ☐ look over ~	~を(ざっと)調べる =examine	172
2 ☐ stand up for ~	~を支持[擁護]する =defend; support	180

Part 2 (Section 3–4) | | ID |

		ID
3 ☐ in order	整頓(とん)されて;順調で	308
4 ☐ out of order	故障して;順序が狂って	309
5 ☐ cling to ~	~に固執[執着]する;~にくっつく	243
6 ☐ stick to ~	~にくっつく;(主義・決定など)を堅持する	244
7 ☐ out of date	時代遅れの	310
8 ☐ up to date	最新(式)の	311
9 ☐ in practice	実際には	312
10 ☐ in theory	理論上は	313
11 ☐ at present	現在は;目下(もっか)	280
12 ☐ at the moment	現在は	281
13 ☐ in a word	要するに;つまり	286
14 ☐ in brief	要するに;つまり	287
15 ☐ *be* apt to *do*	~しがちである	270
16 ☐ *be* inclined to *do*	~する傾向がある;~したい気がする	271
17 ☐ for all ~	~にもかかわらず	290
18 ☐ with all ~	~にもかかわらず	291
19 ☐ for now	当分は;今のところは	284
20 ☐ for the time being	差し当たり;当分の間(は)	285
21 ☐ date back to ~	~にさかのぼる;~に始まる	249
22 ☐ date from ~	~から始まる;~から続いている	250

#			
23	☐ stand out	目立つ；際立つ	266
24	☐ stick out	突き出る；目立つ	267
25	☐ *be* essential to ~	~にとって不可欠である	272
26	☐ *be* indispensable to [for] ~	~にとって不可欠である	273
27	☐ in [within] sight	見えて；視界に入って	316
28	☐ out of sight	見えなくて；視界から消えて	317
29	☐ by accident	偶然に	282
30	☐ by chance	偶然に	283
31	☐ at (*one's*) ease	くつろいで	306
32	☐ ill at ease	不安で；落ち着かないで	307
33	☐ distinguish *A* from *B*	*A*を*B*と区別する	251
34	☐ tell *A* from *B*	*A*を*B*と区別する	252
35	☐ each other	お互い	296
36	☐ one another	お互い	297
37	☐ keep pace with ~	~に遅れずについていく	258
38	☐ keep up with ~	~に遅れずについていく	259
39	☐ catch sight of ~	~を見つける[見かける]	298
40	☐ lose sight of ~	~を見失う	299

正解数： /40 /40

Unit 8 英→日 ファイナルチェック

			ID
1	at any rate	とにかく；いずれにしても	278
2	in any case [event]	とにかく；いずれにしても	279
3	compensate for ~	~の埋め合わせをする；~を補償する	245
4	make up for ~	~の埋め合わせをする；~を補償する	246
5	hold back ~	~を制止する；(真相など)を隠す	256
6	keep back ~	~を制止する；(真相など)を隠す	257
7	as to ~	~に関して(は)	288
8	as for ~	~について言えば；~に関する限り	289
9	in private	ひそかに；秘密に	314
10	in public	人前で；公然と	315
11	*be* dependent on [upon] ~	~に依存している	304
12	*be* independent of ~	~から独立している	305
13	major in ~	(学生が)~を専攻する	260
14	specialize in ~	~を専攻する；~を専門にする	261
15	consist in ~	~にある	247
16	lie in ~	~にある	248
17	all in all	概して；全体的には	276
18	on the whole	概して；全体的には	277
19	give in (to ~)	(~に)屈服する	253
20	give way (to ~)	(~に)屈する；(~に)道を譲る	254
21	yield to ~	~に屈する；~に道を譲る	255

22 ☐	turn on (~)	(スイッチなど)をつける；(水・ガスなど)を出す；(明かりなどが)つく	302
23 ☐	turn off (~)	(スイッチなど)を消す；(水・ガスなど)を止める；(明かりなどが)消える	303
24 ☐	put aside ~	~を取っておく；~を脇に置く；~を蓄える	264
25 ☐	set aside ~	~を取っておく；~を脇に置く；~を蓄える	265
26 ☐	on account of ~	~のために	294
27 ☐	owing [due] to ~	~のために	295
28 ☐	*be* equal to ~	~に等しい	274
29 ☐	*be* equivalent to ~	~に等しい	275
30 ☐	stay up	(寝ないで)起きている	268
31 ☐	sit up	① (寝ないで)起きている　② (寝た状態から)上半身を起こす　③ きちんと座る	269
32 ☐	let alone ~	~は言うまでもなく	292
33 ☐	not to mention ~	~は言うまでもなく	293
34 ☐	mistake A for B	AをBと間違える	262
35 ☐	take A for B	AをBだと(誤って)思う；AをBと間違える	263
36 ☐	look down on [upon] ~	~を軽べつする	300
37 ☐	look up to ~	~を尊敬する	301

Part 2 (Section 5-6)　　ID

38 ☐	make up (~)	① ~を作り上げる；~を構成する ② (~と)仲直りさせる[する] (with ~) ③ ~の埋め合わせをする	352
39 ☐	hand in hand (with ~)	(~と)手を携えて；相伴って	401
40 ☐	hold on	① 持ちこたえる；頑張る　② 待つ；電話を切らずにいる　③ (~を)しっかりつかむ (to ~)	333

正解数：　／40　　／40

Unit 9 英➡日 ファイナルチェック

			ID
1	to ~ extent [degree]	~の程度に	372
2	look to ~	①~のほうを見る;~に気をつける ②~に頼る;~を当てにする	348
3	break in (~)	①押し入る;口を挟む ②~を慣らす	328
4	side by side (with ~)	(~と)肩を並べて;(~と)協力[共存]して	405
5	as well	~もまた	370
6	call on [upon] ~	①~を訪問する ②~に要求する	331
7	later on	後で	400
8	all but ~	①~も同然;ほとんど~ ②~以外すべて	361
9	by all means	①ぜひとも;必ず ②ぜひどうぞ	364
10	go by (~)	①(時などが)たつ;通り過ぎる ②~の名で通る[知られる];~によって行動[判断]する	319
11	break out	①(火事・戦争などが)起こる ②(吹き出もの・汗などが)出る;急に(~)し出す	336
12	in reality	(想像などでなく)実際に;(ところが)実際には	376
13	live on (~)	①~を常食にする ②(~の収入・金額)で生活する ③生き続ける	334
14	most of all	とりわけ;何[誰]よりもまず	381
15	settle down	①落ち着く;定住する ②腰を据えて~を(し)始める(to ~ / to do)	322
16	take on ~	①~を引き受ける;~を雇う ②(色・性質など)を帯びる	335
17	no doubt	たぶん;おそらく	409
18	on the spot	その場で;即座に	407
19	give out (~)	①~を配る;~を発する ②(供給物・力などが)尽きる;なくなる	337
20	above all (else)	とりわけ;特に	383

#	熟語	意味	番号
21	turn down ~	① ~を拒絶する；~を却下する ② (音量・火力など)を小さくする	323
22	at random	手当たり次第に；無作為に	394
23	hold out (~)	① (手など)を差し出す ② 持ちこたえる；耐える；(希望など)を抱く	338
24	all at once	① 突然に ② すべて同時に	392
25	pull up (~)	① ~を引き抜く[引き上げる]；~を根絶する ② (車などを)止める；止まる	353
26	stand for ~	① ~を意味する；~の略字である ② (主義など)を支持する	326
27	by hand	手で；手を使って	385
28	at length	① 詳細に；長々と ② とうとう；ついに	363
29	on (the [an]) average	平均して	375
30	look out (for ~)	① (~に)気をつける ② (~の)世話をする；(~の)面倒を見る	339
31	from ~ point of view	~の視点から(は)	373
32	turn over (~)	① (ページなど)をめくる；~をひっくり返す；ひっくり返る ② ~を譲る；~を引き渡す	344
33	provide for ~	① ~を扶養する ② ~に備える；(法律が)~を規定する	325
34	at a glance	ひと目見て	380
35	put out ~	① (火・明かりなど)を消す ② ~を出す	341
36	for the most part	大部分は；大体は	399
37	show up (~)	① (予定の所に)現れる ② ~を目立たせる；目立つ	355
38	in effect	① 事実上；要するに ② (法律などが)実施されて	366
39	stand by (~)	① 待機する；傍観する ② ~を支持[擁護]する；(約束など)を守る	320
40	one by one	1つずつ；1人ずつ	402

正解数： /40   /40

Unit 10 英→日 ファイナルチェック

			ID
1	take in ~	①~を取り入れる;~を理解する ②~をだます ③~を見物する	327
2	up to ~	①~まで ②(It is up to ~で)~次第である;~の責任である ③(be up to ~で)~をしようとして	369
3	hold up ~	①~を持ち上げる ②~を遅らせる ③~に強盗に入る	350
4	in detail	詳細に	386
5	go over ~	①~を調べる;~に詳細に目を通す ②~を復習する;~を繰り返す	345
6	little by little	少しずつ	403
7	back and forth	前後[左右]に;行ったり来たり	389
8	all the way	はるばる;ずっと	393
9	in the meantime [meanwhile]	その間に(も);一方(話変わって)	378
10	make for ~	①~のほうへ進む ②~に寄与する;~に役立つ	324
11	take to ~	①(習慣的に)~を始める;~にふける ②~を好きになる	349
12	act on [upon] ~	①~に作用する;~に働きかける ②(命令・信念など)に従って行動する	330
13	put down ~	①~を置く ②~を抑える;~を鎮める	321
14	make out ~	①~を理解する ②~を見分ける ③(書類・小切手など)を作成する	340
15	meet with ~	①~を経験する;~を受ける ②~と約束して会う;~と会見する	359
16	all [just] the same	それでもやはり	396
17	*be* due to ~	①~のため[結果]である ②~する予定である	346
18	for one thing	1つには	398
19	by now	今ごろは;今はもう	382

#			
20 ☐	in a hurry	急いで；あせって	391
21 ☐	in the first place	まず第一に	379
22 ☐	by way of ~	① ~経由で ② ~として；~のつもりで(の)	365
23 ☐	by mistake	間違って	395
24 ☐	at any cost [all costs]	ぜひとも	408
25 ☐	run over (~)	① (車が)~をひく ② (~から)あふれる	343
26 ☐	on end	① 連続して ② まっすぐに	368
27 ☐	for (so) long	(大変に[そんなに])長時間	387
28 ☐	sort [kind] of (~)	なんとなく(~)；ちょっと(~)	371
29 ☐	turn up (~)	① 現れる；起こる ② (ガス・音量など)を大きくする；~を探し出す	357
30 ☐	from ~ on [onward(s)]	~から以後は	374
31 ☐	catch on	① (ファッション・考えなどが)流行する；はやる ② (~を)理解する(to ~)；(~に)気づく(to ~)	332
32 ☐	go with ~	① ~と付き合う ② ~に似合う	358
33 ☐	put up (~)	① ~を掲げる；~を上げる；~を建てる ② ~を泊める；泊まる	354
34 ☐	next to ~	① ~の次の[に] ② ほとんど~	367
35 ☐	step by step	一歩ずつ；着実に	404
36 ☐	take *one's* place	① いつもの席に着く；特定の地位を占める ② ~に取って代わる	360
37 ☐	in *one's* opinion [view]	~の意見では	377
38 ☐	in a sense	ある意味では；ある程度	384
39 ☐	once upon a time	昔々	406
40 ☐	run across ~	① ~に偶然出会う；~を偶然見つける ② ~を走って横切る	318

正解数： /40   /40

Unit 11 英➡日 ファイナルチェック

			ID
1	come to (~)	①~に来る；~に達する ②(come to do で)~するようになる ③意識を回復する；正気に戻る	347
2	upside down	逆さまに；ひっくり返って	390
3	take up ~	①(場所・時間)を取る；~を取り上げる ②(仕事・趣味など)を始める	356
4	go off	①去る；(電灯などが)消える ②(仕掛けが)作動する；(爆薬が)爆発する；(銃などが)発射される	329
5	at large	①全体としての；一般の ②逃走中で；逮捕されないで	362
6	to one's surprise	~が驚いたことに	388
7	sooner or later	遅かれ早かれ	410
8	as a (general) rule	概して；普通(は)	397
9	set out	①出発する ②(~し)始める (to do)	342
10	look up ~	①(辞書・電話帳などで)~を調べる ②(人)を訪ねる	351

Part 3 (Section 1–2)			ID
11	send for ~	(人)を呼びにやる；(物)を取りにやる	417
12	bring back ~	~を返す；~を思い出させる	489
13	come across (~)	①~に偶然出会う；~を偶然見つける ②(考えなどが相手に)伝わる；理解される	448
14	blow up (~)	爆発する；かっとなる；~を爆破する	477
15	bring out ~	~を出す；~を明らかにする	467
16	clear up (~)	(天候が)晴れる；(疑義・不明点などを)明らかにする	479
17	adhere to ~	~にくっつく；(主義・規則など)に固執する[を守る]	438
18	pass on ~	(物・情報など)を次に回す；~を伝える	493

#	語句	意味	ページ
19	do without (~)	(~)なしで済ます	453
20	look back on [upon] ~	~を回顧する；~を追想する	490
21	prepare for ~	~の準備をする；~に備える	414
22	burn down (~)	(建物が)全焼する；~を全焼させる	456
23	take away ~	~を持ち去る；~を取り除く	486
24	end with [by] ~	~で終わる	442
25	put away ~	~を片づける；~を取っておく；~を捨てる	488
26	count on [upon] ~	~に頼る；~を当てにする	429
27	insist on [upon] ~	~を主張する	428
28	resort to ~	(手段など)に訴える；~に頼る	439
29	throw away ~	~を捨てる	485
30	dispose of ~	~を処分する；~を平らげる	425
31	hurry up (~)	急ぐ；~を急がせる	476
32	add to ~	~を増す	433
33	shut up (~)	話をやめる；~を黙らせる	483
34	refrain from ~	~を慎む	451
35	slow down (~)	(~の)速度を落とす；速度が落ちる	458
36	set off (~)	出発する；~を引き起こす	460
37	become of ~	~はどうなるか	424
38	coincide with ~	~と一致する；~と同時に起こる	443
39	conform to [with] ~	~に合わせる；~に従う	437
40	call up (~)	(~に)電話をかける；(記憶・勇気など)を呼び起こす	482

正解数： /40 /40

Unit 12 英→日 ファイナルチェック

			ID
1	sum up (〜)	(〜を)要約する；(〜を)合計する	474
2	come out	現れる；ばれる；出版される	464
3	fall on [upon] 〜	(休日などが)〜に当たる；(責任・仕事などが)〜に降りかかる	432
4	drop in	ちょっと立ち寄る	492
5	show off (〜)	(〜を)見せびらかす	459
6	step up (〜)	①(壇上などに)上がる；近づく ②(量・速度など)を増す；〜を促進する	481
7	compete with 〜	〜と競争する	445
8	end up (〜)	最後には〜になる	472
9	set down 〜	〜を書き留める；〜を決める	455
10	graduate from 〜	〜を卒業する	449
11	iron out 〜	(問題など)を解決[調整]する	470
12	part with 〜	(物)を(しぶしぶ)手放す	447
13	feed on 〜	〜を常食[餌(えさ)]にする	426
14	amount to 〜	総計〜になる	435
15	cheer up (〜)	元気づく；〜を元気づける；〜を応援する	478
16	approve of 〜	〜を承認する；〜に賛成する	423
17	pass by (〜)	(〜のそばを)通り過ぎる；素通りする；(時が)過ぎる	491
18	wish for 〜	〜を望む[願う]；〜を欲しがる	416
19	enter into 〜	〜に参加する；〜を始める	420
20	die out	絶滅する；(習慣などが)すたれる	466
21	hand down 〜	〜を子孫[後世]に伝える	454

#	語句	意味	No.
22	hang up (〜)	電話を切る；〜を中断する；(壁などに)〜を掛ける	480
23	long for 〜	〜を切望する	415
24	leave out 〜	〜を省く；〜を入れずにおく	468
25	interfere with 〜	〜を妨げる；〜の邪魔をする	441
26	use up 〜	〜を使い果たす	473
27	sign up (for 〜)	(署名して)(〜に)加わる；(受講などの)届け出をする	475
28	take over (〜)	(〜を)引き継ぐ；〜を支配する	494
29	decide on [upon] 〜	〜を決める；〜に決める	427
30	get together (〜)	集まる；〜を集める	495
31	object to 〜	〜に反対する	436
32	give away 〜	〜をただでやる；〜を配る；(秘密など)を漏らす	487
33	apologize to A (for B)	(Bのことで)A(人)に謝る	434
34	head for 〜	〜に向かう	413
35	aim at 〜	〜を狙う；〜を目指す	411
36	rest on [upon] 〜	〜に頼る；〜次第である	431
37	recover from 〜	〜から立ち直る；〜から回復する	450
38	keep to 〜	〜に従う；〜から脱線しない	440
39	run into 〜	〜にぶつかる；〜に偶然出会う；〜を偶然見つける	418
40	do with 〜	①〜を処理[処置]する ②(have done with 〜；be done with 〜)〜で)〜を済ませた；〜と縁を切った	446

正解数： /40   /40

Unit 13 英→日 ファイナルチェック

			ID
1	drop out	脱落する；中途退学する	465
2	go about ~	~に精を出す；~に取り掛かる	484
3	break into ~	①~に侵入する ②急に~し出す	419
4	die of [from] ~	~で死ぬ	422
5	put together ~	(部品など)を組み立てる；(考えなど)をまとめる	496
6	wear out (~)	すり減る；~をすり減らす[疲れ果てさせる]	469
7	give off ~	(光・音・においなど)を発する	461
8	break off (~)	(~を)急にやめる；~を切り離す	462
9	keep off ~	~に近寄らない；~に触れない；~を慎む	463
10	reflect on [upon] ~	~を熟考[反省]する	430
11	run out of ~	~を使い果たす	471
12	burst into ~	急に~し出す；突然~に入る	421
13	get through ~	①~を(し)終える ②(電話などが)通じる；連絡がつく	452
14	sympathize with ~	~に同情する	444
15	get at ~	①~に達する；~を手に入れる ②~をほのめかす	412
16	take down ~	~を書き留める；(建物など)を取り壊す	457
Part 3 (Section 3-4)			**ID**
17	*be* abundant in ~	~が豊富である	536
18	attach *A* to *B*	*A*を*B*に取りつける[付与する]	516
19	*be* contrary to ~	~に反している	553
20	*be* worthy of ~	~に値する；~にふさわしい	546
21	talk *A* into *B*	*A*(人)を説得して*B*をさせる	531

#	熟語	意味	番号
22	*be* absorbed in ~	~に熱中している	535
23	*be* guilty of ~	~を犯している；~で有罪である	541
24	*be* characteristic of ~	~に特有である；いかにも~らしい	549
25	*be* ashamed of ~	~を恥じている	547
26	put ~ into practice [operation]	~を実行[実施]する	530
27	*be* peculiar to ~	~に特有である	561
28	*be* ignorant of ~	~を知らない	545
29	*be* well off	裕福である	569
30	stop *A* from *B*	*A*に*B*をさせない	529
31	compare *A* to [with] *B*	*A*を*B*と比較する；*A*を*B*にたとえる	512
32	prohibit *A* from *B*	*A*が*B*(するの)を禁止する[妨げる]	528
33	convince *A* of *B*	*A*(人)に*B*(事)を納得[確信]させる	509
34	*be* worried about [over] ~	~のことで心配している	568
35	inform *A* of [about] *B*	*A*に*B*を知らせる	504
36	*be* faced with [by] ~	(人が)(災害など)に直面している	562
37	*be* similar to ~	~に似ている	551
38	*be* engaged in ~	~に従事している；忙しく~している	537
39	strike *A* as *B*	*A*(人)に*B*の印象を与える	525
40	*be* grateful (to *A*) for *B*	*B*のことで(*A*に)感謝している	559

正解数： /40 /40

Unit 14 英➡日 ファイナルチェック

			ID
1	impose A on [upon] B	AをBに課する[押しつける]	534
2	*be* involved in ~	~に関係[関与]している；~に携わっている；~に熱中している	538
3	present A with B	AにBを贈る[与える]	521
4	confine A to B	AをBに限定する；AをBに閉じ込める	520
5	*be* opposed to ~	~に反対している	558
6	adapt A to [for] B	AをBに合うように変える；AをBに適合させる	513
7	owe A to B	AをBに借りている；A(恩・義務など)をBに負っている	519
8	remind A of B	AにBを思い出させる	502
9	assure A of B	A(人)にB(物・事)を請け合う[保証する]	510
10	suspect A of B	BについてAを疑う	511
11	transform A into [to] B	AをBに変える[変質させる]	532
12	*be* popular with [among] ~	~に人気がある	563
13	*be* open to ~	~に開かれている	555
14	*be* particular about [over] ~	~について気難しい[やかましい]	567
15	expose A to B	AをBにさらす	515
16	exchange A for B	AをBと交換する	499
17	*be* sensitive to ~	~に敏感である	554
18	deprive A of B	AからBを奪う	505
19	rob A of B	(暴力・脅迫などで)AからBを奪う	506

20	forgive A for B	BのことでAを許す	501
21	*be* acquainted with ~	~と知り合いである；~に精通している	565
22	*be* conscious of ~	~を意識している；~に気づいている	544
23	*be* entitled to ~	~の[~する]資格がある	560
24	*be* content [contented] with ~	~に満足している	566
25	prefer A to B	BよりAを好む	514
26	accuse A of B	BのことでAを非難[告訴]する	503
27	leave A (up) to B	AをBに任せる；AをBに残す	517
28	furnish A with B	AにBを供給する[備えつける]	523
29	*be* typical of ~	~に特有である；~に典型的である	543
30	*be* accustomed to ~	~に慣れている	552
31	*be* tolerant of ~	~に対して寛大である	548
32	*be* subject to ~	~を受けやすい；~に服従している	556
33	congratulate A on B	BのことでAを祝う	533
34	blame A for B	BをAのせいにする；BのことでAを非難する	498
35	*be* related to ~	~と関係がある；~と姻戚関係がある	550
36	cure A of B	AのBを治す[取り除く]	508
37	clear A of B	AからBを取り除く	507
38	*be* versed in ~	~に精通[熟達]している	540
39	supply A with B	AにBを供給する	522
40	keep A from B	AをBから防ぐ；AをBを妨げてBをさせない	527

正解数： /40   /40

Unit 15 英➡日 ファイナルチェック

		ID
1 ☐ punish *A* for *B*	*B*のことで*A*を罰する	500
2 ☐ substitute (*A*) for *B*	*B*の代わりに(*A*を)使う	497
3 ☐ derive *A* from *B*	*B*から*A*を引き出す	526
4 ☐ name *A* after *B*	*A*を*B*にちなんで名づける	524
5 ☐ *be* lacking in ~	~に欠けている	539
6 ☐ *be* composed of ~	~から構成されている	542
7 ☐ attribute *A* to *B*	*A*を*B*のせいにする	518
8 ☐ *be* equipped with ~	~を備えている	564
9 ☐ *be* superior to ~	~より優れている	557
Part 3 (Section 5–7)		**ID**
10 ☐ in danger (of ~)	危険で；(~の)危険があって	581
11 ☐ a host of ~	多数の~	654
12 ☐ make progress	進歩する	625
13 ☐ in demand	需要があって；必要とされて	582
14 ☐ in the course of ~	~の間[うち]に	595
15 ☐ keep *one's* word [promise]	約束を守る	621
16 ☐ have ~ in mind	~のことを考えている	646
17 ☐ on board	(乗り物)に乗って	604
18 ☐ set ~ free	~を自由の身にする	651
19 ☐ at a loss	途方に暮れて；困って；損をして	570
20 ☐ in need of ~	~を必要として	588
21 ☐ in (the) face of ~	~に直面して；~にもかかわらず	596

22	against *one's* will	意志に反して；心ならずも	608
23	in pursuit of ~	~を追求して	590
24	by means of ~	~によって；~を用いて	611
25	make friends with ~	~と親しくなる	639
26	make fun of ~	~をからかう	631
27	in (the) light of ~	~から見て；~を考慮して	597
28	make it	うまくやる；成功する；間に合う；出席する	623
29	in the presence of ~	~のいる所[面前]で；~を目の前にして	599
30	at the sight of ~	~を見て	577
31	have *A* in common (with *B*)	(*B*と)共通に*A*を持っている	645
32	in exchange (for ~)	(~と)交換に	583
33	in honor of ~	~に敬意を表して；~のために	587
34	keep an eye on ~	~から目を離さない；~を見張る	637
35	out of the question	不可能で；あり得ない	660
36	make use of ~	~を利用する	632
37	come into [in] contact with ~	~と接触する；~に会う	642
38	aside from ~	~を除いては；~のほかに	657
39	in a way	ある点で；ある意味では	578
40	at risk	危険な状態で	573

正解数： /40 /40

Unit 16 英➡日 ファイナルチェック

			ID
1	keep [stay] in touch with ~	~と連絡を取り合っている；(最新情報など)に通じている	648
2	to the point	適切な；要を得た	618
3	in place of ~	~の代わりに	589
4	in charge of ~	~を預かって；~を管理して	579
5	take a risk [risks]	(あえて)危険を冒す	627
6	in search of ~	~を探して	593
7	take pride in ~	~を誇る；~を自慢に思う	630
8	ahead of ~	~の先に；~より進んで；(時間的に)~より先に	656
9	on a ~ scale	(~な)規模で[の]	602
10	a handful of ~	一握りの~；少数[量]の~	653
11	take a chance	危険を冒す；思い切ってやってみる；(~に)賭ける (on ~)	626
12	out of control	制御できない	658
13	but for ~	~がない[なかった]ならば	610
14	give rise to ~	~を引き起こす；~を生む	636
15	a variety of ~	① (同一種類のもので)いろいろな~；さまざまな~　② ~の一種類[型]	655
16	out of hand	手に負えない；即座に	659
17	take part in ~	~に参加する	629
18	make *one's* way (to ~)	(~に向かって)進む	624
19	for fear of ~	~を恐れて	614
20	make a [*one's*] living	生計を立てる	622

#	英語	日本語	番号
21	in connection with ~	~に関連して；~と共同で	580
22	in relation to ~	~に関連して(の)；~と比べて	591
23	in view of ~	~を考慮して	600
24	for the sake of ~	~のために	617
25	by virtue of ~	~のおかげで；~によって	612
26	place emphasis on [upon] ~	~を強調する	638
27	on (one's) guard	警戒して	606
28	in the long run	結局は；長い目で見れば	598
29	in favor of ~	~に賛成して；~のほうを選んで	585
30	on duty	当番で；勤務時間中で	605
31	ask one a favor	(人)に願い事を頼む	641
32	live [lead] a ~ life	~の生活をする	650
33	at the mercy of ~	~のなすがままになって	576
34	in terms of ~	~の観点から；~に換算して	594
35	on a ~ basis	~の基準[原則]で	601
36	do one good	(人)に利益を与える；(人)のためになる	620
37	find one's way to ~	~まで道を探しながら進む；~へたどり着く	634
38	at first sight	一見したところでは；ひと目で[の]	571
39	take advantage of ~	~を利用する；~につけ込む	633
40	at the cost of ~	~を犠牲にして	574

正解数： ／40　　／40

Unit 17 英➡日 ファイナルチェック

			ID
1	on [in] behalf of ~	~のために;~を代表して	603
2	give birth to ~	~を生[産]む;~の原因になる	635
3	in fashion	流行して	584
4	on the increase	増加中で	607
5	fall in love with ~	~と恋に落ちる;~が大好きになる	644
6	leave ~ alone	~をそのままにしておく;~に干渉しない	649
7	for the benefit of ~	~のために	616
8	except for ~	~を除いて;~以外は;~がない[なかった]ならば	613
9	(close [near]) at hand	近くで[に]	572
10	for lack [want] of ~	~がないために;~の不足のために	615
11	behind the times	時代遅れの	609
12	without fail	必ず;間違いなく	619
13	have difficulty (in) *doing*	~するのが困難である;苦労しながら~する	628
14	shake hands (with ~)	(~と)握手する	640
15	keep [bear] ~ in mind	~を心にとどめておく;~を忘れない	647
16	a bit of ~	少量の~;一片の~	652
17	at the expense of ~	~を犠牲にして	575
18	come into being [existence]	出現する;生まれ出る	643
19	in return (for ~)	(~の)お返しに;(~と)引き換えに	592
20	in harmony with ~	~と調和[一致]して	586
Part 4 (Section 1-2)			**ID**
21	by far	はるかに;ずっと	710

#	英語	日本語	頁
22	as far as ...	①…まで(も) ②…する限り(では)	767
23	no matter what [how / when, etc.] ~	何が[どんなに／いつ]~でも	700
24	*be* reluctant to *do*	~したがらない	662
25	There is no *doing*	~することはできない	751
26	in that ...	…のゆえに；…の点で	775
27	spend *time* (in) *doing*	~して(時間・期間)を過ごす	747
28	It is (about [high]) time (that) ...	(ほぼ[とっくに])…してよいころである	724
29	on (the) condition (that) ...	…という条件で；…ならば	779
30	pride *oneself* on ~	~を誇る；~を自慢に思う	729
31	*be* to blame (for ~)	(~に対して)責めを負うべきである[責任がある]	753
32	It is not until ~ that ...	~して初めて…する	740
33	hardly ~ when [before] ...	~するかしないうちに…	734
34	cannot help but *do*	~せざるを得ない；~せずにはいられない	693
35	All *one* has to do is (to) *do*	ただ~すればよい	730
36	(The) Fact is (that) ...	実は…である	749
37	remember *doing*	~したのを覚えている	688
38	leave nothing to be desired	申し分ない	760
39	remain to be seen	(結果などは)未定である	761
40	go so far as to *do*	~しさえする	757

正解数： ／40 ／40

Unit 18 英→日 ファイナルチェック

			ID
1	to be sure	確かに	673
2	by the time S+V	S が〜するまでに(は)	732
3	(It is) True 〜, but ...	確かに〜であるが、…だ	738
4	generally speaking	一般的に言えば	680
5	know better (than to *do*)	(〜するほど)ばかなことはしない;(〜しないだけの)分別はある	711
6	*A* is to *B* what *C* is to *D*	*A*の*B*に対する関係は*C*の*D*に対する関係に等しい	752
7	can afford to *do*	〜する余裕がある	755
8	stand to reason	もっともである;理屈に合う	762
9	never 〜 without ...	〜すれば必ず…する	741
10	have something to do with 〜	〜と関係がある	759
11	as [so] far as 〜 *be* concerned	〜に関する限り	768
12	(The) Chances are (that) ...	ひょっとしたら…だろう;たぶん…だろう	748
13	(in) the way S+V	S が〜するやり方で	774
14	provided (that) ...	もし…ならば	781
15	may well *do*	おそらく〜するだろう;〜しても不思議ではない	695
16	Nothing is more *A* than *B*	*B*ほど*A*なものはない	778
17	at *one's* best	最も良い状態で[の]	709
18	to say nothing of 〜	〜は言うまでもなく	676
19	*be* forced to *do*	やむなく〜する	661

#	熟語	意味	ページ
20	~, so (that) ...	~だ,その結果…だ	746
21	fail to *do*	~し損なう；~できない	664
22	*be* used to *doing*	~することに慣れている	685
23	in itself	それ自体では；本来は	727
24	~ will do	~は役に立つ；~は用が足りる	698
25	take the trouble to *do*	労を惜しまず~する；わざわざ~する	765
26	as [so] long as ...	…である限り[間]は；…でありさえすれば	769
27	the moment [minute] ...	…するとすぐに	786
28	no more than ~	わずか~だけ；~にすぎない	718
29	more or less	ほぼ；いくぶん；多かれ少なかれ	713
30	more often than not	普通は；たいてい	712
31	as opposed to ~	~とは対照的に；~ではなく	677
32	(The) Point is (that) ...	大事な点は…だ；要するに…	750
33	not so much A as B	AというよりB	777
34	would rather ~ (than ...)	(…するより)むしろ~したい	697
35	as ~ as ever	相変わらず~な	706
36	It follows (that) ...	当然…ということになる	735
37	as good as ~	~も同然；ほとんど~	707
38	cannot help *doing*	~せざるを得ない；~せずにはいられない	694
39	needless to say	言うまでもなく	670
40	one ~, the other ...	(2つのうちで)一方は~,もう一方は…	743

正解数： ／40　／40

Unit 19 英➡日 ファイナルチェック

			ID
1	not ~ (in) the least	全く~ない	720
2	*be* worth *doing*	~する価値がある	686
3	*A* is one thing; *B* is another	*A*と*B*とは別のものである	783
4	as it were	いわば	722
5	as much [many] as ~	~もの数の;~と同数の	708
6	as is (often) the case (with ~)	(~に関して)よくあることだが	699
7	what *A* is	現在の*A*	701
8	(It is) No wonder (that) ...	...なのは当然だ	737
9	speaking [talking] of ~	~と言えば	684
10	feel like *doing*	~したい気がする	687
11	no more *A* than *B*	*B*と同様に*A*でない	717
12	keep *doing*	~し続ける	683
13	now that ...	今はもう...なので;...である以上	742
14	to begin [start] with	まず第一に;最初に[は]	674
15	what we call ~	いわゆる~	703
16	It goes without saying that ...	...なのは言うまでもない	736
17	*be* supposed to *do*	~することになっている;(世間で)~と考えられている	663
18	to make matters worse	さらに悪いことに	675
19	for *oneself*	(他人に頼らないで)自分で;自分(自身)のために	726

#	Expression	Meaning	Page
20	come close [near] to *doing*	もう少しで〜しそうになる	756
21	It is no use *doing*	〜しても無駄である	739
22	that is (to say)	つまり；すなわち	782
23	the former 〜, the latter ...	前者は〜で，後者は…	784
24	the last ... to *do*	最も〜しそうでない…	785
25	be to *do*	①〜することになっている ②〜すべきである ③〜できる	691
26	if it were not for 〜	もし〜がなければ	723
27	cannot 〜 too (...)	いくら〜してもしすぎることはない	692
28	might (just) as well *do*	(気は進まないがどうせなら)〜するほうがいい；〜してもよい；〜するのも同じだ	696
29	as it is	①実際のところは ②(事物が)あるがままの[に]	770
30	compared with [to] 〜	〜と比べると	679
31	tend to *do*	〜しがちである；〜する傾向がある	668
32	judging from [by] 〜	〜から判断すると	682
33	no sooner *A* than *B*	*A*するやいなや*B*する	719
34	take 〜 for granted	〜を当然のことと思う	763
35	see (to it) that ...	…するように取り計らう[気をつける]	744
36	all the+比較級(+for 〜)	(〜のため)ますます…；(〜のため)それだけいっそう…	704
37	take 〜 seriously	〜を真剣に受け止める	764
38	on the grounds that ...	…という根拠[理由]で	780
39	more of a *A* than *B*	*B*というより*A*	776
40	have no (other) choice but to *do*	〜するよりほかに仕方がない	758

正解数： ／40   ／40

Unit 20 英➡日 ファイナルチェック

			ID
1	(Just) As 〜, so ...	(ちょうど)〜であるように, …	731
2	the＋比較級〜, the＋比較級 ...	〜であればあるほど, いっそう…である	721
3	and yet	それにもかかわらず	766
4	no less than 〜	〜も；〜と同様に	716
5	catch *one doing*	(人)が〜しているところを見つける[捕らえる]	678
6	so to speak	いわば	672
7	one after another	次々に	728
8	so that A will [can] *do*	Aが〜する[できる]ように	745
9	no less A than B	Bに劣らずA；B同様にA	715
10	go on *doing*	〜し続ける	681
11	bring *oneself* to *do*	〜する気持ちになる	754
12	every [each] time ...	…するたびに	771
13	if only ...	①…でありさえすれば ②…でさえあればなあ	773
14	as 〜 as any (＋名詞)	誰[どれ]にも劣らず〜な	705
15	when it comes to *doing*	〜する問題になると	689
16	in order [so as] to *do*	〜するために	669
17	either A or B	AかBかどちらか	733
18	remember to *do*	忘れずに〜する	667
19	with a view to *doing*	〜する目的で	690
20	what is more	さらに；それに	702

#	項目	意味	ID
21	happen to *do*	偶然～する	665
22	if any	もしあれば；もしあるとしても	772
23	so+形容詞[副詞]+as to *do*	①～するほど…である ②非常に…なので～する	671
24	(all) by *oneself*	①（他人から離れて）ひとりぼっちで ②（他人の力を借りずに）独力で	725
25	much [still] less ～	まして～はいっそうない	714
26	manage to *do*	なんとか～する[やり遂げる]	666

Part 4 (Section 3)

#	項目	意味	ID
27	see ～ off	（人）を見送る	824
28	take *one's* time	時間をかけてゆっくりやる；自分のペースでやる	829
29	You're kidding (me).	冗談でしょう。；まさか。	840
30	take it easy	のんびりと構える	828
31	for a rainy day	（将来の）まさかの時[緊急時]に備えて	799
32	speak out [up]	はっきり[思い切って]話す	826
33	My pleasure.	どういたしまして。	822
34	be crazy about ～	～に夢中である；～が大好きである	789
35	have a sweet tooth	甘いものが好きだ；甘党だ	809
36	How come (～)?	どうして(～)。	818
37	make *oneself* understood	自分の言うことを相手にわからせる	821
38	have no idea	見当がつかない	811
39	be (all) the rage	（大）流行[ブーム]になっている	788
40	for sure [certain]	確かに(は)	801

正解数： ／40　　／40

Unit 21 英➡日 ファイナルチェック

		ID
1 ☑ drop *one* a line	(人)に短い手紙を書く；(人)に一筆書く	797
2 ☑ call it a day	その日の仕事を終える	793
3 ☑ give *one* a hand	(人)に手を貸す	803
4 ☑ have an eye for ~	~に対する眼識[鑑識力]がある	810
5 ☑ have [take] a look (at ~)	(~を)見る	808
6 ☑ pull *A's* leg	A(人)をかつぐ；A(人)をからかう	823
7 ☑ help *one*self to ~	~を自由に取る	813
8 ☑ *be* fed up with ~	~にうんざりしている	791
9 ☑ get even with ~	(人)に仕返しをする；(人)に恨みを晴らす	802
10 ☑ (just) around the corner	(距離・時間的に)すぐ近くに	820
11 ☑ hang on	持ちこたえる；電話を切らずにおく；しがみつく	806
12 ☑ Why not?	それいいね。；ぜひそうしよう。	839
13 ☑ What ~ like?	~はどんなものか。	837
14 ☑ in no time	瞬く間に；あっという間に	819
15 ☑ Couldn't be better.	これ以上の良さはあり得ない。；最高です。	796
16 ☑ What a shame!	なんて残念な[気の毒な]。	833
17 ☑ give *one's* regards to ~	(人)によろしくとのあいさつを伝える	804
18 ☑ How about ~?	~はいかがですか。	817
19 ☑ having said that [so]	そうは言ったものの	812
20 ☑ have a good [great] time	楽しい時を過ごす	807

#	項目	意味	番号
21	(enough ~ to) go around	(物が)(出席者などの)全員に行き渡る	798
22	Here we are.	さあ着いたぞ。	814
23	check out ~	① ~を調査[点検]する ② (図書館などから)~を借り出す	795
24	such as it is	これだけの[つまらない]ものですが	827
25	What if ...?	もし…ならどうするか。	836
26	calm down (~)	落ち着く；~を落ち着かせる；静まる；~を静める	794
27	~ to death	死ぬまで~；ひどく~	830
28	*be* cut out for ~	~に向いて[生まれついて]いる	790
29	hold the line	電話を切らずにそのまま待つ	816
30	What's up?	何かあったのですか。；どうしたのですか。	838
31	What ... for?	どうして…。；何の目的で…。	835
32	go ahead	先に行く；進む	805
33	for free	無料で；ただで	800
34	hold *one's* breath	息を止める；(期待して)息をひそめる	815
35	*be* all ears	一心に耳を傾けている	787
36	What do you say to *doing*?	~するのはどうですか。	834
37	call back (~)	~を呼び戻す；(~に)折り返し電話する；(後で)(~に)電話をかけ直す	792
38	watch *one's* step	足元に注意する；慎重に行動する	832
39	Something is wrong with ~.	~はどこか調子がおかしい[故障している]。	825
40	~ to go	あと~；残りの~；持ち帰り用の~	831

正解数： /40   /40

Unit 22 英➡日 ファイナルチェック

Part 5 (Section 1–3) ID

#		英語	日本語	ID
1	☐	present *oneself*	現れる；出頭する	913
2	☐	settle for ~	(不十分ながら)~で我慢する	855
3	☐	take notice of ~	~に注意[注目]する；~に気づく	921
4	☐	bring A home to B	A(ある事柄)をB(人)に痛感させる	895
5	☐	dispense with ~	~なしで済ます	850
6	☐	tear down ~	(建物)を取り壊す；~を打ち砕く	886
7	☐	let down ~	~を失望させる	872
8	☐	keep ~ company	~と一緒にいる；~に付き合う	901
9	☐	make a fool of ~	~を笑いものにする	909
10	☐	play a trick (on *one*)	(人に)(悪意のない)いたずらをする	912
11	☐	comply with ~	(規則・命令など)に従う；~に応じる	847
12	☐	hold true	当てはまる；有効である	871
13	☐	make (both) ends meet	収入内でやりくりする	908
14	☐	range from A to B	AからBに及ぶ	880
15	☐	rise [get] to *one's* feet	立ち上がる	882
16	☐	keep ~ to *oneself*	~を人に話さないでおく；~を占有する	903
17	☐	cope with ~	~に対処する；~をうまく処理する	848
18	☐	deal in ~	(商品)を商う；(仕事など)に従事する	849
19	☐	come to an end [a close]	終わる	860
20	☐	see much of ~	(人)にたびたび会う	916
21	☐	boast of [about] ~	~を自慢する；~を誇らしげに話す	846

22	embark on [upon] ~	(事業・計画など)に乗り出す；~を始める	852
23	give A credit for B	A(人)をB(事柄)のことで称賛する[認める]	900
24	tell on [upon] ~	~に(悪く)影響する；~にこたえる	856
25	take ~ into account	~を考慮に入れる	920
26	fall short of ~	~に達しない	864
27	take hold of ~	~をつかむ；~を捕まえる	919
28	read between the lines	行間を読む；暗黙のうちに理解する	881
29	get down to ~	(仕事・問題など)に本気で取り掛かる	865
30	hand over ~	~を引き渡す；~を手渡す	869
31	think much [highly] of ~	~を尊敬[尊重]する；~を高く評価する	888
32	know ~ by sight	(人)の顔は見て知っている	905
33	dwell on [upon] ~	①~を詳しく論じる[述べる；書く] ②~にこだわる；~をくよくよ[つくづく]考える	851
34	have yet to do	これから~しなければならない；まだ~していない	870
35	indulge in ~	(快楽など)にふける；思う存分~する	853
36	live up to ~	(期待など)に添う；~に恥じない行動をする；(義務など)を果たす	874
37	ascribe A to B	AをBのせいにする	893
38	attend to ~	~に注意を払う；~の世話をする；~を処理する	845
39	yearn for ~	~にあこがれる；~を恋しがる	857
40	come to light	明るみに出る；現れる	861

正解数： ／40 ／40

Unit 23 英➡日 ファイナルチェック

			ID
1	think better of ~	~を見直す；~を考え直してやめる	887
2	aspire to ~	(大きな目標の達成など[~すること])を熱望する	844
3	fall back on [upon] ~	(最後の手段として)~に頼る	863
4	come to terms with ~	~と折り合いがつく；(あきらめて)~を受け入れる	862
5	see [do] the sights (of ~)	(~の)観光をする	917
6	single out ~	~を選び出す	884
7	go out of one's way to do	わざわざ[故意に]~する	868
8	lose one's temper	冷静さを失う；腹を立てる	907
9	abide by ~	(法・約束など)に従う[を守る]	841
10	miss out on ~	(好機など)を逃す；~を取り逃がす	878
11	take ~ by surprise	~を驚かす；~の不意を打つ	918
12	watch out (for ~)	(~に)気をつける	891
13	break the ice	(会合などの初めの)緊張をほぐす；話の口火を切る	894
14	do ~ justice	~を正当に評価する；(写真などが)~を実物どおりに表す	896
15	let go (of ~)	(~を)手放す；(~を)捨てる	873
16	make believe (that ...)	(…という)ふりをする	875
17	throw up (~)	①~を投げ(上げ)る；~をさっと上げる ②(食べた物を)吐(は)く	890
18	keep track of ~	~の跡をたどる；(記録するなどして)~を忘れないようにする	904
19	find oneself	(気がついてみると)(人が)~にいる；~である；~とわかる	897

#			
20	rule out ~	(可能性など)を排除する；~を認めない	883
21	look ~ in the eye(s) [face]	~の目[顔]を正視する	906
22	come down with ~	(病気)にかかる	858
23	speak ill of ~	~の悪口を言う	885
24	make do (with ~)	(代用品などで)間に合わせる	876
25	persist in ~	~に固執する；~を主張する	854
26	think twice	よく考える；考え直す	889
27	work out (~)	① ~を作り出す；~を解決する；~の答えを出す；(計画が)うまくいく　② 運動する	892
28	put ~ to use	~を利用する	915
29	take turns	交代する	923
30	keep ~ in check	~を抑える；~を食い止める	902
31	get [have] the better of ~	~に勝つ；~を出し抜く	899
32	put an end to ~	~を終わらせる	914
33	get on *A*'s nerves	*A*の神経にさわる	866
34	make good (~)	① 成功する　② (約束など)を果たす；(損害など)を償う	877
35	take pains	骨を折る；努力する	922
36	allow for ~	~を考慮に入れる；~を見込む	843
37	pay a visit (to ~)	(~を)訪問する	911
38	account for ~	① ~の理由を説明する；~の説明となる　② (割合など)を占める	842
39	make much of ~	~を重要視する；~を理解する	910
40	follow suit	先例に従う；人のまねをする	898

正解数：　／40　　／40

Unit 24 英→日 ファイナルチェック

			ID
1	pass out	気絶する；酔いつぶれる	879
2	go a long way (toward(s) ~)	(~に)大いに役立つ	867
3	come of age	(法律的に)成人に達する	859

Part 5 (Section 4-6)   ID

			ID
4	by nature	生まれつき；元来	977
5	out of breath	息切れして	959
6	of late	近ごろ；最近	988
7	in the works	準備中で；計画[開発]中で	952
8	on second thought	考え直してみて	990
9	down the road	やがては；将来は	978
10	scores of ~	多数の~	963
11	all too	とても；非常に	969
12	only too	① とても；大いに ② 遺憾[残念]ながら…だ	995
13	beyond the reach of ~	~の(手が)届かない所に	933
14	*be* keen on ~	~に熱心である；~が大好きである	928
15	early on	早い時期に；早くから	979
16	at stake	危うくなった[なって]；賭けられた[られて]	947
17	with ease	容易に	1000
18	*be* beside *oneself* (with ~)	(~で)我を忘れる；(~に)夢中である	924
19	(all) on *one's* own	(すべて)自分1人で；(すべて)独力で	941
20	on occasion	ときどき	989

#	語句	意味	№
21 ☐	if anything	どちらかと言えば；もしあるとしても	983
22 ☐	off [wide of] the mark	(発言などが)的はずれの[で]	955
23 ☐	to the full	十分に；心ゆくまで	999
24 ☐	on the ~ side	~気味で[の]	957
25 ☐	out of work	失業中で	960
26 ☐	in due course [time]	やがて；そのうち	986
27 ☐	be second to none	誰[何物]にも劣らない；最高である	930
28 ☐	in good shape	調子が良くて	951
29 ☐	right as rain	すっかり健康になって	962
30 ☐	by and large	概して	976
31 ☐	something of a ~	ちょっとした~；ある程度の~	964
32 ☐	(at) first hand	直接に；じかに	971
33 ☐	on ~ terms with *A*	*A*と~の関係で	937
34 ☐	to *one's* heart's content	十分に；心ゆくまで	997
35 ☐	at [on] short notice	急に；即座に	973
36 ☐	on the tip of *one's* tongue	(名前などが)のどまで出かかっているが思い出せない	958
37 ☐	at issue	論争中の[で]；問題の	945
38 ☐	in store (for ~)	(~のために)用意して；(~の身に)降りかかろうとして	936
39 ☐	in a row	連続して	984
40 ☐	as such	そういうものとして；それ自体	943

正解数： /40 /40

Unit 25 英→日 ファイナルチェック

			ID
1	in comparison (with [to] ~)	(~と)比較すれば	985
2	as follows	次のとおり	942
3	all along	最初からずっと	968
4	at *one's* wit's end	途方に暮れて	946
5	even as ...	まさに…している[していた]ときに	980
6	beyond description	言葉では表現できないほどの[に]	948
7	on the dot	時間ちょうどに;きっかりに	991
8	so much for ~	~はこれでおしまい;~はそんなところ	939
9	*be* susceptible to ~	~の影響を受けやすい;~に感染しやすい	931
10	in person	(代理人でなく)本人が;自ら	987
11	on the verge of ~	~の瀬戸際で;~しそうで	938
12	at will	思いのままに;随意に	974
13	*be* intent on [upon] ~	~に懸命である;~に熱心である	927
14	~ of *one's* own	自分自身の~	954
15	the other way around [round]	あべこべに;逆に	996
16	at heart	心の底では;根は;本当は	972
17	at *A*'s disposal	*A*の自由になって;*A*が自由に使えて	944
18	*be* indifferent to ~	~に無関心[平気]である	926
19	nothing short of ~	まさしく~(の)	953
20	for all I know	よくは知らないが,たぶん	981
21	in earnest	熱心に;本格的に	950

#	表現	意味	番号
22	*be* liable to ~	~しがちである；~にかかりやすい	929
23	as of ~	~現在で；~の時点で	932
24	quite a few ~	かなりの数の~	961
25	one of these days	そのうちに	994
26	at *A*'s convenience	*A*の都合の良いときに	970
27	under construction	建築中で；工事中で	966
28	on the face of it	見たところは；表面上は	992
29	once (and) for all	きっぱりと；これを最後に	993
30	under way	(計画などが)進行中で	967
31	in accordance with ~	~に従って；~に応じて	934
32	to *A*'s advantage	*A*に有利な[に]	965
33	to the best of *one*'s knowledge	(人)の知る限り(では)	998
34	every other ~	① 1つ[1日；1週；…]おきの[に]~ ② 残りのすべての~	949
35	behind *A*'s back	*A*のいない所で	975
36	on a diet	ダイエット中の[で]	956
37	in proportion to ~	~に比例して	935
38	*be* crucial to ~	~にとって重要である	925
39	for nothing	① 無料で ② 無駄に	982
40	to the effect that ...	…という趣旨の[で]	940

正解数： /40   /40

379

Unit 1 日➡英 ファイナルチェック

Part 1 (Section 1-4)

#		日本語	英語	ID
1	☑	①〜を脱ぐ；〜を取りはずす ②離陸する；(流行・売り上げなどが)急増[急伸]する	take off (〜)	78
2	☑	〜を置いていく；〜を置き忘れる	leave 〜 behind	79
3	☑	〜しそうである	*be* likely to *do*	15
4	☑	〜に集中する	concentrate on 〜	49
5	☑	①〜の世話をする ②〜を好む；〜を望む	care for 〜	42
6	☑	今までのところ	so far	11
7	☑	〜から成り立っている	consist of 〜	43
8	☑	〜を引き起こす	bring about 〜	77
9	☑	〜に成功する	succeed in 〜	54
10	☑	〜へ通じる；〜を引き起こす	lead to 〜	26
11	☑	〜から便り[電話・伝言]がある	hear from 〜	59
12	☑	①〜を育てる ②(問題・話題など)を持ち出す	bring up 〜	66
13	☑	今にも〜しようとしている	*be* about to *do*	21
14	☑	目が覚める；(人)の目を覚まさせる	wake up (〜)	65
15	☑	〜を実行する	carry out 〜	71
16	☑	いつも；常に	all the time	13
17	☑	〜を(身に)付ける；(電気器具・ガスなど)をつける	put on 〜	72
18	☑	〜の出身である；〜から生じる；〜に由来する	come from 〜	27
19	☑	〜に満足している	*be* satisfied with 〜	25
20	☑	〜に焦点を合わせる；〜に集中する	focus on 〜	33
21	☑	〜に頼る；〜次第である	depend on [upon] 〜	28
22	☑	近ごろは；このごろは	these days	8

#		意味	英語	
23	☐	①〜に到着する ②〜するようになる；〜できる	① <u>get</u> to 〜 ② <u>get</u> to [*do*]	39
24	☐	①働き続ける ②〜を製作する；〜に取り組む； 〜に影響を与える	<u>work</u> on (〜)	41
25	☐	〜に頼る	<u>rely</u> on [upon] 〜	38
26	☐	(調査などの結果)を見つけ出す；(真相)を知る	<u>find</u> out 〜	68
27	☐	〜を理解する；〜を計算する；〜を解く	<u>figure</u> out 〜	70
28	☐	①〜を必要とする；〜を求める ②(人)を誘い[迎え]に行く；(物)を取りに行く	<u>call</u> for 〜	55
29	☐	①〜を通過する ②(苦しみなど)を経験する	<u>go</u> through 〜	45
30	☐	〜のすぐ近くに；ほぼ〜	<u>close</u> to 〜	7
31	☐	〜のこと[噂(うわさ)・消息]を聞く	<u>hear</u> of 〜	51
32	☐	いくつもの〜；かなり多くの〜	a <u>number</u> of 〜	1
33	☐	〜を扱う；〜を処理する	<u>deal</u> with 〜	34
34	☐	〜について不平を言う；(苦痛など)を訴える	<u>complain</u> about [of] 〜	53
35	☐	(病気など)に悩む；〜で苦しむ	<u>suffer</u> from 〜	40
36	☐	〜で成り立っている	*be* <u>made</u> of 〜	24
37	☐	1つ[1個；1本；1枚；…]の〜	a <u>piece</u> of 〜	2
38	☐	①(〜の)至る所に[で] ②一面に	<u>all</u> <u>over</u> (〜)	10
39	☐	①〜のことを考える；〜しようかなと思う ②〜を思いつく ③〜を思い出す	<u>think</u> of 〜	29
40	☐	〜など	<u>and</u> <u>so</u> <u>on</u> [forth]	9

正解数： /40 /40

Unit 2 日➡英 ファイナルチェック

			ID
1 ☐	①〜に言及する ②〜を参照する;〜に問い合わせる	refer to 〜	30
2 ☐	〜に責任がある	*be* responsible for 〜	18
3 ☐	〜に基づいている	*be* based on [upon] 〜	23
4 ☐	〜に終わる	result in 〜	37
5 ☐	〜から起こる	result from 〜	60
6 ☐	〜を求める	ask for 〜	44
7 ☐	①暮らす;(なんとか)やっていく ②(〜と)仲良くやっていく(with 〜);(〜が)進む(with 〜)	get along	57
8 ☐	〜に貢献する;〜に寄付[寄稿]する	contribute to 〜	35
9 ☐	〜どころではない;〜からほど遠い	far from 〜	12
10 ☐	〜を信用する;〜の良さ[存在]を信じる	believe in 〜	52
11 ☐	〜の世話をする	look after 〜	56
12 ☐	何ダースもの〜;数十もの〜	dozens of 〜	6
13 ☐	〜と異なる	differ from 〜	58
14 ☐	①(〜を)解散[散会・解体]させる[する] ②(関係などが)終わる;(人が)別れる;〜を終わらせる	break up (〜)	67
15 ☐	〜に参加する	participate in 〜	48
16 ☐	〜を気にかける;〜に関心を持つ	care about 〜	50
17 ☐	①〜であることがわかる;(結果的に)〜になる ②〜を産出する ③(催しなどに)繰り出す	turn out (〜)	46
18 ☐	まず第一に	first of all	14
19 ☐	(書類など)に書き込む	fill out 〜	36
20 ☐	〜を探す	look for 〜	31

21 ☐	～を指摘する	*point* out ～	69
22 ☐	①（公共の乗り物など）に乗る ②（なんとか）やっていく；（～と）仲良くやっていく(with ～)	*get* on (～)	73
23 ☐	～とは違っている	*be different* from ～	16
24 ☐	～してもかまわない	*be willing to* do	19
25 ☐	たくさんの～	*plenty* of ～	5
26 ☐	～の(消費)量を減らす；～を切り詰める	*cut down* [back] (on) ～	75
27 ☐	～を立[建]てる；～を創設する；～を始める	*set* up ～	64
28 ☐	～を拾う；～を(車などに)乗せる	*pick* up ～	62
29 ☐	～ができる；～の可能性がある	*be capable* of ～	22
30 ☐	～を続ける	*carry* on ～	74
31 ☐	大人になる；(事態などが)生じる	*grow* up	32
32 ☐	①2つの～；2人の～ ②2, 3の～	*a couple* of ～	3
33 ☐	～を試着する	*try* on ～	61
34 ☐	～を捜[探]す	*search* for ～	47
35 ☐	～に気がついている；～を知っている	*be aware* of ～	17
36 ☐	～を恐れる[怖がる]；～を心配している	*be afraid* of ～	20
37 ☐	かなりたくさん(の～)	*a great* [good] *deal* (of ～)	4
38 ☐	①～を破壊する；～を取り壊す；～を分解する ②故障する；取り乱す；肉体的[精神的]に参る	*break* down (～)	76
39 ☐	～をあきらめる；～を捨てる[やめる]	*give* up ～	63
Part 1 (Section 5-8)			**ID**
40 ☐	～したものだった；昔は～であった	*used to* do [be]	129

正解数： /40   /40

Unit 3 日→英 ファイナルチェック

			ID
1	初めて	for the first time	89
2	気[考え]が変わる	change one's mind	125
3	AではなくB	not A but B	159
4	言い換えれば;つまり	in other words	87
5	～の世話をする;～に気をつける	take care of ～	114
6	しばらくの間	for a while	93
7	よくても;せいぜい	at best	108
8	～に注意を払う	pay attention to ～	119
9	①もし…ならば ②…するといけないから;…に備えて	in case ...	157
10	～のために	because of ～	145
11	違いが生じる;重要である	make a difference	120
12	AをBと結びつけて考える	associate A with B	142
13	(解決策など)を思いつく;(案など)を提出する	come up with ～	122
14	～に影響を与える	have an influence [effect] on ～	121
15	①一体全体 ②世界中で	on earth	105
16	～のおかげで	thanks to ～	151
17	これに反して;他方では	on the other hand	86
18	①～のほかに ②～を除いては	apart from ～	155
19	～の代わりに;～しないで	instead of ～	146
20	(～を)確かめる;確実に～する	make sure (～)	117

#		意味	答え	ページ
21	☐	～したほうがいい；～すべきだ	had better *do*	130
22	☐	*A*を*B*から防ぐ；*A*を妨げて*B*をさせない	prevent *A* from *B*	134
23	☐	①一般に ②一般の	in general	88
24	☐	まるで…のように	as if [though] ...	156
25	☐	もはや～ない	no longer ～	109
26	☐	起こる；催される	take place	115
27	☐	ときどき	at times	103
28	☐	～にもかかわらず	in spite of ～	154
29	☐	～の前に[で]	in front of ～	147
30	☐	*A*を*B*に(質的に)変える	turn *A* into *B*	140
31	☐	時間どおりに[で]	on time	98
32	☐	*A*を*B*と見なす	regard *A* as *B*	139
33	☐	全体として(の)	as a whole	100
34	☐	*A*を*B*に使う	spend *A* on *B*	135
35	☐	～に関係なく；～に(も)かかわらず	regardless of ～	152
36	☐	多くても；せいぜい	at (the) most	112
37	☐	①すぐに ②同時に	at once	96
38	☐	一部には；いくぶん(かは)	in part	99
39	☐	道に迷う	get lost	128
40	☐	最善を尽くす	do *one's* best	124

正解数： /40 /40

Unit 4 日➡英 ファイナルチェック

			ID
1	(〜の)結果として	as a result (of 〜)	148
2	①在宅して；家庭で ②くつろいで ③(〜に)精通して(in 〜; on 〜; with 〜)	at home	82
3	①仕事中で[の]；職場で ②運転[作動]中で[の]；作用して	at work	97
4	できる限り〜	as 〜 as possible [*one* can]	111
5	AをBと見なす	think of A as B	138
6	(〜に)加えて；さらに	in addition (to 〜)	149
7	ついには；結局は	in the end	95
8	意味をなす；道理にかなう	make sense	118
9	いつものように	as usual	107
10	①実際に ②(ところが)実際は	in fact	81
11	AをBで助ける	help A with B	137
12	AにBを供給する	provide A with B	133
13	つまり；短く言えば	in short	104
14	AをBと見なす	see A as B	132
15	①〜によれば ②〜に従って；〜に応じて	according to 〜	144
16	順々に；(立ち代わって)次に(は)	in turn	90
17	将来は；今後は	in the future	83
18	AだけではなくBも	B as well as A	158
19	楽しい時を過ごす	enjoy *oneself*	131
20	①全く ②一体；そもそも ③せっかく；とにかく	at all	102
21	〜を楽しみに待つ	look forward to 〜	113

#	日本語	英語	ページ
22	努力する	make an effort [efforts]	126
23	AをBと述べる；AをBに分類する	describe A as B	141
24	(〜で)役割を演じる[果たす]	play a role [part] (in 〜)	116
25	必ずしも〜ではない	not always 〜	110
26	ところで	by the way	91
27	AをBにささげる	devote A to B	143
28	(〜と)対照して；(〜と)著しく違って	in contrast (to [with] 〜)	153
29	例えば	for example [instance]	80
30	間違いをする	make a mistake	123
31	1度に	at a time	101
32	少なくとも	at least	106
33	AだけではなくBも	not only A but (also) B	160
34	① (〜に)間に合って(for 〜) ② やがて；そのうちに	in time	94
35	結局(は)；やっぱり	after all	84
36	〜と一緒に；〜に加えて	along with 〜	150
37	特に	in particular	92
38	AをBと分け合う[共有する]	share A with B	136
39	最初は	at first	85
40	(夢・予言などが)実現する	come true	127

正解数： /40 /40

Unit 5 日➡英 ファイナルチェック

Part 2 (Section 1-2)　　　　　　　　　　　　　　　ID

#	日本語	英語	ID
1	ときどき；ときおり (=sometimes；occasionally)	(every) once in a while	189
2	〜を延期する (=postpone)	put off 〜	176
3	〜を調べる (=investigate)	look into 〜	171
4	ときどき；ときおり (=sometimes；occasionally)	every now and then [again]	188
5	〜を廃止する；〜を取り除く (=abolish；eliminate)	do away with 〜	165
6	ときどき；ときおり (=sometimes；occasionally)	from time to time	191
7	〜を始める (=begin；start)	set about 〜	178
8	全部で (=altogether)	in all	193
9	全然〜ではない；〜どころではない	anything but 〜	227
10	ただ〜だけ；〜にすぎない	nothing but 〜	228
11	〜を確信している	be sure of [about] 〜	221
12	きっと〜する	be sure [certain] to do	222
13	決心する (=decide；determine)	make up one's mind	173
14	〜を我慢する (=tolerate；endure；stand)	put up with 〜	177
15	〜に相当する；〜に該当する	correspond to 〜	203
16	〜と文通する	correspond with 〜	204
17	〜を思いつく；〜に出くわす	hit on [upon] 〜	205
18	ふと(人)の心に浮かぶ	occur to one	206
19	〜としては；〜に関する限りは	for one's (own) part	231
20	〜の側での；〜のほうでは	on one's part	232

#	意味	熟語	No.
21	当然[もちろん]のこととして	as a matter of course	229
22	実際は；実を言うと	as a matter of fact	230
23	(仕事・許可など)を申し込む；〜を志願[申請]する	apply for 〜	201
24	①〜に当てはまる ②(人・場所・組織)に申し込む	apply to 〜	202
25	空中で[の]；(雰囲気などが)感じられて	in the air	235
26	放送中の	on the air	236
27	(人)によく知られている	be familiar to 〜	217
28	(物事)をよく知っている	be familiar with 〜	218
29	(病気など)から回復する；〜を克服する (=overcome)	get over 〜	167
30	〜に似ている (=resemble)	take after 〜	181
31	(やっかいな物)を取り除く (=eliminate；remove)	get rid of 〜	168
32	間もなく (=soon)	before long	185
33	永久に (=forever；permanently)	for good	190
34	起こる (=happen；occur)	come about	163
35	わざと；故意に (=intentionally；purposely)	on purpose	195
36	〜に同意する	agree to 〜	199
37	(人が人・考えなど)に同意する；(気候・食物などが)〜に合う；〜に一致[適合]する	agree with 〜	200
38	どんどん；延々と	on and on	241
39	断続的に	on and off	242
40	〜を選ぶ (=choose；select)	pick out 〜	175

正解数： ／40　　／40

Unit 6 日➡英 ファイナルチェック

			ID
1	～に当てはまる	*be* true of ～	225
2	～に忠実である	*be* true to ～	226
3	ある距離を置いて	at a distance	233
4	遠方に；遠くで	in the distance	234
5	～行きである	*be* bound for ～	213
6	きっと～する	*be* bound to *do*	214
7	前もって（=beforehand）	in advance	192
8	～より前で（=before）	prior to ～	197
9	～を中止する；～を取り消す（=cancel）	call off ～	161
10	～を手に入れる（=get; obtain）	come by ～	164
11	何度も繰り返し（=repeatedly）	over and over (again)	196
12	（主に気候・病気などが）始まる（=begin; start）	set in	179
13	～をよく考える（=consider）	think over ～	182
14	～を心配している	*be* anxious about ～	211
15	～したがる	*be* anxious to *do*	212
16	～で疲れる	*be* tired from [with] ～	223
17	～に飽きる；～にうんざりしている	*be* tired of ～	224
18	死ぬ（=die）	pass away	174
19	徐々に（=gradually）	by degrees	186
20	重要な；重要性のある（=important）	of importance	194
21	～に追いつく（=reach）	catch up with [to] ～	162

#	日本語	英語	№
22	それどころか；それに反して	on the contrary	239
23	それと反対の[に]	to the contrary	240
24	突然に；不意に（=suddenly）	all of a sudden	184
25	（〜の）邪魔になって	in the way (of 〜)	237
26	（〜への）途中で	on the way (to 〜)	238
27	〜を暗記する（=memorize）	learn 〜 by heart	170
28	〜にけちをつける；〜を非難する（=criticize）	find fault with 〜	166
29	全然〜ない（=never）	by no means	187
30	〜がない	be free from [of] 〜	219
31	自由に〜する	be free to *do*	220
32	直ちに；今すぐ（=immediately）	right away	198
33	〜を心配している	be concerned about [for] 〜	215
34	〜に関係している	be concerned with [in] 〜	216
35	〜を最大限に利用する	make the best of 〜	209
36	〜を最大限に利用する	make the most of 〜	210
37	〜を一時解雇する	lay off 〜	207
38	〜を設計する；〜を並べる	lay out 〜	208
39	〜を提出する；〜を引き渡す[返却する]（=submit）	turn in 〜	183
40	（手渡しで）〜を提出する（=submit）	hand in 〜	169

正解数： /40 /40

Unit 7 日➡英 ファイナルチェック

			ID
1 ☑	~を(ざっと)調べる (=examine)	look over ~	172
2 ☑	~を支持[擁護]する (=defend; support)	stand up for ~	180

Part 2 (Section 3-4)   ID

3 ☑	整頓(とん)されて；順調で	in order	308
4 ☑	故障して；順序が狂って	out of order	309
5 ☑	~に固執[執着]する；~にくっつく	cling to ~	243
6 ☑	~にくっつく；(主義・決定など)を堅持する	stick to ~	244
7 ☑	時代遅れの	out of date	310
8 ☑	最新(式)の	up to date	311
9 ☑	実際には	in practice	312
10 ☑	理論上は	in theory	313
11 ☑	現在は；目下(もっか)	at present	280
12 ☑	現在は	at the moment	281
13 ☑	要するに；つまり	in a word	286
14 ☑	要するに；つまり	in brief	287
15 ☑	~しがちである	*be* apt to *do*	270
16 ☑	~する傾向がある；~したい気がする	*be* inclined to *do*	271
17 ☑	~にもかかわらず	for all ~	290
18 ☑	~にもかかわらず	with all ~	291
19 ☑	当分は；今のところは	for now	284
20 ☑	差し当たり；当分の間(は)	for the time being	285

#		日本語	英語	ページ
21	☐	～にさかのぼる；～に始まる	date back to ～	249
22	☐	～から始まる；～から続いている	date from ～	250
23	☐	目立つ；際立つ	stand out	266
24	☐	突き出る；目立つ	stick out	267
25	☐	～にとって不可欠である	be essential to ～	272
26	☐	～にとって不可欠である	be indispensable to [for] ～	273
27	☐	見えて；視界に入って	in [within] sight	316
28	☐	見えなくて；視界から消えて	out of sight	317
29	☐	偶然に	by accident	282
30	☐	偶然に	by chance	283
31	☐	くつろいで	at (one's) ease	306
32	☐	不安で；落ち着かないで	ill at ease	307
33	☐	AをBと区別する	distinguish A from B	251
34	☐	AをBと区別する	tell A from B	252
35	☐	お互い	each other	296
36	☐	お互い	one another	297
37	☐	～に遅れずについていく	keep pace with ～	258
38	☐	～に遅れずについていく	keep up with ～	259
39	☐	～を見つける[見かける]	catch sight of ～	298
40	☐	～を見失う	lose sight of ～	299

正解数： /40   /40

Unit 8 日➡英 ファイナルチェック

			ID
1	☐ とにかく；いずれにしても	at any rate	278
2	☐ とにかく；いずれにしても	in any case [event]	279
3	☐ ～の埋め合わせをする；～を補償する	compensate for ～	245
4	☐ ～の埋め合わせをする；～を補償する	make up for ～	246
5	☐ ～を制止する；(真相など)を隠す	hold back ～	256
6	☐ ～を制止する；(真相など)を隠す	keep back ～	257
7	☐ ～に関して(は)	as to ～	288
8	☐ ～について言えば；～に関する限り	as for ～	289
9	☐ ひそかに；秘密に	in private	314
10	☐ 人前で；公然と	in public	315
11	☐ ～に依存している	be dependent on [upon] ～	304
12	☐ ～から独立している	be independent of ～	305
13	☐ (学生が)～を専攻する	major in ～	260
14	☐ ～を専攻する；～を専門にする	specialize in ～	261
15	☐ ～にある	consist in ～	247
16	☐ ～にある	lie in ～	248
17	☐ 概して；全体的には	all in all	276
18	☐ 概して；全体的には	on the whole	277
19	☐ (～に)屈服する	give in (to ～)	253
20	☐ (～に)屈する；(～に)道を譲る	give way (to ～)	254
21	☐ ～に屈する；～に道を譲る	yield to ～	255

#		意味	熟語	ID
22	☐	(スイッチなど)をつける；(水・ガスなど)を出す；(明かりなどが)つく	turn on (〜)	302
23	☐	(スイッチなど)を消す；(水・ガスなど)を止める；(明かりなどが)消える	turn off (〜)	303
24	☐	〜を取っておく；〜を脇に置く；〜を蓄える	put aside 〜	264
25	☐	〜を取っておく；〜を脇に置く；〜を蓄える	set aside 〜	265
26	☐	〜のために	on account of 〜	294
27	☐	〜のために	owing [due] to 〜	295
28	☐	〜に等しい	be equal to 〜	274
29	☐	〜に等しい	be equivalent to 〜	275
30	☐	(寝ないで)起きている	stay up	268
31	☐	①(寝ないで)起きている ②(寝た状態から)上半身を起こす ③きちんと座る	sit up	269
32	☐	〜は言うまでもなく	let alone 〜	292
33	☐	〜は言うまでもなく	not to mention 〜	293
34	☐	AをBと間違える	mistake A for B	262
35	☐	AをBだと(誤って)思う；AをBと間違える	take A for B	263
36	☐	〜を軽べつする	look down on [upon] 〜	300
37	☐	〜を尊敬する	look up to 〜	301

Part 2 (Section 5−6)　　　　　　　　　　　　　　ID

#		意味	熟語	ID
38	☐	①〜を作り上げる；〜を構成する ②(〜と)仲直りさせる[する] (with 〜) ③〜の埋め合わせをする	make up (〜)	352
39	☐	(〜と)手を携えて；相伴って	hand in hand (with 〜)	401
40	☐	①持ちこたえる；頑張る ②待つ；電話を切らずにいる ③(〜を)しっかりつかむ(to 〜)	hold on	333

正解数：　／40　　／40

Unit 9 日➡英 ファイナルチェック

			ID
1	～の程度に	to ~ extent [degree]	372
2	① ～のほうを見る；～に気をつける ② ～に頼る；～を当てにする	look to ~	348
3	① 押し入る；口を挟む　② ～を慣らす	break in (~)	328
4	(～と)肩を並べて；(～と)協力[共存]して	side by side (with ~)	405
5	～もまた	as well	370
6	① ～を訪問する　② ～に要求する	call on [upon] ~	331
7	後で	later on	400
8	① ～も同然；ほとんど～　② ～以外すべて	all but ~	361
9	① ぜひとも；必ず　② ぜひどうぞ	by all means	364
10	① (時などが)たつ；通り過ぎる　② ～の名で通る[知られる]；～によって行動[判断]する	go by (~)	319
11	① (火事・戦争などが)起こる ② (吹き出もの・汗などが)出る；急に(～)し出す	break out	336
12	(想像などでなく)実際に；(ところが)実際には	in reality	376
13	① ～を常食にする ② (～の収入・金額)で生活する　③ 生き続ける	live on (~)	334
14	とりわけ；何[誰]よりもまず	most of all	381
15	① 落ち着く；定住する ② 腰を据えて～を(し)始める(to ~ / to *do*)	settle down	322
16	① ～を引き受ける；～を雇う ② (色・性質など)を帯びる	take on ~	335
17	たぶん；おそらく	no doubt	409
18	その場で；即座に	on the spot	407
19	① ～を配る；～を発する ② (供給物・力などが)尽きる；なくなる	give out (~)	337
20	とりわけ；特に	above all (else)	383

#		意味	表現	ページ
21	☑	① ～を拒絶する；～を却下する ② (音量・火力など)を小さくする	turn down ～	323
22	☑	手当たり次第に；無作為に	at random	394
23	☑	① (手など)を差し出す ② 持ちこたえる；耐える；(希望など)を抱く	hold out (～)	338
24	☑	① 突然に ② すべて同時に	all at once	392
25	☑	① ～を引き抜く[引き上げる]；～を根絶する ② (車などを)止める；止まる	pull up (～)	353
26	☑	① ～を意味する；～の略字である ② (主義など)を支持する	stand for ～	326
27	☑	手で；手を使って	by hand	385
28	☑	① 詳細に；長々と ② とうとう；ついに	at length	363
29	☑	平均して	on (the [an]) average	375
30	☑	① (～に)気をつける ② (～の)世話をする；(～の)面倒を見る	look out (for ～)	339
31	☑	～の視点から(は)	from ～ point of view	373
32	☑	① (ページなど)をめくる；～をひっくり返す；ひっくり返る ② ～を譲る；～を引き渡す	turn over (～)	344
33	☑	① ～を扶養する ② ～に備える；(法律が)～を規定する	provide for ～	325
34	☑	ひと目見て	at a glance	380
35	☑	① (火・明かりなど)を消す ② ～を出す	put out ～	341
36	☑	大部分は；大体は	for the most part	399
37	☑	① (予定の所に)現れる ② ～を目立たせる；目立つ	show up (～)	355
38	☑	① 事実上；要するに ② (法律などが)実施されて	in effect	366
39	☑	① 待機する；傍観する ② ～を支持[擁護]する；(約束など)を守る	stand by (～)	320
40	☑	1つずつ；1人ずつ	one by one	402

正解数： /40   /40

Unit 10 日→英 ファイナルチェック

			ID
1	①〜を取り入れる；〜を理解する ②〜をだます ③〜を見物する	take in 〜	327
2	①〜まで ②〜次第である；〜の責任である ③〜をしようとして	① up to 〜 ② It is up to 〜 ③ be up to 〜	369
3	①〜を持ち上げる ②〜を遅らせる ③〜に強盗に入る	hold up 〜	350
4	詳細に	in detail	386
5	①〜を調べる；〜に詳細に目を通す ②〜を復習する；〜を繰り返す	go over 〜	345
6	少しずつ	little by little	403
7	前後[左右]に；行ったり来たり	back and forth	389
8	はるばる；ずっと	all the way	393
9	その間に(も)；一方(話変わって)	in the meantime [meanwhile]	378
10	①〜のほうへ進む ②〜に寄与する；〜に役立つ	make for 〜	324
11	①(習慣的に)〜を始める；〜にふける ②〜を好きになる	take to 〜	349
12	①〜に作用する；〜に働きかける ②(命令・信念など)に従って行動する	act on [upon] 〜	330
13	①〜を置く ②〜を抑える；〜を鎮める	put down 〜	321
14	①〜を理解する ②〜を見分ける ③(書類・小切手など)を作成する	make out 〜	340
15	①〜を経験する；〜を受ける ②〜と約束して会う；〜と会見する	meet with 〜	359
16	それでもやはり	all [just] the same	396
17	①〜のため[結果]である ②〜する予定である	be due to 〜	346
18	1つには	for one thing	398
19	今ごろは；今はもう	by now	382

#		日本語	英語	ページ
20	☐	急いで；あせって	in a hurry	391
21	☐	まず第一に	in the first place	379
22	☐	①〜経由で ②〜として；〜のつもりで(の)	by way of 〜	365
23	☐	間違って	by mistake	395
24	☐	ぜひとも	at any cost [all costs]	408
25	☐	①(車が)〜をひく ②(〜から)あふれる	run over (〜)	343
26	☐	①連続して ②まっすぐに	on end	368
27	☐	(大変に[そんなに])長時間	for (so) long	387
28	☐	なんとなく〜；ちょっと〜	sort [kind] of (〜)	371
29	☐	①現れる；起こる ②(ガス・音量など)を大きくする；〜を探し出す	turn up (〜)	357
30	☐	〜から以後は	from 〜 on [onward(s)]	374
31	☐	①(ファッション・考えなどが)流行する；はやる ②(〜を)理解する(to 〜)；(〜に)気づく(to 〜)	catch on	332
32	☐	①〜と付き合う ②〜に似合う	go with 〜	358
33	☐	①〜を掲げる；〜を上げる；〜を建てる ②〜を泊める；泊まる	put up (〜)	354
34	☐	①〜の次の[に] ②ほとんど〜	next to 〜	367
35	☐	一歩ずつ；着実に	step by step	404
36	☐	①いつもの席に着く；特定の地位を占める ②〜に取って代わる	take one's place	360
37	☐	〜の意見では	in one's opinion [view]	377
38	☐	ある意味では；ある程度	in a sense	384
39	☐	昔々	once upon a time	406
40	☐	①〜に偶然出会う；〜を偶然見つける ②〜を走って横切る	run across 〜	318

正解数： /40   /40

Unit 11 日→英 ファイナルチェック

			ID
1	①〜に来る；〜に達する ②〜するようになる ③意識を回復する；正気に戻る	①③ come to (〜) ② come to do	347
2	逆さまに；ひっくり返って	upside down	390
3	①（場所・時間）を取る；〜を取り上げる ②（仕事・趣味など）を始める	take up 〜	356
4	①去る；（電灯などが）消える ②（仕掛けが）作動する；（爆薬が）爆発する；（銃などが）発射される	go off	329
5	①全体としての；一般の ②逃走中で；逮捕されないで	at large	362
6	〜が驚いたことに	to one's surprise	388
7	遅かれ早かれ	sooner or later	410
8	概して；普通(は)	as a (general) rule	397
9	①出発する ②（〜し）始める(to do)	set out	342
10	①（辞書・電話帳などで）〜を調べる ②（人）を訪ねる	look up 〜	351

Part 3 (Section 1−2)

			ID
11	（人）を呼びにやる；（物）を取りにやる	send for 〜	417
12	〜を返す；〜を思い出させる	bring back 〜	489
13	①〜に偶然出会う；〜を偶然見つける ②（考えなどが相手に）伝わる；理解される	come across (〜)	448
14	爆発する；かっとなる；〜を爆破する	blow up (〜)	477
15	〜を出す；〜を明らかにする	bring out 〜	467
16	（天候が）晴れる；（疑念・不明点など）を明らかにする	clear up (〜)	479
17	〜にくっつく；（主義・規則など）に固執する[を守る]	adhere to 〜	438
18	（物・情報など）を次に回す；〜を伝える	pass on 〜	493

#	意味	表現	No.
19	(〜)なしで済ます	do without (〜)	453
20	〜を回顧する；〜を追想する	look back on [upon] 〜	490
21	〜の準備をする；〜に備える	prepare for 〜	414
22	(建物が)全焼する；〜を全焼させる	burn down (〜)	456
23	〜を持ち去る；〜を取り除く	take away 〜	486
24	〜で終わる	end with [by] 〜	442
25	〜を片づける；〜を取っておく；〜を捨てる	put away 〜	488
26	〜に頼る；〜を当てにする	count on [upon] 〜	429
27	〜を主張する	insist on [upon] 〜	428
28	(手段など)に訴える；〜に頼る	resort to 〜	439
29	〜を捨てる	throw away 〜	485
30	〜を処分する；〜を平らげる	dispose of 〜	425
31	急ぐ；〜を急がせる	hurry up (〜)	476
32	〜を増す	add to 〜	433
33	話をやめる；〜を黙らせる	shut up (〜)	483
34	〜を慎む	refrain from 〜	451
35	(〜の)速度を落とす；速度が落ちる	slow down (〜)	458
36	出発する；〜を引き起こす	set off (〜)	460
37	〜はどうなるか	become of 〜	424
38	〜と一致する；〜と同時に起こる	coincide with 〜	443
39	〜に合わせる；〜に従う	conform to [with] 〜	437
40	(〜に)電話をかける；(記憶・勇気など)を呼び起こす	call up (〜)	482

正解数： /40   /40

Unit 12 日→英 ファイナルチェック

			ID
1	(〜を)要約する；(〜を)合計する	sum up (〜)	474
2	現れる；ばれる；出版される	come out	464
3	(休日などが)〜に当たる；(責任・仕事などが)〜に降りかかる	fall on [upon] 〜	432
4	ちょっと立ち寄る	drop in	492
5	(〜を)見せびらかす	show off (〜)	459
6	① (壇上などに)上がる；近づく ② (量・速度など)を増す；〜を促進する	step up (〜)	481
7	〜と競争する	compete with 〜	445
8	最後には〜になる	end up (〜)	472
9	〜を書き留める；〜を決める	set down 〜	455
10	〜を卒業する	graduate from 〜	449
11	(問題など)を解決[調整]する	iron out 〜	470
12	(物)を(しぶしぶ)手放す	part with 〜	447
13	〜を常食[餌(えさ)]にする	feed on 〜	426
14	総計〜になる	amount to 〜	435
15	元気づく；〜を元気づける；〜を応援する	cheer up (〜)	478
16	〜を承認する；〜に賛成する	approve of 〜	423
17	(〜のそばを)通り過ぎる；素通りする；(時が)過ぎる	pass by (〜)	491
18	〜を望む[願う]；〜を欲しがる	wish for 〜	416
19	〜に参加する；〜を始める	enter into 〜	420
20	絶滅する；(習慣などが)すたれる	die out	466
21	〜を子孫[後世]に伝える	hand down 〜	454
22	電話を切る；〜を中断する；(壁などに)〜を掛ける	hang up (〜)	480

#	意味	英語	番号
23	～を切望する	long for ～	415
24	～を省く；～を入れずにおく	leave out ～	468
25	～を妨げる；～の邪魔をする	interfere with ～	441
26	～を使い果たす	use up ～	473
27	(署名して)(～に)加わる；(受講などの)届け出をする	sign up (for ～)	475
28	(～を)引き継ぐ；～を支配する	take over (～)	494
29	～を決める；～に決める	decide on [upon] ～	427
30	集まる；～を集める	get together (～)	495
31	～に反対する	object to ～	436
32	～をただでやる；～を配る；(秘密など)を漏らす	give away ～	487
33	(Bのことで)A(人)に謝る	apologize to A (for B)	434
34	～に向かう	head for ～	413
35	～を狙う；～を目指す	aim at ～	411
36	～に頼る；～次第である	rest on [upon] ～	431
37	～から立ち直る；～から回復する	recover from ～	450
38	～に従う；～から脱線しない	keep to ～	440
39	～にぶつかる；～に偶然出会う；～を偶然見つける	run into ～	418
40	① ～を処理[処置]する ② ～を済ませた；～と縁を切った	① do with ～ ② have done with ～；be done with ～	446

正解数： /40 /40

Unit 13 日➡英 ファイナルチェック

			ID
1	脱落する；中途退学する	drop out	465
2	~に精を出す；~に取り掛かる	go about ~	484
3	①~に侵入する ②急に~し出す	break into ~	419
4	~で死ぬ	die of [from] ~	422
5	(部品など)を組み立てる；(考えなど)をまとめる	put together ~	496
6	すり減る；~をすり減らす[疲れ果てさせる]	wear out (~)	469
7	(光・音・においなど)を発する	give off ~	461
8	(~を)急にやめる；~を切り離す	break off (~)	462
9	~に近寄らない；~に触れない；~を慎む	keep off ~	463
10	~を熟考[反省]する	reflect on [upon] ~	430
11	~を使い果たす	run out of ~	471
12	急に~し出す；突然~に入る	burst into ~	421
13	①~を(し)終える ②(電話などが)通じる；連絡がつく	get through (~)	452
14	~に同情する	sympathize with ~	444
15	①~に達する；~を手に入れる ②~をほのめかす	get at ~	412
16	~を書き留める；(建物など)を取り壊す	take down ~	457

Part 3 (Section 3–4)

			ID
17	~が豊富である	*be* abundant in ~	536
18	AをBに取りつける[付与する]	attach A to B	516
19	~に反している	*be* contrary to ~	553
20	~に値する；~にふさわしい	*be* worthy of ~	546
21	A(人)を説得してBをさせる	talk A into B	531
22	~に熱中している	*be* absorbed in ~	535

No.	意味	表現	ページ
23	～を犯している；～で有罪である	be guilty of ～	541
24	～に特有である；いかにも～らしい	be characteristic of ～	549
25	～を恥じている	be ashamed of ～	547
26	～を実行[実施]する	put ～ into practice [operation]	530
27	～に特有である	be peculiar to ～	561
28	～を知らない	be ignorant of ～	545
29	裕福である	be well off	569
30	AにBをさせない	stop A from B	529
31	AをBと比較する；AをBにたとえる	compare A to [with] B	512
32	AがB(するの)を禁止する[妨げる]	prohibit A from B	528
33	A(人)にB(事)を納得[確信]させる	convince A of B	509
34	～のことで心配している	be worried about [over] ～	568
35	AにBを知らせる	inform A of [about] B	504
36	(人が)(災害など)に直面している	be faced with [by] ～	562
37	～に似ている	be similar to ～	551
38	～に従事している；忙しく～している	be engaged in ～	537
39	A(人)にBの印象を与える	strike A as B	525
40	Bのことで(Aに)感謝している	be grateful (to A) for B	559

正解数： ／40 ／40

Unit 14 日➡英 ファイナルチェック

			ID
1	AをBに課する[押しつける]	impose A on [upon] B	534
2	～に関係[関与]している；～に携わっている；～に熱中している	be involved in ～	538
3	AにBを贈る[与える]	present A with B	521
4	AをBに限定する；AをBに閉じ込める	confine A to B	520
5	～に反対している	be opposed to ～	558
6	AをBに合うように変える；AをBに適合させる	adapt A to [for] B	513
7	AをBに借りている；A(恩・義務など)をBに負っている	owe A to B	519
8	AにBを思い出させる	remind A of B	502
9	A(人)にB(物・事)を請け合う[保証する]	assure A of B	510
10	BについてAを疑う	suspect A of B	511
11	AをBに変える[変質させる]	transform A into [to] B	532
12	～に人気がある	be popular with [among] ～	563
13	～に開かれている	be open to ～	555
14	～について気難しい[やかましい]	be particular about [over] ～	567
15	AをBにさらす	expose A to B	515
16	AをBと交換する	exchange A for B	499
17	～に敏感である	be sensitive to ～	554
18	AからBを奪う	deprive A of B	505
19	(暴力・脅迫などで)AからBを奪う	rob A of B	506

20 ☐	BのことでAを許す	forgive A for B	501
21 ☐	～と知り合いである；～に精通している	be acquainted with ～	565
22 ☐	～を意識している；～に気づいている	be conscious of ～	544
23 ☐	～の[～する]資格がある	be entitled to ～	560
24 ☐	～に満足している	be content [contented] with ～	566
25 ☐	BよりAを好む	prefer A to B	514
26 ☐	BのことでAを非難[告訴]する	accuse A of B	503
27 ☐	AをBに任せる；AをBに残す	leave A (up) to B	517
28 ☐	AにBを供給する[備えつける]	furnish A with B	523
29 ☐	～に特有である；～に典型的である	be typical of ～	543
30 ☐	～に慣れている	be accustomed to ～	552
31 ☐	～に対して寛大である	be tolerant of ～	548
32 ☐	～を受けやすい；～に服従している	be subject to ～	556
33 ☐	BのことでAを祝う	congratulate A on B	533
34 ☐	BをAのせいにする；BのことでAを非難する	blame A for B	498
35 ☐	～と関係がある；～と姻戚関係がある	be related to ～	550
36 ☐	AのBを治す[取り除く]	cure A of B	508
37 ☐	AからBを取り除く	clear A of B	507
38 ☐	～に精通[熟達]している	be versed in ～	540
39 ☐	AにBを供給する	supply A with B	522
40 ☐	AをBから防ぐ；Aを妨げてBをさせない	keep A from B	527

正解数： ／40　／40

Unit 15 日➡英 ファイナルチェック

			ID
1	BのことでAを罰する	punish A for B	500
2	Bの代わりに(Aを)使う	substitute (A) for B	497
3	BからAを引き出す	derive A from B	526
4	AをBにちなんで名づける	name A after B	524
5	〜に欠けている	be lacking in 〜	539
6	〜から構成されている	be composed of 〜	542
7	AをBのせいにする	attribute A to B	518
8	〜を備えている	be equipped with 〜	564
9	〜より優れている	be superior to 〜	557

Part 3 (Section 5-7)

			ID
10	危険で；(〜の)危険があって	in danger (of 〜)	581
11	多数の〜	a host of 〜	654
12	進歩する	make progress	625
13	需要があって；必要とされて	in demand	582
14	〜の間[うち]に	in the course of 〜	595
15	約束を守る	keep one's word [promise]	621
16	〜のことを考えている	have 〜 in mind	646
17	(乗り物)に乗って	on board	604
18	〜を自由の身にする	set 〜 free	651
19	途方に暮れて；困って；損をして	at a loss	570
20	〜を必要として	in need of 〜	588
21	〜に直面して；〜にもかかわらず	in (the) face of 〜	596

#	日本語	英語	番号
22	意志に反して；心ならずも	against *one's* will	608
23	〜を追求して	in pursuit of 〜	590
24	〜によって；〜を用いて	by means of 〜	611
25	〜と親しくなる	make friends with 〜	639
26	〜をからかう	make fun of 〜	631
27	〜から見て；〜を考慮して	in (the) light of 〜	597
28	うまくやる；成功する；間に合う；出席する	make it	623
29	〜のいる所[面前]で；〜を目の前にして	in the presence of 〜	599
30	〜を見て	at the sight of 〜	577
31	(*B*と)共通に*A*を持っている	have *A* in common (with *B*)	645
32	(〜と)交換に	in exchange (for 〜)	583
33	〜に敬意を表して；〜のために	in honor of 〜	587
34	〜から目を離さない；〜を見張る	keep an eye on 〜	637
35	不可能で；あり得ない	out of the question	660
36	〜を利用する	make use of 〜	632
37	〜と接触する；〜に会う	come into [in] contact with 〜	642
38	〜を除いては；〜のほかに	aside from 〜	657
39	ある点で；ある意味では	in a way	578
40	危険な状態で	at risk	573

正解数： /40   /40

Unit 16 日→英 ファイナルチェック

			ID
1	~と連絡を取り合っている；(最新情報など)に通じている	keep [stay] in touch with ~	648
2	適切な；要を得た	to the point	618
3	~の代わりに	in place of ~	589
4	~を預かって；~を管理して	in charge of ~	579
5	(あえて)危険を冒す	take a risk [risks]	627
6	~を探して	in search of ~	593
7	~を誇る；~を自慢に思う	take pride in ~	630
8	~の先に；~より進んで；(時間的に)~より先に	ahead of ~	656
9	(~な)規模で[の]	on a ~ scale	602
10	一握りの~；少数[量]の~	a handful of ~	653
11	危険を冒す；思い切ってやってみる；(~に)賭ける (on ~)	take a chance	626
12	制御できない	out of control	658
13	~がない[なかった]ならば	but for ~	610
14	~を引き起こす；~を生む	give rise to ~	636
15	①(同一種類のもので)いろいろな~；さまざまな~ ②~の一種類[型]	a variety of ~	655
16	手に負えない；即座に	out of hand	659
17	~に参加する	take part in ~	629
18	(~に向かって)進む	make one's way (to ~)	624
19	~を恐れて	for fear of ~	614
20	生計を立てる	make a [one's] living	622

#	意味	英語	番号
21	~に関連して；~と共同で	in connection with ~	580
22	~に関連して(の)；~と比べて	in relation to ~	591
23	~を考慮して	in view of ~	600
24	~のために	for the sake of ~	617
25	~のおかげで；~によって	by virtue of ~	612
26	~を強調する	place emphasis on [upon] ~	638
27	警戒して	on (one's) guard	606
28	結局は；長い目で見れば	in the long run	598
29	~に賛成して；~のほうを選んで	in favor of ~	585
30	当番で；勤務時間中で	on duty	605
31	(人)に願い事を頼む	ask one a favor	641
32	~の生活をする	live [lead] a ~ life	650
33	~のなすがままになって	at the mercy of ~	576
34	~の観点から；~に換算して	in terms of ~	594
35	~の基準[原則]で	on a ~ basis	601
36	(人)に利益を与える；(人)のためになる	do one good	620
37	~まで道を探しながら進む；~へたどり着く	find one's way to ~	634
38	一見したところでは；ひと目で[の]	at first sight	571
39	~を利用する；~につけ込む	take advantage of ~	633
40	~を犠牲にして	at the cost of ~	574

正解数： /40   /40

Unit 17 日➡英 ファイナルチェック

			ID
1	～のために；～を代表して	on [in] behalf of ～	603
2	～を生[産]む；～の原因になる	give birth to ～	635
3	流行して	in fashion	584
4	増加中で	on the increase	607
5	～と恋に落ちる；～が大好きになる	fall in love with ～	644
6	～をそのままにしておく；～に干渉しない	leave ～ alone	649
7	～のために	for the benefit of ～	616
8	～を除いて；～以外は；～がない[なかった]ならば	except for ～	613
9	近くで[に]	(close [near]) at hand	572
10	～がないために；～の不足のために	for lack [want] of ～	615
11	時代遅れの	behind the times	609
12	必ず；間違いなく	without fail	619
13	～するのが困難である；苦労しながら～する	have difficulty (in) *doing*	628
14	(～と)握手する	shake hands (with ～)	640
15	～を心にとどめておく；～を忘れない	keep [bear] ～ in mind	647
16	少量の～；一片の～	a bit of ～	652
17	～を犠牲にして	at the expense of ～	575
18	出現する；生まれ出る	come into being [existence]	643
19	(～の)お返しに；(～と)引き換えに	in return (for ～)	592
20	～と調和[一致]して	in harmony with ～	586

Part 4 (Section 1–2)		ID
21	はるかに；ずっと	by far	710

#			
22 ☐	①…まで(も) ②…する限り(では)	<u>as far as</u> ...	767
23 ☐	何が[どんなに/いつ]〜でも	<u>no matter what</u> [<u>how</u> / <u>when</u>, etc.]	700
24 ☐	〜したがらない	*be* <u>reluctant</u> to *do*	662
25 ☐	〜することはできない	<u>There is no</u> *doing*	751
26 ☐	…のゆえに；…の点で	<u>in</u> that ...	775
27 ☐	〜して(時間・期間)を過ごす	<u>spend</u> *time* (<u>in</u>) *doing*	747
28 ☐	(ほぼ[とっくに])…してよいころである	<u>It is</u> (about [<u>high</u>]) <u>time</u> (that) ...	724
29 ☐	…という条件で；…ならば	<u>on</u> (<u>the</u>) <u>condition</u> (that) ...	779
30 ☐	〜を誇る；〜を自慢に思う	<u>pride</u> *oneself* on 〜	729
31 ☐	(〜に対して)責めを負うべきである[責任がある]	*be* <u>to blame</u> (for 〜)	753
32 ☐	〜して初めて…する	<u>It is not until</u> 〜 that ...	740
33 ☐	〜するかしないうちに…	<u>hardly</u> 〜 <u>when</u> [<u>before</u>] ...	734
34 ☐	〜せざるを得ない；〜せずにはいられない	<u>cannot help but</u> *do*	693
35 ☐	ただ〜すればよい	<u>All</u> *one* <u>has to do is</u> (to) *do*	730
36 ☐	実は…である	(The) <u>Fact is</u> (that) ...	749
37 ☐	〜したのを覚えている	<u>remember</u> *doing*	688
38 ☐	申し分ない	leave <u>nothing to be desired</u>	760
39 ☐	(結果などは)未定である	<u>remain to be seen</u>	761
40 ☐	〜しさえする	<u>go so far as</u> to *do*	757

正解数： /40 /40

Unit 18 日➡英 ファイナルチェック

			ID
1	確かに	to be sure	673
2	Sが～するまでに(は)	by the time S+V	732
3	確かに～であるが，…だ	(It is) True ～, but ...	738
4	一般的に言えば	generally speaking	680
5	(～するほど)ばかなことはしない；(～しないだけの)分別はある	know better (than to *do*)	711
6	*A*の*B*に対する関係は*C*の*D*に対する関係に等しい	*A* is to *B* what *C* is to *D*	752
7	～する余裕がある	can afford to *do*	755
8	もっともである；理屈に合う	stand to reason	762
9	～すれば必ず…する	never ～ without ...	741
10	～と関係がある	have something to do with ～	759
11	～に関する限り	as [so] far as ～ be concerned	768
12	ひょっとしたら…だろう；たぶん…だろう	(The) Chances are (that) ...	748
13	Sが～するやり方で	(in) the way S+V	774
14	もし…ならば	provided (that) ...	781
15	おそらく～するだろう；～しても不思議ではない	may well *do*	695
16	*B*ほど*A*なものはない	Nothing is more *A* than *B*	778
17	最も良い状態で[の]	at *one's* best	709
18	～は言うまでもなく	to say nothing of ～	676
19	やむなく～する	*be* forced to *do*	661

#	意味	表現	番号
20	～だ，その結果…だ	～, so (that) ...	746
21	～し損なう；～できない	fail to do	664
22	～することに慣れている	*be* used to *doing*	685
23	それ自体では；本来は	in itself	727
24	～は役に立つ；～は用が足りる	～ will do	698
25	労を惜しまず～する；わざわざ～する	take the trouble to *do*	765
26	…である限り[間]は；…でありさえすれば	as [so] long as ...	769
27	…するとすぐに	the moment [minute] ...	786
28	わずか～だけ；～にすぎない	no more than ～	718
29	ほぼ；いくぶん；多かれ少なかれ	more or less	713
30	普通は；たいてい	more often than not	712
31	～とは対照的に；～ではなく	as opposed to ～	677
32	大事な点は…だ；要するに…	(The) Point is (that) ...	750
33	*A*というより*B*	not so much *A* as *B*	777
34	(…するより)むしろ～したい	would rather ～ (than ...)	697
35	相変わらず～な	as ～ as ever	706
36	当然…ということになる	It follows (that) ...	735
37	～も同然；ほとんど～	as good as ～	707
38	～せざるを得ない；～せずにはいられない	cannot help *doing*	694
39	言うまでもなく	needless to say	670
40	(2つのうちで)一方は～，もう一方は…	one ～, the other ...	743

正解数： /40 /40

Unit 19 日➡英 ファイナルチェック

			ID
1	全く～ない	not ~ (in) the least	720
2	～する価値がある	*be* worth *doing*	686
3	AとBとは別のものである	A is one thing; B is another	783
4	いわば	as it were	722
5	～もの数の；～と同数の	as much [many] as ~	708
6	(～に関して)よくあることだが	as is (often) the case (with ~)	699
7	現在のA	what A is	701
8	…なのは当然だ	(It is) No wonder (that) ...	737
9	～と言えば	speaking [talking] of ~	684
10	～したい気がする	feel like *doing*	687
11	Bと同様にAでない	no more A than B	717
12	～し続ける	keep *doing*	683
13	今はもう…なので；…である以上	now that ...	742
14	まず第一に；最初に[は]	to begin [start] with	674
15	いわゆる～	what we call ~	703
16	…なのは言うまでもない	It goes without saying that ...	736
17	～することになっている；(世間で)～と考えられている	*be* supposed to *do*	663
18	さらに悪いことに	to make matters worse	675
19	(他人に頼らないで)自分で；自分(自身)のために	for *oneself*	726
20	もう少しで～しそうになる	come close [near] to *doing*	756

21	~しても無駄である	It is no use doing	739
22	つまり；すなわち	that is (to say)	782
23	前者は~で，後者は…	the former ~, the latter ...	784
24	最も~しそうでない…	the last ... to do	785
25	①~することになっている　②~すべきである　③~できる	be to do	691
26	もし~がなければ	if it were not for ~	723
27	いくら~してもしすぎることはない	cannot ~ too (...)	692
28	(気は進まないがどうせなら)~するほうがいい；~してもよい；~するのも同じだ	might (just) as well do	696
29	①実際のところは　②(事物が)あるがままの[に]	as it is	770
30	~と比べると	compared with [to] ~	679
31	~しがちである；~する傾向がある	tend to do	668
32	~から判断すると	judging from [by] ~	682
33	AするやいなやBする	no sooner A than B	719
34	~を当然のことと思う	take ~ for granted	763
35	…するように取り計らう[気をつける]	see (to it) that ...	744
36	(~のため)ますます…；(~のため)それだけいっそう…	all the+比較級 (+for ~)	704
37	~を真剣に受け止める	take ~ seriously	764
38	…という根拠[理由]で	on the grounds that ...	780
39	BというよりA	more of a A than B	776
40	~するよりほかに仕方がない	have no (other) choice but to do	758

正解数：　／40　　／40

Unit 20 日➡英 ファイナルチェック

			ID
1	(ちょうど)～であるように, …	(Just) As ～, so ...	731
2	～であればあるほど, いっそう…である	the+比較級 ～, the+比較級 ...	721
3	それにもかかわらず	and yet	766
4	～も；～と同様に	no less than ～	716
5	(人)が～しているところを見つける[捕らえる]	catch *one* doing	678
6	いわば	so to speak	672
7	次々に	one after another	728
8	*A*が～する[できる]ように	so that *A* will [can] *do*	745
9	*B*に劣らず*A*；*B*同様に*A*	no less *A* than *B*	715
10	～し続ける	go on *doing*	681
11	～する気持ちになる	bring *oneself* to *do*	754
12	…するたびに	every [each] time ...	771
13	①…でありさえすれば ②…でさえあればなあ	if only ...	773
14	誰[どれ]にも劣らず～な	as ～ as any (+名詞)	705
15	～する問題になると	when it comes to *doing*	689
16	～するために	in order [so as] to *do*	669
17	*A*か*B*かどちらか	either *A* or *B*	733
18	忘れずに～する	remember to *do*	667
19	～する目的で	with a view to *doing*	690
20	さらに；それに	what is more	702

#	意味	表現	ID
21	偶然〜する	happen to do	665
22	もしあれば；もしあるとしても	if any	772
23	①〜するほど…である ②非常に…なので〜する	so+形容詞[副詞]+ as to do	671
24	①(他人から離れて)ひとりぼっちで ②(他人の力を借りずに)独力で	(all) by oneself	725
25	まして〜はいっそうない	much [still] less 〜	714
26	なんとか〜する[やり遂げる]	manage to do	666

Part 4 (Section 3)

#	意味	表現	ID
27	(人)を見送る	see 〜 off	824
28	時間をかけてゆっくりやる；自分のペースでやる	take one's time	829
29	冗談でしょう。；まさか。	You're kidding (me).	840
30	のんびりと構える	take it easy	828
31	(将来の)まさかの時[緊急時]に備えて	for a rainy day	799
32	はっきり[思い切って]話す	speak out [up]	826
33	どういたしまして。	My pleasure.	822
34	〜に夢中である；〜が大好きである	be crazy about 〜	789
35	甘いものが好きだ；甘党だ	have a sweet tooth	809
36	どうして(〜)。	How come (〜)?	818
37	自分の言うことを相手にわからせる	make oneself understood	821
38	見当がつかない	have no idea	811
39	(大)流行[ブーム]になっている	be (all) the rage	788
40	確かに(は)	for sure [certain]	801

正解数： /40   /40

Unit 21 日➡英 ファイナルチェック

			ID
1	(人)に短い手紙を書く;(人)に一筆書く	drop one a line	797
2	その日の仕事を終える	call it a day	793
3	(人)に手を貸す	give one a hand	803
4	〜に対する眼識[鑑識力]がある	have an eye for 〜	810
5	(〜を)見る	have [take] a look (at 〜)	808
6	A(人)をかつぐ;A(人)をからかう	pull A's leg	823
7	〜を自由に取る	help oneself to 〜	813
8	〜にうんざりしている	be fed up with 〜	791
9	(人)に仕返しをする;(人)に恨みを晴らす	get even with 〜	802
10	(距離・時間的に)すぐ近くに	(just) around the corner	820
11	持ちこたえる;電話を切らずにおく;しがみつく	hang on	806
12	それいいね。;ぜひそうしよう。	Why not?	839
13	〜はどんなものか。	What 〜 like?	837
14	瞬く間に;あっという間に	in no time	819
15	これ以上の良さはあり得ない。;最高です。	Couldn't be better.	796
16	なんて残念な[気の毒な]。	What a shame!	833
17	(人)によろしくとのあいさつを伝える	give one's regards to 〜	804
18	〜はいかがですか。	How about 〜?	817
19	そうは言ったものの	having said that [so]	812
20	楽しい時を過ごす	have a good [great] time	807

#	意味	表現	No.
21	(物が)(出席者などの)全員に行き渡る	(enough ~ to) go around	798
22	さあ着いたぞ。	Here we are.	814
23	① ~を調査[点検]する ② (図書館などから)~を借り出す	check out ~	795
24	これだけの[つまらない]ものですが	such as it is	827
25	もし…ならどうするか。	What if ...?	836
26	落ち着く；~を落ち着かせる；静まる；~を静める	calm down (~)	794
27	死ぬまで~；ひどく~	~ to death	830
28	~に向いて[生まれついて]いる	*be* cut out for ~	790
29	電話を切らずにそのまま待つ	hold the line	816
30	何かあったのですか。；どうしたのですか。	What's up?	838
31	どうして…。；何の目的で…。	What ... for?	835
32	先に行く；進む	go ahead	805
33	無料で；ただで	for free	800
34	息を止める；(期待して)息をひそめる	hold *one's* breath	815
35	一心に耳を傾けている	*be* all ears	787
36	~するのはどうですか。	What do you say to *doing*?	834
37	~を呼び戻す；(~に)折り返し電話する；(後で)(~に)電話をかけ直す	call back (~)	792
38	足元に注意する；慎重に行動する	watch *one's* step	832
39	~はどこか調子がおかしい[故障している]。	Something is wrong with ~.	825
40	あと~；残りの~；持ち帰り用の~	~ to go	831

正解数： /40   /40

Unit 22 日➡英 ファイナルチェック

Part 5 (Section 1−3)

			ID
1	現れる；出頭する	present oneself	913
2	(不十分ながら)〜で我慢する	settle for 〜	855
3	〜に注意[注目]する；〜に気づく	take notice of 〜	921
4	A(ある事柄)をB(人)に痛感させる	bring A home to B	895
5	〜なしで済ます	dispense with 〜	850
6	(建物)を取り壊す；〜を打ち砕く	tear down 〜	886
7	〜を失望させる	let down 〜	872
8	〜と一緒にいる；〜に付き合う	keep 〜 company	901
9	〜を笑いものにする	make a fool of 〜	909
10	(人に)(悪意のない)いたずらをする	play a trick (on one)	912
11	(規則・命令など)に従う；〜に応じる	comply with 〜	847
12	当てはまる；有効である	hold true	871
13	収入内でやりくりする	make (both) ends meet	908
14	AからBに及ぶ	range from A to B	880
15	立ち上がる	rise [get] to one's feet	882
16	〜を人に話さないでおく；〜を占有する	keep 〜 to oneself	903
17	〜に対処する；〜をうまく処理する	cope with 〜	848
18	(商品)を商う；(仕事など)に従事する	deal in 〜	849
19	終わる	come to an end [a close]	860

#		意味	表現	番号
20	☐	(人)にたびたび会う	see much of ~	916
21	☐	~を自慢する；~を誇らしげに話す	boast of [about] ~	846
22	☐	(事業・計画など)に乗り出す；~を始める	embark on [upon] ~	852
23	☐	A(人)をB(事柄)のことで称賛する[認める]	give A credit for B	900
24	☐	~に(悪く)影響する；~にこたえる	tell on [upon] ~	856
25	☐	~を考慮に入れる	take ~ into account	920
26	☐	~に達しない	fall short of ~	864
27	☐	~をつかむ；~を捕まえる	take hold of ~	919
28	☐	行間を読む；暗黙のうちに理解する	read between the lines	881
29	☐	(仕事・問題など)に本気で取り掛かる	get down to ~	865
30	☐	~を引き渡す；~を手渡す	hand over ~	869
31	☐	~を尊敬[尊重]する；~を高く評価する	think much [highly] of ~	888
32	☐	(人)の顔は見て知っている	know ~ by sight	905
33	☐	①~を詳しく論じる[述べる；書く] ②~にこだわる；~をくよくよ[つくづく]考える	dwell on [upon] ~	851
34	☐	これから~しなければならない；まだ~していない	have yet to do	870
35	☐	(快楽など)にふける；思う存分~する	indulge in ~	853
36	☐	(期待など)に添う；~に恥じない行動をする；(義務など)を果たす	live up to ~	874
37	☐	AをBのせいにする	ascribe A to B	893
38	☐	~に注意を払う；~の世話をする；~を処理する	attend to ~	845
39	☐	~にあこがれる；~を恋しがる	yearn for ~	857
40	☐	明るみに出る；現れる	come to light	861

正解数： /40 /40

Unit 23 日➡英 ファイナルチェック

			ID
1	~を見直す;~を考え直してやめる	think better of ~	887
2	(大きな目標の達成など[~すること])を熱望する	aspire to ~	844
3	(最後の手段として)~に頼る	fall back on [upon] ~	863
4	~と折り合いがつく;(あきらめて)~を受け入れる	come to terms with ~	862
5	(~の)観光をする	see [do] the sights (of ~)	917
6	~を選び出す	single out ~	884
7	わざわざ[故意に]~する	go out of one's way to do	868
8	冷静さを失う;腹を立てる	lose one's temper	907
9	(法・約束など)に従う[を守る]	abide by ~	841
10	(好機など)を逃す;~を取り逃がす	miss out on ~	878
11	~を驚かす;~の不意を打つ	take ~ by surprise	918
12	(~に)気をつける	watch out (for ~)	891
13	(会合などの初めの)緊張をほぐす;話の口火を切る	break the ice	894
14	~を正当に評価する;(写真などが)~を実物どおりに表す	do ~ justice	896
15	(~を)手放す;(~を)捨てる	let go (of ~)	873
16	(…という)ふりをする	make believe (that ...)	875
17	① ~を投げ(上げ)る;~をさっと上げる ② (食べた物を)吐(は)く	throw up (~)	890
18	Aの神経にさわる	get on A's nerves	866
19	(気がついてみると)(人が)~にいる;~である;~とわかる	find oneself	897

#	意味	表現	No.
20	(可能性など)を排除する；〜を認めない	rule out 〜	883
21	〜の目[顔]を正視する	look 〜 in the eye(s) [face]	906
22	(病気)にかかる	come down with 〜	858
23	〜の悪口を言う	speak ill of 〜	885
24	(代用品などで)間に合わせる	make do (with 〜)	876
25	〜に固執する；〜を主張する	persist in 〜	854
26	よく考える；考え直す	think twice	889
27	①〜を作り出す；〜を解決する；〜の答えを出す；(計画が)うまくいく ②運動する	work out (〜)	892
28	〜を利用する	put 〜 to use	915
29	交代する	take turns	923
30	〜を抑える；〜を食い止める	keep 〜 in check	902
31	〜に勝つ；〜を出し抜く	get [have] the better of 〜	899
32	〜を終わらせる	put an end to 〜	914
33	〜の跡をたどる；(記録するなどして)〜を忘れないようにする	keep track of 〜	904
34	①成功する ②(約束など)を果たす；(損害など)を償う	make good (〜)	877
35	骨を折る；努力する	take pains	922
36	〜を考慮に入れる；〜を見込む	allow for 〜	843
37	(〜を)訪問する	pay a visit (to 〜)	911
38	①〜の理由を説明する；〜の説明となる ②(割合など)を占める	account for 〜	842
39	〜を重要視する；〜を理解する	make much of 〜	910
40	先例に従う；人のまねをする	follow suit	898

正解数： /40 /40

Unit 24 日➡英 ファイナルチェック

			ID
1	気絶する；酔いつぶれる	pass out	879
2	(〜に)大いに役立つ	go a long way (toward(s) 〜)	867
3	(法律的に)成人に達する	come of age	859

Part 5 (Section 4–6)

			ID
4	生まれつき；元来	by nature	977
5	息切れして	out of breath	959
6	近ごろ；最近	of late	988
7	準備中で；計画[開発]中で	in the works	952
8	考え直してみて	on second thought	990
9	やがては；将来は	down the road	978
10	多数の〜	scores of 〜	963
11	とても；非常に	all too	969
12	①とても；大いに ②遺憾[残念]ながら…だ	only too	995
13	〜の(手が)届かない所に	beyond the reach of 〜	933
14	〜に熱心である；〜が大好きである	be keen on 〜	928
15	早い時期に；早くから	early on	979
16	危うくなった[なって]；賭けられた[られて]	at stake	947
17	容易に	with ease	1000
18	(〜で)我を忘れる；(〜に)夢中である	be beside oneself (with 〜)	924
19	(すべて)自分1人で；(すべて)独力で	(all) on one's own	941

#	日本語	英語	No.
20	ときどき	on occasion	989
21	どちらかと言えば；もしあるとしても	if anything	983
22	(発言などが)的はずれの[で]	off [wide of] the mark	955
23	十分に；心ゆくまで	to the full	999
24	～気味で[の]	on the ～ side	957
25	失業中で	out of work	960
26	やがて；そのうち	in due course [time]	986
27	誰[何物]にも劣らない；最高である	*be* second to none	930
28	調子が良くて	in good shape	951
29	すっかり健康になって	right as rain	962
30	概して	by and large	976
31	ちょっとした～；ある程度の～	something of a ～	964
32	直接に；じかに	(at) first hand	971
33	*A*と～の関係で	on ～ terms with *A*	937
34	十分に；心ゆくまで	to *one's* heart's content	997
35	急に；即座に	at [on] short notice	973
36	(名前などが)のどまで出かかっているが思い出せない	on the tip of *one's* tongue	958
37	論争中の[で]；問題の	at issue	945
38	(～のために)用意して；(～の身に)降りかかろうとして	in store (for ～)	936
39	連続して	in a row	984
40	そういうものとして；それ自体	as such	943

正解数： /40 /40

Unit 25 日→英 ファイナルチェック

			ID
1	(〜と)比較すれば	in comparison (with [to] 〜)	985
2	次のとおり	as follows	942
3	最初からずっと	all along	968
4	途方に暮れて	at *one's* wit's end	946
5	まさに…している[していた]ときに	even as ...	980
6	言葉では表現できないほどの[に]	beyond description	948
7	時間ちょうどに;きっかりに	on the dot	991
8	〜はこれでおしまい;〜はそんなところ	so much for 〜	939
9	〜の影響を受けやすい;〜に感染しやすい	*be* susceptible to 〜	931
10	(代理人でなく)本人が;自ら	in person	987
11	〜の瀬戸際で;〜しそうで	on the verge of 〜	938
12	思いのままに;随意に	at will	974
13	〜に懸命である;〜に熱心である	*be* intent on [upon] 〜	927
14	自分自身の〜	〜 of *one's* own	954
15	あべこべに;逆に	the other way around [round]	996
16	心の底では;根は;本当は	at heart	972
17	*A*の自由になって;*A*が自由に使えて	at *A's* disposal	944
18	〜に無関心[平気]である	*be* indifferent to 〜	926
19	まさしく〜(の)	nothing short of 〜	953
20	よくは知らないが,たぶん	for all I know	981
21	熱心に;本格的に	in earnest	950

#	日本語	英語	番号
22	～しがちである；～にかかりやすい	*be* liable to ～	929
23	～現在で；～の時点で	as of ～	932
24	かなりの数の～	quite a few ～	961
25	そのうちに	one of these days	994
26	A の都合の良いときに	at *A's* convenience	970
27	建築中で；工事中で	under construction	966
28	見たところは；表面上は	on the face of it	992
29	きっぱりと；これを最後に	once (and) for all	993
30	(計画などが)進行中で	under way	967
31	～に従って；～に応じて	in accordance with ～	934
32	A に有利な[に]	to *A's* advantage	965
33	(人)の知る限り(では)	to the best of *one's* knowledge	998
34	① 1つ[1日；1週；…]おきの[に]～ ② 残りのすべての～	every other ～	949
35	A のいない所で	behind *A's* back	975
36	ダイエット中の[で]	on a diet	956
37	～に比例して	in proportion to ～	935
38	～にとって重要である	*be* crucial to ～	925
39	① 無料で　② 無駄に	for nothing	982
40	…という趣旨の[で]	to the effect that ...	940

正解数： ／40　　／40

INDEX

- 太字は見出し熟語，細字は見出し熟語の解説内及び「関連情報」内に掲載されている関連表現などを示す。
- 数字は熟語の番号を示す。

A

- ☐ **a bit of ～** 652
- ☐ **a couple of ～** 3
- ☐ a fairly large number of ～ 961
- ☐ a few 3
- ☐ **a great [good] deal (of ～)** 4
- ☐ **a handful of ～** 653
- ☐ **a host of ～** 654
- ☐ **a kind [sort] of ～** 371
- ☐ a large number of ～ 654
- ☐ **a lot of ～** 963
- ☐ **a number of ～** 1
- ☐ **a piece of ～** 2
- ☐ a sort [kind] of ～ 371
- ☐ **a variety of ～** 655
- ☐ **abide by ～** 438, 841, 847
- ☐ **above all (else)** 383
- ☐ above all (things) 383
- ☐ **according to ～** 144, 934
- ☐ **account for ～** 842
- ☐ **accuse A of B** 503
- ☐ **act on [upon] ～** 330
- ☐ adapt (oneself) to [for] ～ 513
- ☐ **adapt A to [for] B** 513
- ☐ **add to ～** 433
- ☐ add A to B 433
- ☐ **adhere to ～** 438, 841
- ☐ **after all** 84
- ☐ after all is said and done 84
- ☐ against a rainy day 799
- ☐ **against one's will** 608
- ☐ **agree to ～** 199
- ☐ **agree with ～** 200
- ☐ **ahead of ～** 656
- ☐ **aim at ～** 411
- ☐ aim A at B 411
- ☐ **all along** 968
- ☐ **all at once** 96, 392
- ☐ **all but ～** 361
- ☐ **(all) by oneself** 725, 941
- ☐ **all in all** 276, 976
- ☐ **all of a sudden** 184, 392
- ☐ **(all) on one's own** 725, 941
- ☐ **All one has to do is (to) do** 730
- ☐ **all over (～)** 10
- ☐ **all the＋比較級 (＋for ～)** 704
- ☐ **(all) the rage** 584, 788
- ☐ **all [just] the same** 396
- ☐ **all the time** 13
- ☐ all the time S＋V 13
- ☐ **all the way** 393
- ☐ all things considered 276
- ☐ **all too** 969, 995
- ☐ **allow for ～** 843
- ☐ **along with ～** 149, 150
- ☐ **amount to ～** 347, 435
- ☐ **..., and ～ at that** 775
- ☐ **and so on [forth]** 9
- ☐ **and yet** 766
- ☐ **anything but ～** 12, 227
- ☐ **apart from ～** 155, 657
- ☐ **apologize to A (for B)** 434
- ☐ **apply for ～** 201
- ☐ **apply to ～** 202
- ☐ apply A to B 202
- ☐ apply to＋人［場所］＋for ～ 201
- ☐ **approve of ～** 423
- ☐ Are you kidding? 840
- ☐ **arm in arm (with ～)** 401
- ☐ **around the corner** 820
- ☐ **arrive at ～** 39
- ☐ **as a consequence (of ～)** 148
- ☐ **as a (general) rule** 88, 397
- ☐ **as a matter of course** 229
- ☐ **as a matter of fact** 230
- ☐ **as a result (of ～)** 148
- ☐ as a rule 88, 397
- ☐ **as a whole** 100, 362
- ☐ **as ～ as any (＋名詞)** 705
- ☐ **as ～ as ever** 706
- ☐ as ～ as one possibly can 111
- ☐ **as ～ as possible [one can]** 111
- ☐ **(as) busy as a bee** 962
- ☐ **as compared with [to] ～** 679
- ☐ **(as) cool as a cucumber** 962
- ☐ **(as) cunning as a fox** 962
- ☐ **as far as ...** 767
- ☐ **as [so] far as ～ be concerned** 231, 289, 768
- ☐ as far as one knows 998
- ☐ **as follows** 942

INDEX

☐ as for ~	231, **289**, 768	☐ at ease	306
☐ as good as ~	**707**	☐ at first	14, 85
☐ as I see it	377	☐ (at) first hand	971
☐ as if [though] ...	156	☐ at first sight	380, 571
☐ as is (often) the case (with ~)		☐ at hand	572
	699	☐ at heart	972
☐ as it is	770	☐ at home	82
☐ as it were	672, **722**	☐ at issue	945
☐ (as) like as two peas (in a pod)		☐ at large	88, 100, **362**
	962	☐ at last	95, 363
☐ as [so] long as ...	**769**	☐ at least	106
☐ as much [many] as ~		☐ at length	363
	708, 716, 769	☐ at A's mercy	576
☐ as of ~	**932**	☐ at most	112
☐ as often as not	712	☐ at once	96, 198, 392
☐ as opposed to ~	**677**	☐ at one's best	709
☐ (as) poor as a church mouse	962	☐ at (one's) ease	306
☐ (as) quick as lightning [thought]		☐ at one's wit's end	570, 946
	962	☐ at present	280
☐ as right as rain	962	☐ at random	394
☐ As ~, so ...	**731**	☐ at risk	573
☐ as soon as ...	719, 734, 786	☐ at [on] short notice	973
☐ as such	**943**	☐ at stake	947
☐ as though [if] ...	156	☐ at that	775
☐ as to ~	**288**, 289	☐ at the back of ~	147
☐ as usual	107	☐ at (the) best	106, 108
☐ as well	**370**	☐ at the cost of ~	**574**, 575
☐ B as well as A	158	☐ at the earliest	106
☐ ascribe A to B	518, **893**	☐ at the expense of ~	**574**, 575
☐ aside from ~	155, **657**	☐ at the highest	106
☐ ask a favor of one	641	☐ at the latest	106
☐ ask for ~	**44**	☐ at the least	106
☐ ask A for B	44	☐ at the longest	106
☐ ask one a favor	**641**	☐ at the lowest	106
☐ aspire to ~	**844**	☐ at the mercy of ~	**576**
☐ associate A with B	**142**	☐ at the moment	281
☐ assure A of B	**510**	☐ at (the) most	112
☐ at a distance	**233**	☐ at [in / to] the rear of ~	147
☐ at a glance	380, 571	☐ at the same time	96
☐ at a loss	570, 946	☐ at the shortest	106
☐ at [on] a moment's notice	973	☐ at the sight of ~	**577**
☐ at a time	**101**	☐ at the (very) least	106
☐ at a time (when) S+V	101	☐ at (the) worst	106
☐ at all	**102**	☐ at times	103, 188
☐ at all events	278	☐ at will	**974**
☐ at any cost [all costs]	364, 408	☐ at work	**97**
☐ at any rate	**278**	☐ at worst	106
☐ at best	106, 108	☐ attach A to B	**516**
☐ at A's convenience	**970**	☐ attend to ~	114, 348, **845**
☐ at A's disposal	**944**	☐ attribute A to B	**518**, 893

B

- [ ] back and forth — 389
- [ ] ban *A* from *B* — 527
- [ ] bar *A* from *B* — 527
- [ ] base *A* on [upon] *B* — 23
- [ ] **be about to do** — 21
- [ ] *be* absorbed in ~ — 535
- [ ] *be* abundant in ~ — 536
- [ ] **be accustomed to** ~ — 552, 685
- [ ] *be* acquainted with ~ — 565
- [ ] **be afraid of** ~ — 20
- [ ] *be* afraid to *do* — 20
- [ ] *be* all ears — 787
- [ ] *be* all eyes — 787
- [ ] *be* (all) the rage — 584, 788
- [ ] *be* anterior to ~ — 557
- [ ] **be anxious about** ~ — 211, 215
- [ ] *be* anxious for ~ — 211
- [ ] *be* anxious to *do* — 212
- [ ] **be apt to do** — 270, 668
- [ ] *be* ashamed of ~ — 547
- [ ] *be* associated with ~ — 142
- [ ] *be* attached to ~ — 516
- [ ] **be aware of** ~ — 17, 544
- [ ] *be* aware that ... — 17
- [ ] *be* bad(ly) off — 569
- [ ] **be based on [upon]** ~ — 23
- [ ] **be beside oneself (with ~)** — 924
- [ ] *be* better off — 569
- [ ] *be* bored (to death) — 791, 830
- [ ] *be* bored with [of] ~ — 224
- [ ] **be bound for** ~ — 213
- [ ] **be bound to do** — 214
- [ ] **be capable of** ~ — 22
- [ ] **be certain of [about]** ~ — 221
- [ ] **be certain [sure] to do** — 214, 222
- [ ] **be characteristic of** ~ — 543, 549
- [ ] *be* compelled to *do* — 661
- [ ] **be composed of** ~ — 43, 542
- [ ] **be concerned about [for]** ~ — 211, 215
- [ ] **be concerned with [in]** ~ — 216
- [ ] *be* confronted with ~ — 562
- [ ] **be conscious of** ~ — 544
- [ ] **be content [contented] with** ~ — 566
- [ ] **be contrary to** ~ — 553
- [ ] *be* convinced of ~ — 509
- [ ] **be crazy about** ~ — 789, 928
- [ ] **be crucial to** ~ — 925
- [ ] *be* cut out for ~ — 790
- [ ] *be* cut out to *be* — 790
- [ ] **be dependent on [upon]** ~ — 304
- [ ] *be* devoted to ~ — 143
- [ ] **be different from** ~ — 16, 58, 551
- [ ] *be* done with ~ — 446
- [ ] **be due to** ~ — 346
- [ ] **be engaged in** ~ — 537
- [ ] *be* engaged to ~ — 537
- [ ] *be* enthusiastic about ~ — 928
- [ ] **be entitled to** ~ — 560
- [ ] **be equal to** ~ — 274
- [ ] *be* equipped with ~ — 564
- [ ] **be equivalent to** ~ — 275
- [ ] **be essential to** ~ — 272
- [ ] *be* expected to *do* — 346
- [ ] *be* expert in [at] ~ — 540
- [ ] **be faced with [by]** ~ — 562
- [ ] **be familiar to** ~ — 217
- [ ] **be familiar with** ~ — 218
- [ ] **be fed up with** ~ — 224, 791
- [ ] *be* forced to *do* — 661
- [ ] *be* free from [of] ~ — 219
- [ ] *be* free to *do* — 220
- [ ] *be* glad [pleased] to *do* — 19
- [ ] **be grateful (to A) for B** — 559
- [ ] *be* guilty of ~ — 541
- [ ] *be* headed for — 324, 413
- [ ] *be* ignorant of ~ — 545
- [ ] *be* ill [well] spoken of ~ — 885
- [ ] **be inclined to do** — 271, 668, 687
- [ ] *be* independent of ~ — 305
- [ ] *be* indifferent to ~ — 926
- [ ] **be indispensable to [for]** ~ — 273
- [ ] *be* inferior to ~ — 557
- [ ] *be* insensitive to ~ — 554
- [ ] **be intent on [upon]** ~ — 927, 928
- [ ] **be involved in** ~ — 216, 538
- [ ] *be* junior to ~ — 557
- [ ] **be keen on** ~ — 927, 928
- [ ] **be lacking in** ~ — 539
- [ ] **be liable to** ~ — 929
- [ ] **be likely to do** — 15
- [ ] *be* mad about ~ — 789
- [ ] *be* made from ~ — 24
- [ ] **be made of** ~ — 24
- [ ] *be* made up of ~ — 24
- [ ] *be* native to ~ — 561
- [ ] *be* obliged to *do* — 661

432

INDEX B

☐ *be* older than ~	557
☐ **be open to ~**	**555**
☐ **be opposed to ~**	**558**
☐ (*be*) out of shape	951
☐ **be particular about [over] ~**	**567**
☐ **be peculiar to ~**	**561**
☐ *be* pleased [glad] to *do*	19
☐ **be popular with [among] ~**	**563**
☐ *be* posterior to ~	557
☐ *be* prepared for ~	414
☐ *be* prior to ~	557
☐ *be* proud of ~	630, 729, 846
☐ *be* ready for ~	414
☐ **be related to ~**	**550**
☐ **be reluctant to *do***	**662**
☐ *be* representative of ~	549
☐ **be responsible for ~**	**18**
☐ *be* responsible to *one*	18
☐ **be satisfied with ~**	**25, 566**
☐ *be* scheduled to *do*	346
☐ **be second to none**	**930**
☐ *be* senior to ~	557
☐ *be* sensitive about ~	554
☐ **be sensitive to ~**	**554**
☐ *be* short of ~	864
☐ **be similar to ~**	**16, 551**
☐ **be subject to ~**	**556**
☐ *be* superior to ~	557
☐ **be supposed to *do***	346, **663**
☐ **be sure of [about] ~**	**221**
☐ **be sure to *do***	214, **222**, 619, 664
☐ **be susceptible to ~**	**931**
☐ *be* taken by surprise	918
☐ **be the rage**	**788**
☐ **be tired from [with] ~**	**223**
☐ **be tired of ~**	**224**, 791
☐ *be* tired out	469, 473
☐ **be to blame (for ~)**	**753**
☐ **be to *do***	**691**
☐ **be tolerant of ~**	**548**
☐ *be* tolerant to [toward] ~	548
☐ **be true of ~**	**225**
☐ **be true to ~**	**226**
☐ *be* true to life	226
☐ *be* true to *one's* word [promise]	226
☐ **be typical of ~**	**543**, 549
☐ **be unique to ~**	**561**
☐ *be* unwilling to *do*	662
☐ *be* up to ~	369
☐ *be* used to ~	552
☐ **be used to *doing***	129, **685**
☐ *be* used up	469, 473
☐ **be versed in ~**	**540**
☐ **be well off**	**569**
☐ *be* well [ill] spoken of ~	885
☐ **be willing to *do***	**19**, 662
☐ *be* worn out	469
☐ **be worried about [over] ~**	**568**
☐ *be* worse off	569
☐ **be worth *doing***	**686**
☐ **be worthy of ~**	**546**
☐ *be* younger than ~	557
☐ **bear [keep] ~ in mind**	**647**
☐ bear [keep] (it) in mind ~	647
☐ **because of ~**	**145**, 294, 780
☐ become aware of ~	17, 921
☐ become aware that ...	17
☐ become conscious of ~	544
☐ **become of ~**	**424**
☐ **before long**	**185**
☐ **behind *A's* back**	**975**
☐ **behind the times**	**609**
☐ behind time	609
☐ **believe in ~**	**52**
☐ beside the point	618, 955
☐ **beyond description**	**948**
☐ beyond doubt [question]	948
☐ beyond [out of] *one's* reach	933
☐ beyond recognition	948
☐ **beyond the reach of ~**	**933**
☐ billions of ~	6
☐ **blame *A* for *B***	**498**
☐ blame *B* on *A*	498
☐ **block *A* from *B***	**527**
☐ **blow up (~)**	**477**
☐ **boast of [about] ~**	630, 729, **846**
☐ **break down (~)**	**76**
☐ **break in (~)**	328, **419**
☐ **break into ~**	328, **419**
☐ **break off (~)**	**462**
☐ **break out**	**336**
☐ **break the ice**	**894**
☐ **break up (~)**	**67**
☐ **bring about ~**	**77**, 163
☐ **bring an end to ~**	**914**
☐ **bring back ~**	**489**
☐ **bring home to *B A***	**895**

433

INDEX

- bring *A* home to *B* — 895
- bring ~ into being [existence] — 643
- bring *A* into [in] contact with *B* — 642
- bring [put] ~ into effect — 366
- **bring *oneself* to *do*** — 754
- **bring out ~** — 467
- bring ~ to a stop [halt] — 860
- bring ~ to an end [a close] — 860
- bring ~ to light — 861
- **bring up ~** — 66
- **burn down (~)** — 456
- burn (~) to the ground — 456
- **burst into ~** — 419, 421
- busy as bee — 962
- **but for ~** — 610, 613, 723
- **by accident** — 282
- **by all means** — 187, 364
- **by and large** — 276, 976
- by any chance — 283
- by birth — 977
- **by chance** — 283
- by comparison (with [to] ~) — 985
- by contrast (to [with] ~) — 153
- **by degrees** — 186
- **by far** — 710
- **by hand** — 385
- **by means of ~** — 611
- **by mistake** — 395
- **by name** — 977
- **by nature** — 977
- **by no means** — 187
- **by now** — 382
- **by *oneself*** — 725, 941
- by profession — 977
- by sight — 977
- **by the time S+V** — 732
- **by the way** — 91
- **by virtue of ~** — 612
- **by way of ~** — 365

C

- call at ~ — 331
- **call back (~)** — 792
- **call for ~** — 55
- **call it a day** — 793
- **call off ~** — 161
- **call on [upon] ~** — 331
- call on+人+to *do* [for ~] — 331
- **call up (~)** — 482
- **calm down (~)** — 794
- **can afford to *do*** — 755
- cannot but *do* — 694
- cannot ~ (...) enough — 692
- **cannot help but *do*** — 693, 694
- **cannot help doing** — 693, 694
- cannot help it — 694
- **cannot ~ too (...)** — 692
- can't get over ~ — 167
- **care about ~** — 50
- **care for ~** — 42, 56, 114
- **carry on ~** — 74
- carry on with ~ — 74
- **carry out ~** — 71
- **catch on** — 332
- **catch *one* doing** — 678
- **catch sight of ~** — 298
- **catch up with [to] ~** — 162, 259
- **Chances are (that) ...** — 748
- change hands — 639
- change (*A*) into *B* — 140, 532
- **change *one*'s mind** — 125
- change [exchange] seats (with ~) — 639
- change trains [planes] — 639
- **check out ~** — 795
- **cheer up (~)** — 478
- **clear *A* of *B*** — 505, 507
- **clear up (~)** — 479
- **cling to ~** — 243
- **(close [near]) at hand** — 572
- **close to ~** — 7
- **coincide with ~** — 443
- **come about** — 163
- **come across (~)** — 318, 418, 448
- **come by ~** — 164
- **come close [near] to doing** — 756
- **come down with ~** — 858
- **come from ~** — 27
- **come into being [existence]** — 643
- **come into [in] contact with ~** — 642
- come [go] into effect — 366
- **come near [close] to doing** — 756
- **come of age** — 859
- come [go] off a diet — 956
- **come out** — 464
- **come to (~)** — 347

INDEX

C - E

- ☐ come to a stop [halt] — 860
- ☐ **come to an end [a close]** — **860**
- ☐ come to *do* — 347
- ☐ **come to light** — **861**
- ☐ come to *oneself* [*one's senses*] — 347
- ☐ **come to terms with ~** — **862**
- ☐ **come true** — **127**
- ☐ **come up with ~** — **122**
- ☐ *A* comes home to *B* — 895
- ☐ **compare *A* to [with] *B*** — **512**
- ☐ **compared with [to] ~** — **679**, 985
- ☐ compensate for ~ — 245
- ☐ **compete with ~** — **445**
- ☐ compete with *A* for *B* — 445
- ☐ **complain about [of] ~** — **53**
- ☐ **comply with ~** — **841, 847**
- ☐ **concentrate on ~** — **49**
- ☐ concentrate *A* on ~ — 49
- ☐ **confine *A* to *B*** — **520**
- ☐ **conform to [with] ~** — **437**
- ☐ conform *A* to [with] *B* — 437
- ☐ **congratulate *A* on *B*** — **533**
- ☐ connect *A* with *B* — 142
- ☐ **consist in ~** — **43, 247**
- ☐ **consist of ~** — **43**, 542
- ☐ Contrary to *A*, S+V — 553
- ☐ **contribute to ~** — **35**, 324
- ☐ contribute *A* to *B* — 35
- ☐ **convince *A* of *B*** — **509**
- ☐ cool as a cucumber — 962
- ☐ **cope with ~** — **848**
- ☐ **correspond to ~** — **203**
- ☐ **correspond with ~** — **204**
- ☐ Couldn't be better. — 796
- ☐ **count on [upon] ~** — **38, 429**
- ☐ cunning as a fox — 962
- ☐ **cure *A* of *B*** — **505**, 508
- ☐ cut ~ down [back] — 75
- ☐ **cut down [back] (on) ~** — **75**

D

- ☐ **date back to ~** — **249**
- ☐ **date from ~** — **250**
- ☐ day by day — 402
- ☐ **deal in ~** — **34, 849**
- ☐ **deal with ~** — **34, 849**
- ☐ **decide on [upon] ~** — **427**
- ☐ **depend on [upon] ~** — **28, 38, 429, 806**
- ☐ depend on [upon] *A* for *B* — 28
- ☐ depending on ~ — 28
- ☐ **deprive *A* of *B*** — **505**
- ☐ derive from ~ — 526
- ☐ **derive *A* from *B*** — **526**
- ☐ **describe *A* as *B*** — **141**
- ☐ despite [in spite of] *oneself* — 154
- ☐ **deter *A* from *B*** — **527**
- ☐ devote *oneself* to ~ — 143
- ☐ **devote *A* to *B*** — **143**
- ☐ **die of [from] ~** — **422**
- ☐ **die out** — **466**
- ☐ **differ from ~** — **58**
- ☐ **dispense with ~** — **273, 453, 850, 876**
- ☐ **dispose of ~** — **425**
- ☐ distinguish between *A* and *B* — 251
- ☐ **distinguish *A* from *B*** — **251**
- ☐ **do away with ~** — **165**, 168
- ☐ do (~) by chance — 665
- ☐ **do ~ justice** — **896**
- ☐ do justice to ~ — 896
- ☐ do not even *do* — 777
- ☐ **do *one* good** — **620**
- ☐ do *one* harm [damage] — 620
- ☐ **do *one's* best** — **124**
- ☐ do *one's* utmost — 124
- ☐ **do [see] the sights (of ~)** — **639, 917**
- ☐ **do with ~** — **446**
- ☐ **do without (~)** — 453, **850**, 876
- ☐ Do you happen to know ~? — 665
- ☐ don't forget to *do* — 619, 664
- ☐ **down the road** — **978**
- ☐ **dozens of ~** — **6**
- ☐ drive at ~ — 412
- ☐ drop by — 164, 492
- ☐ **drop in** — 164, **492**
- ☐ **drop *one* a line** — **797**
- ☐ **drop out** — **465**
- ☐ drop out of ~ — 465
- ☐ **due [owing] to ~** — **145, 295, 346**, 780
- ☐ **dwell on [upon] ~** — **851**

E

- ☐ **each other** — **296, 297**

E - F INDEX

- each [every] time ... 771
- early on 400, 979
- earn a [one's] living 622
- either A or B 733
- elbow one's way 634
- **embark on [upon] ~** 852
- end A by [with] B 442
- end in ~ 37
- end up (~) 472
- end with [by] ~ 442
- end A with [by] B 442
- engage in ~ 537
- **enjoy oneself** 131, 807
- 形容詞[副詞]+enough to do 671
- (enough ~ to) go around 798
- (enough ~ to) go round 798
- enter into ~ 420
- even as ... 980
- every now and then [again] 103, **188**, 989
- (every) once in a while 103, 188, **189**, 989
- every other ~ 949
- every second ~ 949
- every [each] time ... 771
- except for ~ 155, **613**, 723
- exchange A for B 499
- exchange [change] seats (with ~) 639
- exchange A+with+人 499
- expose A to B 515

F

- **Fact is (that)** ... 749
- fail to do 664
- fall back on [upon] ~ 863
- **fall in love with ~** 644
- fall on [upon] ~ 432
- fall short of ~ 864
- far from ~ 12, 227
- feed on ~ 334, **426**
- feed A on B 426
- feel free to do 220
- **feel like doing** 271, **687**
- feel like it 687
- feel [fumble] one's way 634
- few [little], if any, 772
- **figure out ~** 70
- fill in ~ 36

- **fill out ~** 36
- **find fault with ~** 166
- find one's way 634
- **find one's way to ~** 624, 634
- **find oneself** 897
- find out ~ 68
- **first hand** 971
- **first of all** 14, 85, 379, 674
- **focus on ~** 33
- focus A on B 33
- **follow suit** 898
- for a long time 387
- for a rainy day 799
- **for a while** 93
- **for all ~** 154, **290**
- for all I care 981
- for all I know 981
- for all that 290
- for another 398
- (for) as long as ~ 769
- for A's benefit 616
- **for certain [sure]** 801
- **for example [instance]** 80
- **for fear of ~** 614
- for fear (that) ... 614
- **for free** 800, 982
- **for good** 190
- **for instance [example]** 80
- **for lack [want] of ~** 615
- **for long** 387
- **for nothing** 800, 982
- **for now** 284
- **for one thing** 398
- **for one's (own) part** 231, 289
- **for oneself** 726
- for A's sake 617
- **for short** 104
- **for (so) long** 387
- **for sure [certain]** 801
- **for the benefit of ~** 616, 617
- **for the first time** 85, **89**
- for the last time 89
- for the moment 284
- **for the most part** 399
- for the present 284
- **for the sake of ~** 616, **617**
- for the second time 89
- **for the time being** 285
- **for want [lack] of ~** 615
- force one's way 634

INDEX F - H

☐ forgive A for B	**501**
☐ frankly speaking	680
☐ free A from [of] B	219
☐ free of charge	982
☐ from ~ down [downward(s)]	374
☐ **from ~ on [onward(s)]**	**374**
☐ **from ~ point of view**	**373**
☐ from time to time	
	103, 188, **191**, 989
☐ from ~ up [upward(s)]	374
☐ from ~ viewpoint	373
☐ fumble [feel] one's way	634
☐ furnish B to A	523
☐ **furnish A with B**	**133, 523**

G

☐ generally speaking	680, 976
☐ get across	448
☐ get along	**57**, 73
☐ **get at ~**	**412**
☐ **get down to ~**	**865**
☐ get even with ~	802
☐ get in touch with ~	648
☐ get into ~	73
☐ get lost	128
☐ **get on (~)**	**57, 73**
☐ **get on A's nerves**	**866**
☐ get over ~	167, 450
☐ get rid of ~	165, **168**
☐ **get [have] the better of ~**	**899**
☐ **get through (~)**	**452**
☐ get through to ~	452
☐ get through with ~	452
☐ **get to ~**	**39**
☐ get to do	39
☐ **get [rise] to one's feet**	**882**
☐ **get together (~)**	**495**
☐ give ~ a second thought	990
☐ **give away ~**	**487**
☐ **give birth to ~**	**635**
☐ **give A credit for B**	**900**
☐ **give in (to ~)**	**253**
☐ **give off ~**	337, **461**
☐ **give one a hand**	**803**
☐ **give one's regards to ~**	**804**
☐ give out (~)	337, 461
☐ **give rise to ~**	**636**
☐ **give up ~**	**63**
☐ give up on ~	63
☐ **give way (to ~)**	**254**
☐ **go a long way (toward(s) ~)**	
	867
☐ **go about ~**	**484**
☐ **go ahead**	**805**
☐ go ahead with ~	805
☐ **go around**	**798**
☐ go as far as to do [doing]	757
☐ go astray	128
☐ **go by (~)**	**319**
☐ go [come] into effect	366
☐ **go off**	**329**
☐ go [come] off a diet	956
☐ **go on**	**329**
☐ go on a diet	956
☐ **go on doing**	**681**, 683
☐ go on to do	681
☐ go on with ~	681
☐ **go out of one's way to do**	**868**
☐ **go out with ~**	**358**
☐ go out with ~	358
☐ **go over ~**	343, **345**
☐ go round	798
☐ go so far as doing	757
☐ **go so far as to do**	**757**
☐ go steady with ~	358
☐ **go through ~**	**45**
☐ go to (great) pains	922
☐ **go with ~**	**358**
☐ go without (~)	453, 850
☐ good for nothing	982
☐ **graduate from ~**	**449**
☐ **grow up**	**32**

H

☐ had best do	130
☐ **had better do**	**130**
☐ **had it not been for ~**	**723**
☐ **hand down ~**	**454**
☐ **hand in ~**	**169**, 183
☐ **hand in hand (with ~)**	**401**
☐ **hand over ~**	**869**
☐ **hang on**	333, **806**, 816
☐ hang on to ~	806
☐ **hang up (~)**	**480**
☐ **happen to do**	282, **665**
☐ **hardly ~ when [before] ...**	**734**
☐ **have ~ in mind**	**646**
☐ **have a good [great] time**	
	131, **807**

437

INDEX

- have a hard time (in) *doing* 628
- have [take] a look (at ~) 808
- have a sweet tooth 809
- have an ear for ~ 810
- have an eye for ~ 810
- have an influence [effect] on ~ 121
- have difficulty (in) *doing* 628
- have *done* with ~ 446
- have fun 807
- have *A* in common (with *B*) 645
- have no idea 811
- have no (other) choice but to *do* 758
- have only to *do* 730
- have second thoughts about ~ 990
- have something to do with ~ 759
- have still to *do* 870
- have [get] the better of ~ 899
- have to do with ~ 759
- have trouble (in) *doing* 628
- have yet to *do* 870
- having said that [so] 812
- head for ~ 324, 413
- hear from ~ 51, 59
- hear of ~ 51
- help (*A*) *do* 137
- help *oneself* to ~ 813
- help (*A*) to *do* 137
- help *A* with *B* 137
- Here comes ~. 814
- Here it comes. 814
- Here it is. 814
- Here we are. 814
- Here we go. 814
- Here we go again. 814
- Here you are. 814
- Here you go. 814
- hinder *A* from *B* 134, 527
- hit on [upon] ~ 29, 205
- hold back ~ 256
- hold good 871
- hold ~ in check 902
- hold on 333, 806, 816
- hold on to ~ 806
- hold *one's* breath 815
- hold out (~) 338
- hold the line 816
- hold true 871
- hold up ~ 350
- hope for ~ 416
- hosts of ~ 654
- How about ~? 817, 834
- How come (~)? 818
- How come S+V? 818
- hundreds of ~ 6
- hurry up (~) 476

I

- I wish ... 773
- if any 772
- if anything 983
- if it had not been for ~ 610, 723
- if it were not for ~ 610, 723
- if only ... 773
- ill at ease 307
- impose *A* on [upon] *B* 534
- in a hurry 391
- in a nutshell 104
- in a row 368, 984
- in a sense 384, 578
- in a way 384, 578
- in a word 104, 286
- in accordance with ~ 144, 934
- in addition (to ~) 149, 150, 155, 702
- in advance 192
- in all 193
- in and of itself 727
- in any case [event] 279
- in back of ~ 147
- in bad shape 951
- in [on] *A's* behalf 603
- in [on] behalf of ~ 603
- in brief 104, 287
- in case ... 157
- in case of ~ 157
- in charge of ~ 579
- in comparison (with [to] ~) 679, 985
- in connection with ~ 580
- in contrast (to [with] ~) 153
- in control 658
- in danger (of ~) 581
- in demand 582
- in detail 386
- in due course [time] 94, 986

INDEX

- [ ] **in earnest** — 950
- [ ] **in effect** — 366
- [ ] **in exchange (for ~)** — 583, 592
- [ ] **in face of ~** — 596
- [ ] **in fact** — 81, 376
- [ ] **in fashion** — 584
- [ ] in A's favor — 585
- [ ] **in favor of ~** — 585
- [ ] in front — 147
- [ ] **in front of ~** — 147
- [ ] **in general** — 88, 276, 362
- [ ] **in good shape** — 951
- [ ] **in harmony with ~** — 586
- [ ] in A's honor — 587
- [ ] **in honor of ~** — 587
- [ ] **in itself** — 727
- [ ] **in light of ~** — 597
- [ ] **in need of ~** — 588
- [ ] **in no time** — 819
- [ ] **in** *one's* **opinion [view]** — 377
- [ ] in *one's* way — 237
- [ ] **in order** — 308
- [ ] **in order [so as] to** *do* — 669
- [ ] **in other words** — 87, 782
- [ ] **in part** — 99
- [ ] **in particular** — 92
- [ ] **in person** — 987
- [ ] in A's place — 589
- [ ] **in place of ~** — 589
- [ ] **in practice** — 312
- [ ] in A's presence — 599
- [ ] **in private** — 314
- [ ] **in proportion to ~** — 935
- [ ] **in public** — 315
- [ ] **in pursuit of ~** — 590, 593
- [ ] **in reality** — 81, 312, 376
- [ ] **in relation to ~** — 288, 591
- [ ] **in return (for ~)** — 583, 592
- [ ] **in search of ~** — 590, 593
- [ ] in secret — 314
- [ ] **in short** — 104, 286
- [ ] **in [within] sight** — 316
- [ ] **in spite of ~** — 154, 290
- [ ] in spite of [despite] *oneself* — 154
- [ ] **in store (for ~)** — 936
- [ ] in succession — 984
- [ ] **in terms of ~** — 594
- [ ] **in that ...** — 775
- [ ] **in the air** — 235
- [ ] **in the course of ~** — 595
- [ ] **in the distance** — 234
- [ ] **in the end** — 95
- [ ] **in (the) face of ~** — 290, 596
- [ ] **in the first place** — 14, 379, 674
- [ ] **in the future** — 83, 978
- [ ] in the last place — 379
- [ ] **in (the) light of ~** — 597
- [ ] **in the long run** — 598
- [ ] in the long term — 598
- [ ] **in the meantime [meanwhile]** — 378
- [ ] **in the pipeline** — 952
- [ ] **in the presence of ~** — 599
- [ ] in [at / to] the rear of ~ — 147
- [ ] in the short term — 598
- [ ] **(in) the way S+V** — 237, 774
- [ ] **in the way (of ~)** — 237
- [ ] **in the works** — 952
- [ ] in the world — 105
- [ ] **in theory** — 313
- [ ] in this light — 597
- [ ] in those days — 8
- [ ] **in time** — 94, 98, 986
- [ ] **in turn** — 90
- [ ] **in vain** — 982
- [ ] **in view of ~** — 600
- [ ] in vogue — 584
- [ ] inch by inch — 402
- [ ] inch *one's* way — 634
- [ ] **indulge in ~** — 853
- [ ] indulge *oneself* in ~ — 853
- [ ] **inform** A **of [about]** B — 504
- [ ] **inside out** — 390
- [ ] **insist on [upon] ~** — 428
- [ ] insist that ... — 428
- [ ] **instead of ~** — 146
- [ ] **interfere with ~** — 441
- [ ] **iron out ~** — 470
- [ ] A is deprived of B — 505
- [ ] A is exposed to B — 515
- [ ] A is furnished with B — 523
- [ ] **A is one thing; B is another** — 783
- [ ] A is supplied with B — 522
- [ ] **A is to B what C is to D** — 752
- [ ] **It cannot be helped.** — 694
- [ ] **It follows (that) ...** — 735
- [ ] **It goes without saying that ...** — 670, 736
- [ ] It happens [happened] that ... — 665

INDEX

I

- It is (about [high]) time for A to do ... 724
- **It is (about [high]) time (that) ...** 724
- It is impossible to do ... 751
- **It is no use doing** ... 739
- It is no use to do ... 739
- **(It is) No wonder (that) ...** 737
- **It is not until ~ that ...** 740
- It is time for A to do ... 724
- **It is time (that) ...** 724
- **(It is) True ~, but ...** 738
- It is typical of A to do [that節] ... 543
- It is up to ~ ... 369
- It stands to reason that ... 762
- It's my [a] pleasure. ... 822

J

- judging from [by] ~ ... 682
- jump [spring] to one's feet ... 882
- just about ~ ... 361
- **(just) around the corner** ... 820
- **(Just) As ~, so ...** 731
- just in case ... 157
- **just [all] the same** ... 396

K

- keep abreast of [with] ~ ... 258
- **keep an eye on ~** ... 637
- keep back ~ ... 257
- **keep ~ company** ... 901
- **keep doing** ... 681, 683
- keep A from B ... 134, 527
- **keep ~ in check** ... 902
- keep [bear] ~ in mind ... 647
- keep [stay] in touch with ~ ... 648
- keep [bear] (it) in mind ~ ... 647
- **keep off ~** ... 463
- keep on doing ... 683
- keep one's temper ... 907
- **keep one's word [promise]** ... 621
- **keep pace with ~** ... 258
- **keep to ~** ... 1109
- **keep ~ to oneself** ... 903
- keep track of ... 904
- **keep up with ~** ... 259
- **kind [sort] of (~)** ... 371
- **know better (than to do)** ... 711

L

- know ~ by heart ... 170
- **know ~ by sight** ... 905
- know ~ only by name ... 905

L

- **later on** ... 400, 979
- **lay off ~** ... 207
- **lay out ~** ... 208
- **lead [live] a ~ life** ... 650
- **lead to ~** ... 26
- lead A to B ... 26
- **learn ~ by heart** ... 170
- **leave ~ alone** ... 292, 649
- **leave ~ behind** ... 79
- **leave nothing to be desired** ... 760
- **leave out ~** ... 468
- **leave A (up) to B** ... 517
- lend one a hand ... 803
- lest A (should) do ... 745
- **let alone ~** ... 292, 649
- **let down ~** ... 872
- **let go (of ~)** ... 873
- lie at full length ... 487
- **lie in ~** ... 248
- like as two peas (in a pod) ... 962
- like A better than B ... 514
- **little by little** ... 403
- little [few], if any, ... 772
- **live [lead] a ~ life** ... 650
- **live on (~)** ... 334
- **live up to ~** ... 874
- **long for ~** ... 415
- **look after ~** ... 42, 56, 114
- look back at ~ ... 490
- **look back on [upon] ~** ... 490
- look down at ~ ... 300
- **look down on [upon] ~** ... 300
- **look for ~** ... 31, 47
- **look forward to ~** ... 113
- **look ~ in the eye(s) [face]** ... 906
- **look into ~** ... 171
- look on [upon] A as B ... 132, 139
- **look out (for ~)** ... 339, 891
- **look over ~** ... 172
- **look to ~** ... 348
- look to A for B [to do] ... 348
- **look up ~** ... 351
- **look up at ~** ... 301
- **look up to ~** ... 301

440

INDEX L-N

- ☐ look upon [on] A as B — 132, 139
- ☐ **lose one's temper** — **907**
- ☐ **lose sight of ~** — **299**
- ☐ lose track of ~ — 904

M

- ☐ **major in ~** — **260**
- ☐ **make a difference** — **120**
- ☐ **make a fool of ~** — **909**
- ☐ make a fool of oneself — 909
- ☐ **make a [one's] living** — **622**
- ☐ **make a mistake** — **123**
- ☐ make allowance(s) for ~ — 843
- ☐ **make an effort [efforts]** — **126**
- ☐ **make believe (that ...)** — **875**
- ☐ **make (both) ends meet** — 639, **908**
- ☐ **make do (with ~)** — **876**
- ☐ make do without ~ — 876
- ☐ **make efforts** — **126**, 922
- ☐ make ends meet — 639, 908
- ☐ make A feel at home [ease] — 306
- ☐ **make for ~** — **324**, 413
- ☐ **make friends with ~** — **639**
- ☐ **make fun of ~** — **631**
- ☐ **make good (~)** — **877**
- ☐ make good on ~ — 877
- ☐ **make it** — **623**
- ☐ make it up (with ~) — 352
- ☐ **make much of ~** — **910**
- ☐ **make one's [a] living** — **622**
- ☐ **make one's way (to ~)** — **624**
- ☐ **make oneself understood** — **821**
- ☐ make oneself [one's face] up — 352
- ☐ **make out ~** — **340**
- ☐ **make progress** — **625**
- ☐ **make sense** — **118**
- ☐ make sense of ~ — 118
- ☐ **make sure (~)** — **117**
- ☐ **make the best of ~** — **209**
- ☐ **make the most of ~** — **210**
- ☐ **make up (~)** — 245, **352**
- ☐ **make up for ~** — 246, **352**
- ☐ make up one's face — 352
- ☐ **make up one's mind** — **173**
- ☐ **make use of ~** — **632**
- ☐ **manage to do** — **666**
- ☐ **may well do** — **695**
- ☐ **meet with ~** — **359**
- ☐ **might (just) as well do** — **696**

- ☐ might (just) as well do ~ as ... — **696**
- ☐ **millions of ~** — **6**
- ☐ **miss out on ~** — **878**
- ☐ **mistake A for B** — **262**
- ☐ **more of a A than B** — **776**
- ☐ **more often than not** — **712**
- ☐ **more or less** — **713**
- ☐ **most of all** — **381**
- ☐ **much [still] less ~** — 292, **714**
- ☐ **My pleasure.** — **822**

N

- ☐ **name A after B** — **524**
- ☐ **name A for B** — **524**
- ☐ **(near [close]) at hand** — **572**
- ☐ **needless to say** — **670**, 736
- ☐ **never [not] fail to do** — **664**
- ☐ **never ~ without ...** — **741**
- ☐ **next to ~** — **367**
- ☐ next to nothing — 367
- ☐ **no [not] ~ at all** — **102**
- ☐ **no [not] ~ by any means** — **187**
- ☐ **no doubt** — **409**
- ☐ no doubt ~ but ... — 409
- ☐ **No kidding.** — **840**
- ☐ **no less than ~** — **716**
- ☐ **no less A than B** — **715**
- ☐ **no longer ~** — **109**
- ☐ **no matter what [how / when, etc.]** — **700**
- ☐ no more — 109
- ☐ **no more than ~** — **718**
- ☐ **no more A than B** — **717**
- ☐ **no sooner A than B** — **719**, 734
- ☐ **No wonder (that) ...** — **737**
- ☐ **not all ~** — **110**
- ☐ **not altogether ~** — **110**
- ☐ **not always ~** — **110**
- ☐ not ~ any longer — 109
- ☐ not A any more than B — 717
- ☐ not ~ anymore — 109
- ☐ **not ~ at all** — 102, **720**
- ☐ **not A but B** — **159**
- ☐ not [no] ~ by any means — 187
- ☐ not every ~ — 110
- ☐ not [never] fail to do — 664
- ☐ **not ~ (in) the least** — **720**
- ☐ not ~ in the slightest — 720

441

N-O

☐ not much of a ~	964
☐ not necessarily	110
☐ **not only A but (also) B**	**158, 160**
☐ **not so much A as B**	**777**
☐ not A so much as B	777
☐ not so much as do	777
☐ not so much A but B	777
☐ **not to mention ~**	**293, 676**
☐ not wholly ~	110
☐ **nothing but ~**	**228**
☐ **Nothing is more A than B**	**778**
☐ Nothing is so [as] A as B	778
☐ Nothing is wrong [the matter] with ~.	825
☐ nothing of a ~	964
☐ **nothing short of ~**	**953**
☐ now and then [again]	188
☐ now that ...	742

O

☐ **object to ~**	**436**
☐ **occur to** *one*	**205, 206**
☐ **of importance**	**194**
☐ of interest	194
☐ **of late**	**988**
☐ **~ of** *one's* **own**	**954**
☐ of use	194
☐ of value	194
☐ off [on] air	236
☐ off and on	242
☐ off duty	605
☐ off (*one's*) guard	606
☐ off the air	236
☐ **off [wide of] the mark**	**618, 955**
☐ often, as is the case (for ~)	699
☐ **on a ~ basis**	**601**
☐ **on a diet**	**956**
☐ on [at] a moment's notice	973
☐ **on a ~ scale**	**602**
☐ **on account of ~**	**145, 294, 346, 780**
☐ on [off] air	236
☐ **on and off**	**242**
☐ **on and on**	**241**
☐ **on average**	**375**
☐ on [in] A's behalf	603
☐ **on [in] behalf of ~**	**603**
☐ **on board**	**604**
☐ **on condition (that) ...**	**779**
☐ on demand	582
☐ **on duty**	**605**
☐ **on earth**	**105**
☐ **on end**	**368, 984**
☐ **on occasion**	**103, 188, 989**
☐ **on (***one's***) guard**	**606**
☐ **on** *one's* **own**	**725, 941**
☐ **on** *one's* **part**	**232**
☐ on *one's* way (to ~)	238
☐ **on purpose**	**195**
☐ **on second thought**	**990**
☐ **on [at] short notice**	**973**
☐ **on ~ terms with A**	**639, 937**
☐ **on the air**	**236**
☐ **on (the [an]) average**	**375**
☐ **on the brink of ~**	**938**
☐ **on (the) condition (that) ...**	**779**
☐ **on the contrary**	**239**
☐ on the decrease	607
☐ **on the dot**	**991**
☐ **on the face of it**	**992**
☐ **on the grounds that ...**	**780**
☐ **on the increase**	**607**
☐ on the mark	955
☐ on (the) one hand	86
☐ **on the other hand**	**86**
☐ on the part of *one*	232
☐ on the rise	607
☐ **on the ~ side**	**957**
☐ **on the spot**	**407**
☐ **on the tip of** *one's* **tongue**	**958**
☐ **on the verge of ~**	**938**
☐ **on the way (to ~)**	**238**
☐ **on the whole**	**277, 976**
☐ **on time**	**98**
☐ **once (and) for all**	**993**
☐ **once in a while**	**103, 188, 189, 989**
☐ **once upon a time**	**406**
☐ **one after another**	**728**
☐ one after the other	728
☐ **one another**	**296, 297**
☐ **one by one**	**402**
☐ one day	994
☐ **one of these days**	**994**
☐ one ~, others	743
☐ **one ~, the other ...**	**743**
☐ one ~, the others	743
☐ **only have to** *do*	**730**
☐ **only if ...**	**773**
☐ **only too**	**969, 995**
☐ **out of breath**	**959**

INDEX O · R

- out of control **658**, 659
- out of date **310**
- out of fashion [style] **310**
- out of hand **659**
- out of harmony with ~ 586
- out of [beyond] one's reach 933
- out of order **309**
- out of shape 951
- out of sight **317**
- out of style [fashion] **310**
- out of the blue 184
- out of the question **660**
- out of work **960**
- over and over (again) **196**
- owe A to B 519
- owing [due] to ~ 145, **295**, 346, 780

P

- part from ~ 447
- part with ~ **447**
- participate in ~ 48, **629**
- pass away **174**
- pass by (~) **491**
- pass on ~ **493**
- pass out 879
- pay ~ a visit **911**
- pay a visit (to ~) **911**
- pay attention to ~ 119, 348, 845, 921
- persist in ~ **854**
- persuade A to do 531
- pick one's way 634
- pick out ~ **175**
- pick up ~ 62
- place emphasis on [upon] ~ 638
- place stress on [upon] ~ 638
- play a (practical) joke (on one) 912
- play a role [part] (in ~) **116**
- play a trick (on one) 912
- plenty of ~ **5**
- Point is (that) ... **750**
- point out ~ **69**
- point to [at] ~ 69
- poor as a church mouse 962
- prefer A to B **514**
- prepare for ~ **414**

- prepare A for B 414
- present oneself **913**
- present B to A 521
- present A with B 133, **521**
- prevent A from B **134**, 527
- pride oneself on ~ 630, **729**, 846
- prior to ~ **197**
- Problem is (that) ... 749
- prohibit A from B 134, 527, **528**
- provide against ~ 325
- provide for ~ **325**
- provide B for A 133
- provide A with B 133
- provided (that) ... 781
- providing (that) ... 781
- pull A's leg **823**
- pull up (~) 353
- punish A for B **500**
- push one's way 634
- put a stop to ~ 534
- put an end to ~ **914**
- put aside ~ 264
- put A at (A's) ease 306
- put away ~ **488**
- put down ~ **321**, 455
- put [bring] ~ into effect 366
- put ~ into practice [operation] **530**
- put off ~ 176
- put on ~ **72**
- put on airs 639
- put out ~ **341**
- put ~ to use **915**
- put together ~ **496**
- put up (~) 354
- put up with ~ **177**

Q · R

- quick as lightning [thought] 962
- quite a few ~ **961**
- range from A to B **880**
- B rather than A 777
- read between the lines 639, **881**
- read on 334
- recover from ~ 167, **450**
- reduce ~ to ashes 456
- refer to ~ **30**
- reflect on [upon] ~ **430**
- refrain from ~ 451

443

R-S

INDEX

- ☐ **regard A as B** — 132, 138, **139**
- ☐ **regardless of ~** — **152**
- ☐ relieve A of B — 505
- ☐ **rely on [upon] ~** — 38, **429**
- ☐ remain to be done — 761
- ☐ **remain to be seen** — **761**
- ☐ **remember doing** — 667, **688**
- ☐ Remember me to A. — 804
- ☐ **remember to do** — 667, **688**
- ☐ **remind A of B** — **502**
- ☐ reply on [upon] ~ — 806
- ☐ **resort to ~** — **439**
- ☐ **rest on [upon] ~** — 38, 429, **431**
- ☐ **result from ~** — 37, 60
- ☐ **result in ~** — 37, 60
- ☐ rid A of B — 505
- ☐ **right as rain** — **962**
- ☐ **right away** — 96, **198**
- ☐ right now — 198
- ☐ ring up (~) — 482
- ☐ **rise [get] to one's feet** — **882**
- ☐ rob A of B — 505, 506
- ☐ **roughly speaking** — **680**
- ☐ **rule out ~** — **883**
- ☐ run a risk [risks] — 627
- ☐ **run across ~** — 318, **418**, 448
- ☐ **run into ~** — 318, **418**, 448
- ☐ run out — 471
- ☐ **run out of ~** — **471**
- ☐ **run over (~)** — **343**
- ☐ run risks [a risk] — 627

S

- ☐ save A from B — 527
- ☐ Say hello to A (for me). — 804
- ☐ **scores of ~** — **963**
- ☐ **search for ~** — 31, **47**
- ☐ see a lot [a great deal] of ~ — 916
- ☐ **see A as B** — 132, **139**
- ☐ **see much of ~** — **916**
- ☐ see ~ off — 824
- ☐ see [tell] the difference between A and B — 251
- ☐ **see [do] the sights (of ~)** — 639, **917**
- ☐ **see (to it) that ...** — **744**
- ☐ **send for ~** — **417**
- ☐ send in ~ — 169
- ☐ **set about ~** — **178**
- ☐ **set aside ~** — **265**
- ☐ set ~ at liberty — 651
- ☐ **set down ~** — **455**
- ☐ set ~ free — 651
- ☐ **set in** — **179**
- ☐ **set off (~)** — 342, **460**
- ☐ **set out** — **342**, 460
- ☐ **set up ~** — **64**
- ☐ **settle down** — **322**
- ☐ **settle for ~** — **855**
- ☐ **shake hands (with ~)** — 639, **640**
- ☐ **share A with B** — **136**
- ☐ shield A from B — 527
- ☐ short of breath — 959
- ☐ **show off ~** — **459**
- ☐ **show up (~)** — **355**, 357
- ☐ **shut up (~)** — **483**
- ☐ **side by side (with ~)** — **405**
- ☐ **sign up (for ~)** — **475**
- ☐ **single out ~** — **884**
- ☐ **sit up** — **269**
- ☐ **slow down (~)** — **458**
- ☐ slow up (~) — 458
- ☐ **so as [in order] to do** — **669**
- ☐ **so+形容詞[副詞]+as to do** — **671**
- ☐ **so far** — **11**
- ☐ so far as ... — 767
- ☐ **so [as] far as ~ be concerned** — 231, 289, **768**
- ☐ **so [as] long as ...** — **769**
- ☐ **so much for ~** — **939**
- ☐ **~, so (that) ...** — **746**
- ☐ so+形容詞[副詞]+that S+V — 671
- ☐ **so that A will [can] do** — **745**
- ☐ so to say — 670, 672
- ☐ **so to speak** — 670, **672**, 722
- ☐ **Something is the matter with ~.** — **825**
- ☐ **Something is wrong with ~.** — **825**
- ☐ **something of a ~** — **964**
- ☐ **sooner or later** — **410**
- ☐ **sort [kind] of (~)** — **371**
- ☐ **speak ill of ~** — **885**
- ☐ **speak out [up]** — **826**
- ☐ speak well [highly] of ~ — 885
- ☐ **speaking [talking] of ~** — **684**
- ☐ **specialize in ~** — **261**
- ☐ **spend A on B** — **135**
- ☐ **spend time (in) doing** — **747**
- ☐ spring [jump] to one's feet — 882

444

INDEX S-T

☐ stand by (~)	180, **320**, 326, 841
☐ stand for ~	180, 320, **326**
☐ stand out	**266**
☐ stand to reason	**762**
☐ stand up	**882**
☐ stand up for ~	180, 320, **326**
☐ stay [keep] in touch with ~	**648**
☐ stay up	**268**
☐ step by step	**404**
☐ step up (~)	**481**
☐ stick out	**267**
☐ stick to ~	**244**, 438, 841
☐ still [much] less ~	292, **714**
☐ stop A from B	**527**, 529
☐ strictly speaking	**680**
☐ strike A as B	**525**
☐ strip A of B	**505**
☐ substitute (A) for B	**497**
☐ substitute B with A	**497**
☐ succeed in ~	**54**
☐ such as it is	**827**
☐ such as they are	827
☐ suffer from ~	**40**
☐ sum up (~)	**474**
☐ supply B to [for] A	**522**
☐ supply A with B	133, **522**
☐ surrender (to ~)	**253**, 254
☐ suspect A of B	**511**
☐ switch off (~)	**303**
☐ switch on (~)	**302**
☐ sympathize with ~	**444**

T

☐ take a chance	**626**, 627
☐ take [have] a look (at ~)	**808**
☐ take a risk [risks]	626, **627**
☐ take account of ~	**920**
☐ take advantage of ~	**633**
☐ take after ~	**181**
☐ take away ~	**486**
☐ take ~ by surprise	**918**
☐ take care of ~	42, 56, **114**, 339, 637, 845
☐ take chances	626
☐ take charge of ~	**579**
☐ take down ~	321, 455, **457**
☐ take A for B	**263**
☐ take ~ for granted	**763**
☐ take hold of ~	**919**

☐ take in ~	**327**
☐ take ~ into account	**920**
☐ take into account [consideration] ~	920
☐ take ~ into consideration	920
☐ take it easy	**828**
☐ take (it) for granted that ...	763
☐ take notice of ~	**921**
☐ take off (~)	72, **78**
☐ take on ~	**335**
☐ take *one's* place	**360**
☐ take *one's* time	**829**
☐ take over (~)	**494**
☐ take pains	639, **922**
☐ take part in ~	48, **629**
☐ take pity on ~	**444**
☐ take place	**115**
☐ take pride in ~	**630**, 729, 846
☐ take risks [a risk]	626, **627**
☐ take ~ seriously	**764**
☐ take the place of *one*	360
☐ take the risk of ~	627
☐ take the trouble to *do*	**765**
☐ take things easy	828
☐ take to ~	**349**
☐ take turns	639, **923**
☐ take up ~	**356**
☐ talk A into B	**531**
☐ talk on	**334**
☐ talk A out of B	**531**
☐ talking [speaking] of ~	**684**
☐ tear down ~	**886**
☐ tell A from B	**252**
☐ tell on [upon] ~	**856**
☐ tell [see] the difference between A and B	**251**
☐ tend to *do*	270, 271, **668**
☐ 比較級 + than usual	**107**
☐ thanks to ~	**151**
☐ that is (to say)	87, **782**
☐ that much + 比較級	**704**
☐ that said	**812**
☐ That's for sure [certain].	**801**
☐ (The) Chances are (that) ...	**748**
☐ (The) Fact is (that) ...	**749**
☐ the former ~, the latter ...	**784**
☐ the last ... to *do*	**785**
☐ the moment [minute] ...	**786**
☐ The odds are (that) ...	**748**
☐ the other way about	**996**

T - U INDEX

- the other way around [round] 996
- The pleasure is (all) mine. 822
- **(The) Point is (that) ...** **750**
- (The) Problem is (that) ... 749
- **the＋比較級〜, the＋比較級 ...** **721**
- (The) Trouble is (that) ... 749
- **the way S＋V** 237, **774**
- **There is no doing** **751**
- There is no use (in) doing 739
- There is nothing for it but to do 758
- There is nothing more A than B 778
- There you go again. 814
- There's something wrong with 〜. 825
- **these days** **8**
- think a lot of 〜 888
- think again 889
- **think better of 〜** **887**
- think little [poorly] of 〜 888
- **think much [highly] of 〜** **888**
- **think of 〜** **29**, 122
- **think of A as B** 29, 132, **138**, 139
- **think over 〜** **182**
- think the world of 〜 888
- **think twice** **889**
- thousands of 〜 6
- **throw away 〜** **485**
- **throw up (〜)** **890**
- to a certain extent 384
- **to A's advantage** **965**
- to and fro 389
- to be frank (with you) 670
- to be honest (with you) 670
- **to be sure** 670, **673**
- **to begin [start] with** 14, 379, 670, **674**
- **〜 to death** 791, **830**
- to do 〜 justice 670
- to do justice to 〜 670
- **to 〜 extent [degree]** **372**
- **〜 to go** **831**
- **to make matters worse** 670, **675**
- to make things worse 670, 675
- to one's amazement 388
- to one's amusement 388
- to one's astonishment 388
- to one's delight [relief] 388
- to one's disappointment 388
- to one's embarrassment 388
- to one's hearts' content 997
- **to one's heart's content** **997**
- to one's joy 388
- to one's mind [thinking] 377
- to one's regret 388
- to one's relief [delight] 388
- **to one's surprise** **388**
- **to say nothing of 〜** 293, 670, **676**
- to say the least (of it) 670
- **to start [begin] with** 14, 379, 670, **674**
- to sum up 670
- to tell (you) the truth 670
- to the best of one's ability [recollection] 998
- to the best of one's belief 998
- **to the best of one's knowledge** **998**
- to the best of one's recollection [ability] 998
- **to the contrary** **240**
- **to the effect that ...** **940**
- to the extent [degree] that ... 372
- **to the full** **999**
- **to the point** 618, **955**
- to the point of 〜 [that ...] 618
- to [at / in] the rear of 〜 147
- **together with 〜** 149, 150
- **transform A into [to] B** 140, **532**
- translate A into B 140
- Trouble is (that) ... 749
- **True 〜, but ...** **738**
- **try on 〜** **61**
- **turn down 〜** **323**
- **turn in 〜** 169, **183**
- turn into 〜 140
- **turn A into B** **140**, 532
- **turn off (〜)** **303**
- **turn on (〜)** **302**
- **turn out (〜)** **46**
- **turn over (〜)** **344**
- turn over a new leaf 344
- **turn up (〜)** 323, 355, **357**

U

- **under construction** **966**

INDEX

☐ under control	658
☐ under repair	966
☐ **under way**	**967**
☐ up and down	389
☐ **up to ~**	**369**
☐ **up to date**	**311**
☐ upside down	390
☐ **use up ~**	**473**
☐ **used to** *do* **[be]**	**129**

V · W

☐ view *A* as *B*	132, 139
☐ **wake up (~)**	**65**
☐ watch *one's* head	832
☐ watch *one's* manners	832
☐ watch *one's* mouth	832
☐ **watch** *one's* **step**	**832**
☐ **watch out (for ~)**	**339, 891**
☐ We cannot *do*	751
☐ **wear out (~)**	**469**
☐ were it not for ~	723
☐ wet to the skin	618
☐ What a pity!	833
☐ **What a shame!**	**833**
☐ What about ~?	817
☐ **What do you say to** *doing***?**	**834**
☐ What for?	835
☐ **What ... for?**	**835**
☐ **What if ...?**	**836**
☐ **what** *A* **is**	**701**
☐ what is called ~	703
☐ **what is more**	**702**
☐ what is worse	675
☐ **What ~ like?**	**837**
☐ **what we call ~**	**703**
☐ **What's up?**	**838**
☐ **when it comes to** *doing*	**689**
☐ **Why not?**	**839**
☐ wide of the mark	618, 955
☐ **~ will do**	**698**
☐ **wish for ~**	**415, 416**
☐ **with a view to** *doing*	**690**
☐ **with all ~**	**154, 291**
☐ **with ease**	**1000**
☐ With pleasure.	822
☐ with the help of ~	611
☐ with the intention of *doing*	690
☐ within *one's* reach	933
☐ **within [in] sight**	**316**
☐ within the reach of ~	933
☐ without difficulty	1000
☐ without fail	364, 619
☐ work on (~)	41
☐ work out (~)	892
☐ worry about [over] ~	568
☐ would (just) as soon ~ (as ...)	697
☐ **would rather ~ (than ...)**	**697**
☐ write down ~	321, 455

Y

☐ yearn after ~	857
☐ **yearn for ~**	**415, 857**
☐ yearn to *do*	857
☐ **yield to ~**	**255**
☐ You must be kidding.	840
☐ **You're kidding (me).**	**840**
☐ You're (very [most]) welcome.	822

447

花本金吾 (はなもと きんご)
早稲田大学名誉教授

装丁デザイン	及川真咲デザイン事務所
ペーパークラフト制作・撮影	AJIN
本文デザイン	牧野 剛士
編集協力	株式会社シー・レップス
	坂本 浩
	町田 智之
校閲	志賀 伸一
英文校閲	William F. O'Connor
	Adrian Pinnington
組版所	幸和印刷株式会社
編集担当	荒川 昌代